HISTORIA CONFIDENCIAL

Pacho O'Donnell
José Ignacio García Hamilton
Felipe Pigna

HISTORIA CONFIDENCIAL

Búsquedas y desencuentros argentinos

SEGUNDA EDICIÓN

 Planeta Historia y Sociedad

982	García Hamilton, José Ignacio
GAR	Historia confidencial / José Ignacio García Hamilton, Pacho O'Donnell y Felipe Pigna.- 2ª ed. – Buenos Aires : Planeta, 2003.
	256 p. ; 23x15 cm.- (Historia y sociedad)
	ISBN 950-49-0991-4
	I. Pacho O'Donnell II. Pigna, Felipe III. Título – 1. Historia Argentina

Diseño de cubierta: Mario Blanco
Diseño de interior: Gisela Aguirre

© 2003, José Ignacio García Hamilton, Pacho O'Donnell y Felipe Pigna
© 2003, Grupo Editorial Planeta S.A.I.C.
Independencia 1668, C 1100 ABQ, Buenos Aires

2ª edición: 3.000 ejemplares

ISBN 950-49-0991-4

Impreso en Grafinor S. A.,
Lamadrid 1576, Villa Ballester,
en el mes de abril de 2003.

Manuel Belgrano

SALAMANCA. EL CONSULADO. BELGRANO-MORENO. EL CAR-
LOTISMO. EL MONARCA INCA. SALTA Y TUCUMÁN. EL EN-
CUENTRO EN YATASTO. REGLAMENTO PARA LAS ESCUELAS.
BELGRANO-SAN MARTÍN. ENFERMEDAD Y MUERTE.

PACHO O'DONNELL: Nuestra historia oficial enseña que Belgrano
creó nuestra bandera y nada más.

JOSÉ IGNACIO GARCÍA HAMILTON: La educación patriótica lo congeló
como militar. Lo conocemos como el general Belgrano.

FELIPE PIGNA: La historia oficial lo ha condenado a ser solamente el
creador de la bandera, dejando de lado aspectos fundamentales de
su vida.

P. O.: Y en su monumento en Plaza de Mayo, muy castrense, se lo ve
con espada y con morrión, como si su principal aporte a nuestra patria hubiese sido matar enemigos y no ser el principal ideólogo, con
su primo Castelli, del 25 de Mayo. Estatua ecuestre, por otra parte,
inaugurada el 24 de septiembre de 1873, por el entonces presidente
Sarmiento, otro que intentaba que le reconocieran su carácter de
militar cuando, en verdad, su grandeza estuvo relacionada con sus
ideas.

J. G. H.: Fue abogado de profesión, economista y educador. Su padre fue un inmigrante que vino de Oneglia, cerca de Génova, e hizo
fortuna en el comercio. En algún momento lo acusan de haber sido
cómplice de la quiebra del administrador de Aduanas, lo detienen y
le secuestran todos sus bienes.

P. O.: Antes don Manuel había estudiado en el Colegio San Carlos, bajo la dirección del doctor Luis Chorroarín, donde obtuvo el título de licenciado en filosofía. Después su padre lo envió a España. En una de las paredes de la universidad de Salamanca figura su nombre entre los alumnos célebres que han pasado por sus aulas.

F. P.: Obtuvo la medalla de oro al mejor estudiante de Salamanca.

J. G. H.: Ahí recoge la educación europea de la época. Mientras está estudiando se produce la Revolución Francesa. Le llegan los ecos de los principios europeos de la Ilustración: libertad, igualdad, fraternidad. Cuando se recibe vive un tiempo en Madrid, donde percibe la decadencia del reinado de Carlos IV y su esposa María Luisa. Vuelve de Madrid con el cargo de secretario del Consulado y trae las ideas avanzadas que ha mamado en Europa.

F. P.: Algo destacable es que por sus excelentes calificaciones Belgrano obtiene la dispensa papal para poder leer los libros prohibidos. El permiso decía que podía "leer y retener todos y cualesquiera libros de autores condenados y aun herejes, de cualquier manera que estuvieran prohibidos, custodiando sin embargo que no pasen a manos de otros. Exceptuando los pronósticos astrológicos que contienen supersticiones y los que ex profeso tratan de asuntos obscenos".

P. O.: Leía a los autores en sus idiomas originales, en francés, italiano e inglés. Belgrano nació en una familia de excelente posición económica y social, que procuró para él la mejor formación de la época. Así, fue designado en un cargo habitualmente reservado para españoles de nacimiento por su importancia, como el de secretario del Consulado, por el que tenía a su cargo el control del comercio monopólico entre la metrópoli y su colonia rioplatense. Era un lugar para hacerse rico, no tanto por su salario como por la posibilidad de lucrar por izquierda, con las habituales violaciones a las reglas comerciales. Es decir, cuando Belgrano se incorporó al hecho revolucionario abandonó una posición de privilegio. Entró en la revolución rico y terminó en la miseria.

J. G. H.: Lucha contra el monopolio mercantil con el que su padre se había enriquecido.

P. O.: Así es.

J. G. H.: Vos estás haciendo notar, Pacho, un aspecto no demasiado conocido. Creo que ése es uno de los méritos que tenés en tu actividad como historiador...

P. O.: Muchas gracias, José Ignacio, hasta parecés sincero.

F. P.: Suena verdadero.

J. G. H.: Soy sincero y también es franca y contundente la réplica o la discordancia cuando no pensamos igual. Desde el Consulado, Belgrano vulnera los intereses de los comerciantes monopolistas que habían estado relacionados con su padre.

P. O.: Su padre fue Domingo Belgrano y Peri, un genovés que integró el núcleo de los comerciantes importantes de la ciudad, según dicen los libros de historia, pero en realidad era un contrabandista, porque en Buenos Aires los comerciantes se enriquecían con el contrabando.

J. G. H.: Era un italiano, comerciante, que llega al Río de la Plata y se desarrolla y progresa dentro del sistema del monopolio mercantil. Pero cuando su hijo Mariano, digo Manuel, regresa de estudiar en España, como secretario del Consulado, procura que se termine ese régimen prebendario y que se promuevan la agricultura y la industria.

P. O.: Por eso tu sabio acto fallido de recién, en que casi dijiste Mariano Moreno cuando ibas a decir Manuel Belgrano.

J. G. H.: Porque es un caso muy parecido.

P. O.: Porque hay cosas comunes entre ambos.

J. G. H.: En relación con mi lapsus, apareció el Pacho psicoanalista, más que el Pacho historiador.

F. P.: Acá no se pierde nada.

J. G. H.: El acto fallido obedece a un e-mail que se sorprende de que hayamos dicho que Mariano Moreno apoyó a los indígenas.

F. P.: Él siente verdadera vergüenza de la situación de los naturales de Misiones y les restituye todos los derechos que corresponden a los ciudadanos plenos. Dicta el famoso reglamento para las misiones que, según dicen los constitucionalistas actuales, fue el primer ensayo constitucional de la República. Consta de treinta artículos notables por su contenido social, político y económico; distribuye tierras, crea capillas, y escuelas en cada población, los obliga a agruparse para fomentar la sociabilidad y la convivencia.

J. G. H.: Y a la vez defendía los intereses de los comerciantes ingleses. Esta pregunta obedece a una errónea apreciación de lo que fue el liberalismo en aquella época. Los argentinos hemos conocido en nuestra generación un liberalismo económico que estaba representado por personajes totalitarios...

F. P.: Los liberales autoritarios.

J. G. H.: Claro. Liberales en lo económico, pero que en lo político apoyaban a los gobiernos de facto, algunos incluso justificaban las torturas y las desapariciones de la dictadura del Proceso. La palabra liberal, en la Argentina del siglo XX, pasó a ser un término repudiado, casi una mala palabra. Pero el vocablo original proviene de "libertad", un concepto maravilloso, y en la época de la Ilustración y a principios del siglo XIX ser liberal significaba postular las ideas igualitarias...

F. P.: Los derechos del hombre proclamados en Francia en 1789, como uno de los primeros actos de la Revolución Francesa.

J. G. H.: Los derechos del ciudadano y la abolición de los privilegios feudales y mercantilistas. Por eso no había ninguna contradicción entre fomentar el libre comercio, el intercambio con todos los países del mundo, y defender a los indígenas de la explotación. Al contrario, eran cosas que se complementaban.

F. P.: Un documento notable es esta carta que escribe Belgrano a poco de hacerse cargo del Consulado: "No puedo decir bastante mi sorpresa cuando conocí a los hombres nombrados por el Rey para el Consulado. Todos eran comerciantes españoles; exceptuando uno que otro, nada sabían más que su comercio monopolista, a saber: comprar por cuatro para vender con toda seguridad a ocho. Mi ánimo se abatió, y conocí que nada se haría en favor de las provincias por unos hombres que por sus intereses particulares posponían el

8

del común. Sin embargo, ya que por las obligaciones de mi empleo podía hablar y escribir sobre tan útiles materias, me propuse echar las semillas que algún día fuesen capaces de dar frutos". Es decir, estaba rodeado de gente bien lejana a sus ideas de cambiar las cosas. Ahí estaban —los Lezica, por ejemplo— los apellidos de estas familias que luego se van a transformar de comerciantes en terratenientes y que van a tratar de frenar todos los impulsos innovadores de Belgrano que están expresados en estos maravillosos informes al Consulado, que son obras maestras de la economía, de la educación.

P. O.: El Belgrano economista fue el traductor de los fisiócratas.

F. P.: Los fisiócratas italianos como Filanghieri y franceses como Quesnay.

P. O.: Las teorías de Quesnay eran las más modernas de la época; preconizaban una sociedad mejor, organizada en torno a la agricultura.

J. G. H.: Las ideas de los fisiócratas iban a significar un cambio muy importante en una sociedad de economía tan primaria como lo era el Río de la Plata, una de las zonas más pobres del Imperio español...

P. O.: Muy agrícola, lo que la hacía especialmente adecuada para las teorías fisiocráticas.

J. G. H.: Nuestra producción era básicamente ganadera. Exportábamos solamente cueros y tasajo (las carnes saladas que en el Norte llamamos "charqui"). Vivíamos en un área muy alejada de los centros de poder y de las riquezas mineras (el Alto Perú y México). El pensamiento mercantilista postulaba que los metales eran las fuentes de riqueza, pero Belgrano adhiere a los principios fisiocráticos, que sostenían el apoyo a las producciones agrarias y...

P. O.: Una pregunta clave: ¿por qué un intelectual como Belgrano terminó como jefe de ejércitos? Lo lógico hubiera sido que se quedase como el ideólogo de la revolución, que lo fue con su primo Castelli, otro abogado y pensador a quien también mandan a conducir el otro ejército, mientras en Buenos Aires se queda Moreno, solo, demasiado apasionado y bastante torpe políticamente para pensar y sostener la revolución.

F. P.: Yo creo que Belgrano era el gran cuadro potencial de la revolución, el tipo que hubiera podido conducir la revolución sin duda. Contaba con virtudes únicas y destacables, como su experiencia de gobierno y un bagaje teórico impresionante, que hablan de un estadista, un tipo que tenía vocación de estadista más que de militar. Fíjate, por ejemplo, lo que publicaba en 1810 en el *Correo de Comercio*. Él estaba de acuerdo con la apertura de la economía y la libertad de comercio pero advertía los peligros que implicaría el no ponerle límites: "La importación de mercaderías que impiden el consumo de las del país, o que perjudican el proceso de sus manufacturas, y de su cultivo, lleva tras de sí necesariamente la ruina de la nación". Insistía en que el país debía industrializarse: "Ni la agricultura ni el comercio serían casi en ningún caso suficientes a establecer la felicidad de un pueblo si no entrase a su socorro la oficiosa industria. No hay desarrollo si este ramo vivificador no entra a dar valor a las rudas producciones de la una y materia y pábulo a la permanente rotación del otro".

J. G. H.: Lo estamos elogiando mucho a Belgrano. A ver, Pacho y Felipe, qué críticas tienen...

F. P.: Hay un episodio, que es el carlotismo, que me parece interesante.

P. O.: Tampoco es algo especialmente criticable, aunque no es aceptable para nuestra historia oficial, que deja ese episodio de lado, como si fuera algo de mal gusto.

F. P.: Es un punto polémico.

P. O.: Carlota era la hermana mayor de Fernando VII, el rey español que estaba preso y, a su vez, era la esposa del príncipe heredero y regente, Juan de Portugal, que estaba en Brasil, trasladado por Inglaterra a América para salvarlo de Napoleón. Entonces, a algunos ciudadanos inquietos del Río de la Plata, como Belgrano, Castelli, los Rodríguez Peña —a los que más tarde se unirán Saavedra, Pueyrredón y otros—, con tal de impedir el regreso a la dependencia de Fernando VII y con el pretexto de no jurar fidelidad a Francia, se les ocurrió la idea de coronar aquí a la princesa portuguesa, a la que le sobraba derecho por parentesco borbónico. Como es de imaginar, a la señora y a su esposo la idea les entusiasmó y, en forma mágica, ella pasó de ser la emperatriz lusitana a ser la españolísima Infanta Carlota de Borbón y a vivir en un castillo en Botafogo, separada de Juan de Portugal. Es claro que en la mente de aquellos inteligentes protorrevolucionarios estaba la convicción de que la única posibilidad de poner coto al dominio español era obtener el apoyo de Inglaterra. La corona inglesa no podía hacerlo directamente porque era aliada de España contra Napoleón, pero la posibilidad de que la princesa Carlota regenteara el Río de la Plata era una forma de acercarse a la gran potencia de la época, porque Portugal era también su aliado. Acá vemos que la historia que no se nos cuenta es una historia de decisiones políticas, habitualmente muy complejas e interesantes.

J. G. H.: El episodio del carlotismo fue mucho más allá de lo que se lo trata en las escuelas...

P. O.: Llegó hasta que la Infanta Carlota se embarcó para venir al Río de la Plata, pero Inglaterra prohibió zarpar a ese barco porque una cosa era tener a Portugal de aliado y otra facilitar su expansión territorial, política y económica.

F. P.: Hay que recordar que Belgrano fue uno de los primeros periodistas argentinos. En 1801 Belgrano colaboró en la fundación del primer periódico que se editó en nuestro país: el *Telégrafo Mercantil, Rural, Político, Económico e Historiográfico del Río de la Plata*. Entre los principales colaboradores figuraban Domingo de Azcuénaga, José Chorroarín, Juan Manuel de Lavardén, Pedro Antonio Cerviño, Gregorio Funes y Juan José Castelli. El *Telégrafo Mercantil* aparecía dos veces por semana y traía artículos muy variados, desde sesudos análisis políticos hasta sonetos escatológicos sobre las almorranas: "¿Hasta cuándo traidoras almorranas / después de quedar sanas, / y ya purificadas, / volvéis a las andadas? / ¿Por qué irritáis con bárbaro perjuicio / la paz del orificio, / que acostumbrado a irse de bareta / y en lícitos placeres / hace sus menesteres". El virrey del Pino, molesto por el contenido político de la publicación y por la gran influencia que fue adquiriendo, decidió clausurar el *Telégrafo* el 17 de octubre de 1802, usando como excusa la "procacidad" de la publicación.

J. G. H.: Belgrano tuvo también una misión diplomática en Europa, con posterioridad a sus triunfos en las batallas de Tucumán y Salta.

F. P.: En septiembre de 1814 el Directorio le encomienda, junto a Rivadavia, la misión en Europa de conseguir la aprobación de las potencias europeas para la declaración de nuestra independencia. En Europa se estaba produciendo la decadencia de Napoleón y la derrota de los ideales de la Revolución Francesa. Los reyes volvían a sus tronos, y entre ellos Fernando VII, y no había ambiente para independencias. La misión terminó en un fracaso rotundo.

P. O.: La principal dificultad siempre fue Inglaterra.

F. P.: Claro, la presión de Gran Bretaña aliada de España en su lucha contra Napoleón.

P. O.: Nada podía suceder en estos pagos que no tuviera la aprobación de Inglaterra, como cuando se buscó otra solución política, que fue coronar en las Provincias Unidas al hermano del rey Fernando VII...

J. G. H.: Al Infante Francisco de Paula...

P. O.: Y el padre de Fernando VII... me olvidé...

J. G. H.: Carlos IV.

P. O.: Hay una epidemia de Alzheimer y yo me olvidé de vacunarme... Carlos IV, gracias muchachos, quien estaba en Roma, hasta ese momento sostenido por Napoleón en un soborno flagrante. Fue entonces cuando Rivadavia y el Triunvirato pergeñaron aumentar ese soborno y lograr que revocase la cesión de su corona a Fernando y que, en cambio, abdicase en su otro hijo, Francisco. Llegaron Rivadavia y Belgrano a diseñar el escudo, que era una mezcla de los símbolos borbónicos con los del Río de la Plata, incluso se planteó una Constitución monárquica con distribución de marquesados y ducados, hasta que, estoy convencido, Inglaterra se encargó de romper el secreto y divulgar la confabulación, con lo que se generó el comprensible escándalo que abortó el asunto. Hubo un cacerolazo y afuera Alvear del Directorio.

F. P.: Y las potencias conservadoras de Europa, que no estaban dispuestas a avalar las revoluciones americanas, a las que veían como una continuación de la Revolución Francesa contra la que habían combatido. Todo se complicó para los americanos.

J. G. H.: Sí.

F. P.: En esas circunstancias desfavorables se reúne el Congreso de Tucumán, el 24 de marzo de 1816. Belgrano llega de Europa poco después del inicio de las sesiones del Congreso.

J. G. H.: Durante décadas la educación patriótica ocultaba o pasaba por alto estos proyectos, porque los interpretaba como un extravío monárquico de nuestros próceres, a quienes se describía como republicanos impolutos. Sin embargo, eran alternativas lógicas, que pretendían preservar los derechos civiles, los principios de igualdad que se habían consagrado ya en la Asamblea del año 13 (se había eliminado el fanatismo religioso de la Inquisición), aunque fuera bajo un sistema de gobierno monárquico. Es curioso que nuestros gobiernos militares del siglo XX, que violaron nuestra Constitución republicana y se constituyeron en dictaduras absolutistas, se escandalizaran y quisieran ocultar las "malsanas inclinaciones monárquicas" de los "generales Belgrano y San Martín".

F. P.: Claro, el planteo no era de ninguna manera la monarquía absolutista sino una monarquía representativa, parlamentaria, ése era el modelo del que se estaba hablando.

J. G. H.: Desde hacía un siglo y medio en Inglaterra funcionaba el parlamentarismo monárquico; y en Francia se había empezado a ensayarlo.

F. P.: Sí, con el contractualismo, el pactismo, etcétera. Lo interesante es que Belgrano, justamente como ve que todo está monarquizado, todo es monarquía en Europa, llega acá al Congreso y propone también la idea monárquica, pero con una visión muy original, que es la monarquía incásica, del rey inca.

J. G. H.: Que va a ser ridiculizado por algunos.

F. P.: Por el diputado porteño Tomás de Anchorena, que, haciendo gala de un racismo muy particular, se pregunta "¿cómo vamos a aceptar a un rey de la casta de los chocolates o a un monarca en ojotas?".

P. O.: Belgrano le escribe una carta a Manuel Padilla, el marido de Juana Azurduy, en la que le informa su nombramiento de coronel de Milicias Nacionales y le cuenta que el Congreso de Tucumán está tratando el tema de la soberanía y, esto es textual, "de restablecer la Monarquía de los antiguos Incas, destronados con la más horrenda injusticia por los mismos Españoles. Yo soy testigo de algunas sesiones sobre ello, y espero tener la gloria de contribuir por mi parte a tan sagrado designio". Reivindiquemos, una vez más, la astucia política de Belgrano, que buscaba una alianza con las provincias altoperuanas, numerosas y decisivas en aquella época, necesarias para inclinar la balanza hacia quienes querían declarar la independencia.

F. P.: Las arribeñas.

P. O.: Saavedra era potosino, un "bolita", un argumento intolerable para quienes hoy discriminan a nuestros hermanos bolivianos.

F. P.: Además, Belgrano es apoyado por Güemes, por San Martín. No es un delirio.

J. G. H.: Surgía de la experiencia de Belgrano en el Alto Perú.

P. O.: Cuando lo mandaron a hacerse cargo otra vez del ejército, en 1816, le dice en una carta al director supremo Álvarez Thomas, que era además su sobrino político: "Yo deseo irme a vivir con mis hermanos Cumbay o Caripan o Carripilan", que eran caciques altoperuanos. Pero, claro, les faltaba el inca para designarlo rey, porque sólo quedaba uno que hacía muchos años estaba preso, desde la sublevación de Túpac Amaru.

F. P.: En París.

P. O.: En París, hacía mucho tiempo.

J. G. H.: Belgrano había sido derrotado en el Alto Perú y va retrocediendo con su ejército hasta Tucumán. Allí los tucumanos le piden que se detenga y presente batalla, para que no los deje en manos de los realistas, a merced de posibles revanchas. El 24 de septiembre de 1812 se produce la batalla en la que vencen los patriotas. Por eso en Tucumán se quiere tanto a Belgrano. Belgrano va a Salta, y vuelve a vencer el 20 de febrero de 1813 a los españoles. Hay una anécdota interesante que viene también de los tiempos de Belgrano en España. Belgrano se trataba de tú, que era el vos de entonces, con el general Pío Tristán, el jefe de las tropas españolas.

P. O.: Se escriben cartas muy cordiales, él lo llama "Mi querido Pío". En una carta en 1812, desde Yatasto, le escribe: "Fui el pacificador de la gran provincia del Paraguay. ¿No me será posible lograr otra tan dulce satisfacción en estas Provincias? Una esperanza muy lisonjera me asiste de conseguir un fin tan justo, cuando veo a tu Primo y a ti, de principales jefes". Y se despide diciéndole: "Créeme siempre tu fiel amigo".

F. P.: Pero es un enemigo.

J. G. H.: Era el jefe enemigo, pero eso no impedía que en el nivel personal mantuvieran relaciones cordiales y, en algún momento, hasta afectuosas. Este Pío Tristán era hermano del otro general realista Tristán, que estaba en Lima y era el amante de Rosa Campusano, que después va a ser la amiga íntima del general San Martín en Lima. El mundo era muy chico y en materia de mujeres no había por qué andar con remilgos de facciones o ideologías.

P. O.: El amor es ciego, dicen.

J. G. H.: Belgrano y Tristán se habían hecho amigos en España, pero esa especie de guerra civil que fue la contienda por la Independencia los había colocado en bandos separados. Es curioso, Tristán había nacido en América, lo mismo que los generales realistas Goyeneche, mientras que por ejemplo Álvarez de Arenales, jefe patriota que vence en las sierras peruanas con San Martín, era originario de la Península.

P. O.: Tristán cumple con el juramento de no volver a tomar las armas en contra de la revolución, y el general Paz, que escribe unas memorias admirables...

F. P.: Literariamente maravillosas, parecen novelas de aventuras.

P. O.: Paz fue protagonista de todo lo que pasó en nuestra patria en sus primeros cincuenta años de vida, tanto de las guerras de la Independencia como de las guerras civiles. Él tiene un gran respeto humano por Belgrano pero tiende a descalificarlo como militar, seguramente tenía razón en eso. Escribe, iba diciendo cuando me interrumpieron, sobre la batalla de Tucumán, que sus contendientes son tan inexpertos que no saben quién ganó y quién perdió. Belgrano está en los cerros tucumanos y manda creo que a Díaz Vélez a averiguar si los españoles han tomado la ciudad o no y, como le avisan que no lo han hecho, dice "entonces hemos vencido nosotros" y entra en Tucumán.

J. G. H.: Tristán, que está acampado en el área norte, en la zona de Los Nogales (donde yo pasé parte de mi infancia), al día siguiente del combate intima a Belgrano a que desaloje la ciudad. Porque pensaba que él había triunfado.

P. O.: Así fue.

J. G. H.: Cuando con posterioridad San Martín y Belgrano se encuentran en las proximidades de la Posta de Yatasto, en el sur de Salta...

F. P.: O cerca de Yatasto.

J. G. H.: En realidad fue en la estancia de Las Juntas, de la familia Torrens. Hoy ya se sabe que no fue en Yatasto, pero el mito histórico dice que es Yatasto y entonces tenemos que ir a visitar la Posta de Yatasto, que es monumento histórico, pero muy cerca de ahí...

P. O.: Siempre nos toca tomar la dirección equivocada.

J. G. H: La Posta está completa y se conserva muy bien. Lo que ya no existe es la estancia de Las Juntas, de los Torrens, que estaba cerca de Yatasto, más hacia el este. El edificio se derrumbó totalmente, con los años, y ahora el lugar está convertido en un chiquero, los chanchos gruñen sobre sus ruinas. Belgrano se da cuenta de que en el altiplano las tropas patriotas no consiguen vencer, en parte por la actitud de los indios, y de que por el contrario en el bajo, es decir en Salta o Tucumán, los españoles pueden ser detenidos. Cuando San Martín asume el mando del Ejército del Norte que le entrega don Manuel (se llamaba Ejército Auxiliar del Perú) ésta es la estrategia que va a seguir. Construye una ciudadela en las afueras de San Miguel de Tucumán, como un símbolo de que se trata de un límite, y pide ser trasladado a Mendoza como gobernador para intentar el cruce de la cordillera. San Martín advertía que Belgrano era una buena persona, pero no un militar...

P. O.: Es muy fascinante la correspondencia entre Belgrano y San Martín. Belgrano siente una gran admiración por San Martín y en sus cartas le confiesa que él no ha elegido la carrera militar; llega a decirle que la aborrece. Hay un momento en que San Martín le critica el no uso de la caballería y Belgrano le contesta describiéndole la menesterosidad de su tropa, que no tiene caballos ni lanzas. Unas cuantas mulas, nomás.

F. P.: De todas maneras, San Martín lo elogia incluso desde el punto de vista militar.

P. O.: Escribe a Buenos Aires que "es lo mejor que tenemos en Sudamérica", pero es un elogio a sus condiciones humanas, no a su capacidad como jefe militar.

J. G. H.: Cuando el Director Supremo ordena a Belgrano que vaya a rendir cuentas a Buenos Aires, San Martín prefiere que permanezca junto a él, para que le sirva como colaborador en "un país cuya geografía y cuya gente no conoce". Don Manuel tenía una gran aceptación en Tucumán, la gente lo quería. En algún momento don José llega a sentirse celoso, porque advierte que, aunque no era un militar de profesión con conocimientos de estrategia, Belgrano gozaba de un gran prestigio en la sociedad, sobre todo entre las mujeres, mientras que él, un profesional con experiencia europea, con un grado elevado, no consigue...

P. O.: Además San Martín hablaba como un español, bien gallego, y un general peleando contra los españoles que hablaba como español no generaría gran confianza.

F. P.: Decían que tenía un acento tipo canario.

J. G. H.: El acento de San Martín era andaluz (se había criado en Málaga), pero al cabo de estar unos años en Hispanoamérica adquirió un tono cercano al de las islas Canarias, que es muy parecido al del Norte argentino...

F. P.: Una cosa que por sabida no hay que dejar de decir es el famoso premio de 40.000 pesos oro que recibe Belgrano después de las batallas de Salta y Tucumán, un premio personal que él lo destina, como todos sabemos, a la construcción de escuelas que van a quedar de alguna manera inconclusas. Se han construido algunas aparentemente pero en su gran mayoría no fueron terminadas y ese dinero fue apropiado ilegítimamente por los sucesivos gobiernos, del Estado argentino, desde esa época hasta hoy.

J. G. H.: Sí, hace unos veinte años intentaron terminar las escuelas que no se habían hecho.

F. P.: Además, lo interesante es que Belgrano no sólo dona la plata sino que arma el reglamento para las escuelas, un texto interesantísimo.

P. O.: Yo me ocupé de él en uno de mis libros, vamos a leer algunos párrafos notables. Hay que imaginar a don Manuel escribiéndolo en medio de la campaña militar. Por ejemplo, en el artículo primero privilegia la buena retribución al maestro, estableciendo que "se destinen 500 pesos anuales para cada escuela de los que 400 serán para el pago de su salario y los cien restantes para papel, pluma, tinta, libros y catecismo para los niños de padres pobres que no tengan cómo costearlo". Esas escuelas estarían en una región de enorme pobreza, y sigue siéndolo, donde no las había.

F. P.: Elige especialmente lugares muy pobres.

J. G. H.: Ésa es la idea que va a tomar después Sarmiento, cuando dice que el maestro tiene que tener en la sociedad argentina el mismo respeto que tienen los sacerdotes, que eran los encargados de la educación.

F. P.: Y él le da el lugar de privilegio en el Cabildo.

P. O.: Sí, el reglamento establece, textualmente, que "en las celebraciones del patrono de la ciudad, del aniversario de nuestra regeneración política y de otra celebridad se le dará asiento al maestro en cuerpo del Cabildo, reputándosele por un padre de la Patria".

F. P.: Como ahora...

P. O.: Y después hay otros artículos...

J. G. H.: Eso de "padre de la Patria" tiene que ver con la forma en que se lo llamaba a Belgrano en su época.

P. O.: Te escuché preguntarte por qué el Libertador termina siendo San Martín si también se le decía "Libertador" a Belgrano.

J. G. H.: Hay una carta del Director Supremo, en 1819, enviada al gobernador de Tucumán, en la que le pide que brinde fondos "al Libertador Manuel Belgrano" para que pueda pagar los gastos de su regreso a Buenos Aires. En aquellos tiempos se llamaba "Libertadores" a los generales que habían luchado en el Norte argentino, que eran Belgrano, Pueyrredón, Castelli, Arenales, Rondeau y Balcarce. Lo mismo que en Venezuela y Nueva Granada (la actual Colombia) se llamaba "libertadores" a todos los generales patriotas...

F. P.: Se usaba el plural, no el singular.

J. G. H.: Claro. El propio Bolívar creó la Orden de los Libertadores. En el Río de la Plata, con ese plural se designaba a quienes habían liberado la Banda Oriental (José Rondeau y Carlos de Alvear) o habían recuperado las provincias de Jujuy, Salta y parte de Tucumán. Recordemos que San Martín llega a Buenos Aires en 1812 (el territorio estaba ya en manos patriotas, salvo la Banda Oriental y parte del límite norte) y no combate ni libera áreas geográficas en el territorio de las Provincias Unidas, hoy argentino. En 1873, el presidente de la Nación, Domingo Faustino Sarmiento, dice en un homenaje que Belgrano será recordado como el "padre de la Patria"; y Bartolomé Mitre, en ese mismo acto, lo llama "el" Libertador. El libro que don Bartolomé escribe sobre la vida de Manuel se titula *Historia de Belgrano y de la independencia argentina*. Recién en 1937 se empieza a recordar en la Argentina el día de la muerte de San Martín y en 1950 Perón lo consagra por ley como único Libertador, lo desplaza de ese rango a Belgrano y le cambia el nombre a la hasta entonces avenida Alvear. Jorge Luis Borges, con su tradicional ironía, afirmaba que "San Martín es un militar que luchó en Chile". Don José sólo combatió en San Lorenzo...

F. P.: La batalla de San Lorenzo.

P. O.: En ese discurso Sarmiento dice de Belgrano: "general sin las dotes del genio militar". Lo llama "padre de la Patria" pero lo reivindica por su contribución a la educación y sus ideas de progreso. San Martín, en cambio, era de profesión militar, aunque la batalla de San Lorenzo fue una escaramuza...

J. G. H.: En términos militares es muy pequeña. Había menos de 200 soldados en cada bando. En cambio en Chacabuco y Maipú había varios miles, alrededor de 6000 y 8000. En la época, los ejércitos napoleónicos combatían con más de 100.000 integrantes, a veces hasta 200.000.

P. O.: El otro día vi por televisión un documental maravilloso sobre la batalla de Waterloo y pensaba qué notables esos momentos decisivos cuando se enfrentaban dos grandes ejércitos y en ese remolino de confusión, de corajes y pusilanimidades, de errores o aciertos tácticos, se decidía la historia de la humanidad.

F. P.: Se jugaba todo ahí.

P. O.: En Waterloo, tanto Napoleón como Wellington saben que la suerte de la batalla se decidirá según si llega o no a tiempo el ejército prusiano al mando del general Blücher. En Maipú y Chacabuco, San Martín demuestra que era un gran estratega cuando, mirando por su catalejo, exclama: "El sol de Chacabuco alumbrará nuestra victoria", al constatar que el general realista Marcó del Pont no había respondido acertadamente a un estratégico cambio de frente que él había ordenado a sus tropas. De eso el doctor Belgrano entiende poco.

J. G. H.: San Martín tenía experiencia militar europea, lo cual no era poco en un país que libraba una guerra de Independencia sin tener oficiales profesionales.

P. O.: Por eso lo envían a Belgrano y a Castelli, abogados, intelectuales, hasta que llega la solapada ayuda británica, que manda la *George Canning* con su cargamento de militares americanos.

J. G. H.: Díaz Vélez y Ramón Balcarce, que también van a estar a cargo de las fuerzas en el Norte, se sentían con mucho más mérito que Belgrano para mandar. Lo llamaban "chico majadero" o "el bomberito"...

F. P.: Bomberito de la Patria.

J. G. H.: Lo menospreciaban por su formación. Pero Belgrano hizo lo suyo y cuando tenía que ser duro lo fue. Ordenó la expulsión del obispo de Salta por haber tenido contactos con los realistas. Dispuso la retirada de la población de Jujuy y, para obligar a los remisos y sembrar el miedo en la población local, ordenó dos ejecuciones...

P. O.: Así fue, Belgrano fusiló, cosa de la que nuestra historia oficial no habla, por ejemplo en la acción de Tambo Nuevo, cuando varios soldados patriotas, al mando del entonces sargento Lamadrid, apresan a una compañía española y descubren entre los prisioneros a algunos que, después de la batalla de Tucumán, habían jurado no volver a tomar las armas en contra de la revolución.

F. P.: No levantar las armas contra los americanos.

P. O.: Entonces los fusila, y manda que se les corten las cabezas y, clavadas en picas, fuesen llevadas lo más cerca posible del campamento enemigo para que su visión sirviese de escarmiento. Es decir, nuestro amigo don Manuel actuaba cuando tenía que actuar, no se andaba con chiquitas. ¿Por qué entonces esa fama de homosexual, como sinónimo de debilidad, que algunos se han empeñado en hacerle?

F. P.: Yo creo que se debe a aquel famoso cuadro que todos conocemos desde la primaria, que seguramente no lo beneficia mucho, pero el resto de su vida desmiente absolutamente la versión rosa, era un hombre bastante mujeriego.

P. O.: Por otra parte, tampoco hubiera sido reprochable que lo fuese, pero ¿por qué tanto empeño en demostrar que era homosexual?

J. G. H.: Era por su voz atiplada o por su formación europea. En Londres cambia sus gustos y ropas y cuando vuelve desde allí a Tucumán, en 1816, usaba muchos perfumes. Pero precisamente en esos años él tiene ahí una hija, de modo que se ve que las lociones parisinas no le impedían cumplir con su novia, una muchacha muy joven. Muchos años después, Borges decía que en Tucumán había que cuidarse de los orilleros, porque al andar tanto en bicicleta y llevar a los compadres en el caño, se hacían homosexuales y acosadores...

F. P.: Por la defensa de la mujer probablemente, porque Belgrano fue un gran defensor de la educación femenina y era un gran elogiador de las mujeres, por ahí algún imbécil cree que eso es ser afeminado.

P. O.: Se manipula aquella anécdota de Dorrego burlándose de su voz aflautada, quien por otra parte tenía rabia en contra de Belgrano porque le había hecho un sumario por sus faltas de disciplina, según cuenta el general Paz en sus *Memorias*. Ahí hay otro tema notable, cuando Belgrano le cede el mando del Ejército del Norte a San Martín y en vez de irse enojado por su relevo se queda y pasa a ser su subordinado, una actitud extraordinaria. Como evidencia de lo primitivo e improvisado de ese ejército, recordemos que San Martín empieza a enseñarles hasta lo más elemental de lo militar, un ejército que ya había guerreado en Salta, Tucumán, Vilcapugio, Ayohúma y en infinidad de escaramuzas, y en el campamento tucumano de "Ciudadela" enseña las voces de mando. ¿Es imaginable que ese ejército curtido en tantas batallas no conozca lo que es una voz de mando? De ahí surge aquella anécdota en la que Belgrano grita las voces de mando que San Martín le enseña y parece que le sale un "gallo" o algo así y Dorrego, que en esa época era todavía un oficial petulante y no el gran estadista y caudillo popular que será después, le hace una broma pesada y San Martín se enoja y...

F. P.: Lo castiga duramente.

P. O.: Lo manda a Santiago del Estero.

J. G. H.: Pacho y Felipe, Belgrano ¿era masón?

P. O.: No, yo creo que es uno de los pocos personajes de nuestra historia de esa época, y de épocas mucho más recientes, que no era masón.

J. G. H.: No está claro, ¿no? Algunos dicen que sí, otros que no.

P. O.: Cuando Belgrano es llamado a Buenos Aires para ser juzgado por sus derrotas, en el camino don Manuel le escribe a don José: "Acuérdese usted siempre de que es un general cristiano, apostólico y romano; ocúpese usted de que en nada, ni aun en las conversaciones más triviales, se falte el respeto de cuanto diga nuestra religión". Belgrano fue uno de los próceres más católicos en una época muy volteriana, cuando lo más "progre" era ser un agnóstico o un ateo, un crítico de la religión. Su religiosidad está acentuada tácticamente en su campaña altoperuana porque debe equilibrar a Castelli —que condujo el primer Ejército del Norte con Bernardo de Monteagudo de secretario, dos jacobinos formados en Chuquisaca—, que fue sumamente agresivo contra el clero católico porque, no sin razón, consideraba que la Iglesia Católica era aliada del poder hispánico.

F. P.: De hecho lo era, un baluarte del poder español y su principal justificación ideológica.

P. O.: Llegaron a verdaderos excesos, como el sermón sacrílego de Monteagudo en la iglesia de Laja; también arrastraron cruces por las calles de Cochabamba, hechos que fueron muy bien utilizados por Goyeneche para declarar una guerra santa.

F. P.: Un error estratégico.

P. O.: O sea que el pobre Belgrano, que vino después, tuvo que destinar mucho tiempo a rezar rosarios y a consagrar vírgenes. En esa carta a San Martín le dice: "No deje de implorar a Nuestra Señora de Mercedes, nombrándola siempre nuestra Generala, y no olvide los escapularios a la tropa; deje usted que se rían, los efectos le resarcirán a usted de la risa, de los mentecatos que ven las cosas por cima (sic)".

F. P.: Misa tras misa, casi exorcismos.

P. O.: Un error estratégico de Castelli y Monteagudo que retaceará a los ejércitos abajeños, es decir los que subían desde Buenos Aires, el entusiasta apoyo que en un principio recibieron de los altoperuanos.

J. G. H.: Hubo mucho de eso. El general José María Paz, en sus *Memorias*, dice que cuando Belgrano, después de la batalla de Tucumán, consagra a la Virgen de la Merced como Generala del Ejército y le entrega su bastón de mando, lo hizo como un gesto de "piadosa galantería". Cortesía que, como suele suceder en nuestro país, se expresó también en "efectividades conducentes", ya que la Inmaculada, a principios del siglo XX, cobraba en efectivo su sueldo

23

de general, según lo contaba con orgullo Manuel Lizondo Borda en un libro. Ahora ya tendrá su jubilación, aunque no de privilegio si es que le descontaron aportes durante tantas décadas. Después de eso es cuando Belgrano le recomendó a San Martín, en su carta escrita desde Santiago del Estero, que no descuidara el sentimiento religioso de los soldados. Y don José, aunque era bastante incrédulo y anticlerical...

P. O.: Masón, ahí no hay dudas.

J. G. H.: No tengo duda de que San Martín era masón, pero eso no significaba ser antirreligioso.

P. O.: La antirreligiosidad de la masonería es posterior.

F. P.: Había obispos masones.

J. G. H.: Implicaba ser anticlerical, luchar por la libertad de cultos, por la tolerancia.

P. O.: El cura Valentín Gómez era masón.

J. G. H.: San Martín aceptó la sugerencia que le hizo Belgrano y mandó a sus oficiales, en Tucumán, a que fueran a las iglesias a hacer las estaciones el jueves de Semana Santa.

F. P.: Los manda pero él no va, porque admitamos que no era muy amante de los rituales católicos.

P. O.: Cuando Goyeneche ocupa la casa en la que se había alojado Castelli en Potosí, la hace exorcizar en un rito en el que participan, me imagino que obligatoriamente, todos los pobladores, para conjurar las influencias demoníacas que han dejado los abajeños heréticos.

F. P.: Estas acusaciones fueron utilizadas por los enemigos de Castelli en el juicio que le hacen cuando lo convocan por la derrota de Huaqui. A Castelli lo juzgan por su conducta revolucionaria y termina muriendo trágicamente, como cuenta Andrés Rivera en su libro *La revolución es un sueño eterno*.

P. O.: Buen libro, recomendable. Vamos a tener que criticar algún libro, si no, parecería que somos dulces.

J. G. H.: Bueno, critiquemos los nuestros.

P. O.: Ésos son buenísimos.

F. P.: Rivera cuenta el proceso que se le sigue a Castelli y uno de los elementos que tienen contra Castelli es toda esta cuestión religiosa, que en realidad usan para atacarlo por su proyecto revolucionario en el Alto Perú, que implicó liberar a los esclavos, suprimir la mita, el yanaconazgo.

J. G. H.: Qué nos pueden decir, Pacho y Felipe, de los últimos tiempos de Belgrano, cuando hace su último viaje desde Tucumán a Buenos Aires, donde va a morir el 20 de junio de 1820.

F. P.: Creo que son de una profunda tristeza porque incluso él reclama los sueldos atrasados para poder trasladarse y no lo consigue, le tiene que prestar plata su amigo Balbín para poder viajar a Buenos Aires, y llega en un estado lamentable de salud, con hidropesía.

J. G. H.: Cirrosis, fiebres tercianas (o sea paludismo), una fístula ocular. El pobre Manuel estaba acosado por las enfermedades. También padecía de hemorroides y en una carta le había aconsejado a San Martín curarse las suyas (como él hacía) "introduciéndolas con unto".

F. P.: Y su miseria y su pobreza son tales que a su médico, el doctor Readhead, le tiene que pagar con su reloj personal y se cuenta que el mármol para la lápida de su tumba el hermano la saca de una cómoda.

J. G. H.: Creo que eso de la extrema pobreza forma parte del mito patriótico. En primer lugar, porque en Tucumán pide al gobierno que le adelante 2000 pesos del crédito que tiene a su favor, pero el erario no tenía disponibilidades. Sí es real que sufre la ingratitud, porque en Tucumán hay una revolución encabezada por Abraham González y luego toma el poder Bernabé Aráoz...

P. O.: La sublevación de Arequito, ¿no? Ciudad famosa por otro motivo.

J. G. H.: Un poco antes. Belgrano es detenido y hasta se dice que hay un oficial que intenta ponerle grillos.

P. O.: Belgrano padecía de hidropesía, que es una hinchazón del cuerpo. Se supone que no debe decirse que Belgrano padece de sífilis, pero los síntomas que sufre don Manuel son los típicos del sida de aquella época. En cuanto a su prisión, soy un convencido de que ahí hay algo para reivindicar en Belgrano y es que, cuando Buenos Aires está siendo acosada por los caudillos provinciales Francisco Ramírez y Estanislao López, su gobernador Rondeau convoca a los dos ejércitos disponibles, el del Norte que conduce Belgrano y el de los Andes al mando de San Martín, para que vengan a defenderlo. Los politicastros porteños estaban mucho más preocupados por imponer su dominio a las provincias que por terminar la guerra por la Independencia. Ahí se produce la desobediencia sanmartiniana, en Rancagua, que cuenta con la complicidad de Belgrano, quien se da cuenta de que si el Ejército de los Andes regresa de Chile se terminó la gesta independentista. Entonces le escribe a Rondeau y le miente afirmando que sus dos mil quinientos hombres serían suficientes. Es evidente que lo que quiere es salvar la campaña de los Andes y para eso se inmiscuye en la guerra civil y el precio a pagar por ello será muy alto.

F. P.: Le cuida las espaldas a San Martín.

P. O.: Y no es la única vez que cubre a alguien mediante la desobediencia. Lo hace también con Rivadavia cuando en 1815, durante la misión en Europa, se ofrece a explicar al gobierno su decisión de no regresar aunque había recibido la orden contraria. Pero el apoyo a San Martín para él es letal porque se hace de enemigos poderosos y vendrá la cárcel y después la muerte en la más absoluta miseria.

J. G. H.: Ahí colabora con San Martín en su famosa desobediencia, cuando se lleva el Ejército de los Andes desde Chile hacia el Perú, pese a que los gobernantes de Buenos Aires, que habían montado y financiado esa expedición, le habían dado la orden de regresar para contener las invasiones de los caudillos litoraleños. De ahí la frase del periodista Guillermo Arana: "¡Cómo no va ser el padre de la patria, si se afanó un ejército!".

P. O.: Ya era tiempo de que empezases con tus injurias antisanmartinianas.

J. G. H.: No, Arana es argentino, descendiente de Felipe Arana, el ministro de Rosas. Guillermo se casó con una Rosas y, cuando su sue-

gra le preguntaba cómo andaba, le respondía: "Acá me tiene, señora. Y como siempre los Arana sirviendo a los Rosas".

F. P.: Eso de que los autores se enamoran de sus personajes, en este
caso me parece que no funciona.

P. O.: Además, a José Ignacio lo retaron porque dijo que don José
era hijo de una india pero pasaron por alto otras lindezas, como
sus revelaciones sobre que fue coimero, masturbador y morfinó-
mano.

J. G. H.: Opiomanía. Tomaba licor de láudano, un líquido opiáceo,
para calmar sus dolores de úlcera.

P. O.: Pueyrredón le recomienda que no tome tanto opio. Lo cierto
es que José Ignacio siempre nos traerá algún vicio de San Martín para enriquecer su figura.

J. G. H.: En su último viaje, al pasar por Córdoba, Belgrano pide al
gobierno otros 2000 pesos a cuenta de lo que el Estado le debe. Tampoco había fondos. Al llegar a Buenos Aires solicita al gobernador
que le paguen 6000 pesos y el azogue que se había tomado en el Alto Perú, que manifestaba corresponderle. En su testamento deja una
cláusula secreta —lo cuenta Giménez citando a Mitre— por la que
pide que, una vez cobrados los créditos que tiene contra el Estado y
liquidadas sus deudas, sean legados a su hija natural Manuela Mó-
nica, la que había tenido en Tucumán.

P. O.: Cómo serán las equivalencias, porque recordemos que su donación para las escuelas fue de 40.000 pesos, su premio por la batalla de Salta.

F. P.: Claro, qué diferencia con los políticos actuales, un hombre que
ha hecho tanto por su país y que sólo pide sueldos atrasados, porque había trabajado prácticamente gratis durante años.

P. O.: ¡Y qué trabajo!

J. G. H.: No había jubilaciones de privilegio en esa época, pero muchos funcionarios querían igualmente asegurarse el futuro. San
Martín dice muchas veces en sus cartas que no quiere llegar a la vejez siendo un mendigo. Y lo logró.

P. O.: Ya que estamos cerca del final me gustaría leer los consejos de Belgrano al maestro: "Procurará con su conducta en todas sus expresiones y modos inspirar a sus alumnos amor al orden, respeto a la religión, moderación y dulzura en el trato, sentimientos de honor, amor a la verdad y a las ciencias, horror al vicio, inclinación al trabajo, despego del interés, desprecio de todo lo que tienda a la profusión y al lujo en el comer, vestir y demás necesidades de la vida, y un espíritu nacional que les haga preferir el bien público al privado y estimar en más la calidad de americano que de extranjero". Ojalá nuestra dirigencia actual aprendiera de estas palabras: "un espíritu nacional que les haga preferir el bien público al privado y estimar en más la calidad de americano que de extranjero". Es maravilloso.

F. P.: Extraordinario.

P. O.: Ése es el artículo décimo octavo; después, en el décimo noveno, recomienda: "Tendrá gran cuidado que todos se presenten con aseo en su persona y vestido, pero no permitirá que nadie use lujo aunque sus padres puedan y quieran costearlo".

F. P.: Y fijate que cuando muere ni *La Gazeta*, que era el periódico oficial, ni *El Argos*, diario que se jactaba en su subtítulo de tener cien ojos para ver la realidad, vieron ni dieron cuenta de la muerte de Manuel Belgrano; para ellos no fue noticia. Sólo un diario de Buenos Aires, *El Despertador Teofilantrópico*, dirigido por el padre Castañeda, se ocupó de la muerte de Belgrano. Decía el periódico: "Es un deshonor a nuestro suelo, es una ingratitud que clama el cielo, el triste funeral, pobre y sombrío que se hizo en una iglesia junto al río, al ciudadano ilustre General Manuel Belgrano".

P. O.: Que lo bajen a Belgrano del caballo y le quiten ese disfraz de militar que le han puesto. Por favor.

Mariano Moreno

La infancia. Los estudios en Chuquisaca. Moreno-Castelli. Lupe. El abogado de los británicos. Moreno-Belgrano. La "Representación de los hacendados." La *Gazeta de Buenos Ayres*. El "Plan de Operaciones". Los fusilamientos. El alejamiento de la Junta. Muerte en el *Fama*: ¿un asesinato político?

Pacho O'Donnell: Felipe, contanos qué pensás sobre Moreno. A mí me parece que hay dos figuras esenciales en la primera etapa de la Revolución de Mayo que son Moreno y Belgrano, y podríamos agregar a Castelli.

Felipe Pigna: Moreno tiene una vida política muy corta, son apenas seis meses de vida política, pero que, evidentemente, han dejado huella y marcaron el camino de eso que empezaba a ser una revolución. Porque el 25 de Mayo estaba comenzando una revolución, no es que allí se produjera algo contundente. Moreno tuvo una educación casera porque tenía un "privilegio": su madre, Ana María Valle, era una de las pocas mujeres de aquella época que sabía leer y escribir, pues la educación era para los varones. Luego, Mariano fue a la escuela del Rey y al Colegio de San Carlos. Tuvo como profesor a fray Cayetano Rodríguez, lo que va a marcar su vida, ya que va a tener muy buenas relaciones intelectuales con sacerdotes, como con el obispo Terrazas en el Alto Perú. Evidentemente esos sacerdotes veían en él a alguien con una clara vocación por la lectura. Fray Cayetano Rodríguez le abre su biblioteca y el joven Mariano comienza a interesarse por algunos libros. Después va a continuar esa lectura

29

ya más de grande, cuando puede reunir el dinero para viajar a Chuquisaca; era de una familia relativamente pobre: su padre, Manuel Moreno, era un funcionario del Tesoro Recaudador, digamos del Tesoro, como se llamaban las cajas reales. Moreno consigue reunir el dinero para ir a Chuquisaca a fines del siglo XVIII, en 1799; allí despierta la simpatía del canónigo Terrazas, que le da acceso a su biblioteca, que era la de los jesuitas.

P. O.: Después Moreno no va a tener dificultades en hacerlo fusilar.

José Ignacio García Hamilton: Antes de llegar a Chuquisaca, me gustaría relatar algo del viaje que realiza hasta esa ciudad del Alto Perú, actualmente Bolivia...

P. O.: Viaja para convertirse en sacerdote, para ordenarse.

J. G. H.: Para estudiar en la universidad, los jóvenes tenían que irse de Buenos Aires. La ciudad tenía una Real Audiencia, el más alto organismo judicial de los tiempos de la Colonia, pero carecía de una universidad. En Chuquisaca había una Real Audiencia y también una universidad.

P. O.: Había otra en Córdoba...

J. G. H.: Es cierto, pero se la consideraba inferior con relación a la de Chuquisaca.

P. O.: No enseñaba Leyes, que era lo que en ese momento les atraía a los jóvenes "progres" de la época. Córdoba era una universidad esencialmente teológica, y tenía mala fama. Dice Manuel Moreno, el hermano de Mariano, que "era tan insignificante este instituto, que se contaba casi por nada, y sus alumnos llevaban siempre ante el crédito público la desgracia de haber sido formados en un lugar de indisciplina y abandono". Recién después de la Revolución, con el deán Gregorio Funes, la Universidad de Córdoba adquirió el prestigio que todavía hoy tiene.

J. G. H.: En su familia pensaban que Mariano iba a estudiar para sacerdote. Eso querían sus padres. Mariano parte en carreta rumbo al Norte y al llegar a Tucumán se enferma de reumatismo y pasa quince días en cama sin poder mover los miembros. Tucumán era pródiga en charlatanes, como lo sigue siendo en la actualidad. Ahora nos especializamos en hablar sobre historia, como es mi caso. Un día, el enfermo estaba tomando agua en su cama y se vuelca el cántaro encima. Casi de inmediato mejora y él lo atribuye a que el agua de Tucumán poseía facultades milagrosas. Al parecer aún sentía inclinaciones religiosas. Continúa el viaje y, al cabo de dos meses y medio, llega a la ciudad del altiplano para iniciar sus estudios universitarios.

P. O.: Es interesante esa anécdota, que muestra la ingenuidad que todavía tenía el joven Moreno. Cuenta su hermano que, durante la primera noche que paró en una posta, se asombró al ver cómo los hombres apostaban su dinero vaya a saber en qué juego, y no pudo dormir creyendo estar entre salteadores, al punto de que se planteó regresar a Buenos Aires. También resulta significativa la tergiversación histórica de su aspecto físico, porque ese rubicundo de mofletes que nos muestran los manuales escolares nada tiene que ver con aquel hombre enjuto, picado de viruelas, que fue Moreno, a quien acusaban también de ser mulato.

J. G. H.: Era un hombre enfermo.

P. O.: La Universidad de Chuquisaca fue un fermento revolucionario muy importante. En ella se divulgaban los pensamientos no sólo de los franceses Voltaire, Rousseau, etc., sino también de los neotomistas españoles como Vittoria, Mariana y otros que propagaron ideas muy avanzadas para la época; por ejemplo, que los reyes no tenían el poder porque les era devengado por Dios sino que eran representantes del pueblo, que tenía el derecho a derrocarlos por las vías que fuesen cuando ejercieran mal su poder. En Chuquisaca se formaron, no casualmente, algunos de nuestros revolucionarios más jacobinos y radicalizados, como Monteagudo, Castelli y Moreno.

F. P.: En Chuquisaca Moreno toma contacto con las ideas de Victoriano de Villalba, que se refiere al tema de la explotación en las minas; en un discurso sobre la mita en Potosí dice: "En los países de minas no se ve sino la opulencia de unos pocos con la miseria de infinitos". Marcaba esa desigualdad y explotación que sufrían los mineros, que luego el propio Moreno constata cuando viaja a Potosí en

31

1802. Allí queda realmente horrorizado, muy impresionado, por el grado de explotación, de muerte y de miseria de tanta gente en el famoso Cerro de Plata, que era riqueza para unos y miseria para otros, como decía Villalba. De regreso a Chuquisaca, escribió su "Disertación jurídica sobre el servicio personal de los indios", donde decía entre otras cosas: "Desde el descubrimiento empezó la malicia a perseguir unos hombres que no tuvieron otro delito que haber nacido en unas tierras que la naturaleza enriqueció con opulencia y que prefieren dejar sus pueblos que sujetarse a las opresiones y servicios de sus amos, jueces y curas".

J. G. H.: Moreno escribe su tesis doctoral sobre la encomienda de los indígenas, es decir, el sistema por el cual un grupo de naturales era entregado a un español. Éste podía hacer trabajar a los aborígenes en su provecho y, a cambio, debía pagarles un salario y brindarles educación religiosa.

F. P.: La mita era un sistema muy perverso. Los españoles iban a los pueblos y, mediante un sorteo entre los varones, seleccionaban una cantidad que llevaban a la mina. La mayoría no retornaba. En los pueblos les hacían una despedida, porque se sabía que esa persona probablemente no regresara nunca más.

P. O.: Alguien muy ligado ideológicamente a Moreno fue Castelli, con su famoso discurso a los indios en Tiahuanaco, en el que, en su exceso libertario, arenga a los indígenas y les pregunta, señalando el campamento enemigo: "Allá tenéis a quienes os han oprimido durante siglos y nosotros somos quienes os venimos a liberar de esa opresión. ¿Qué es lo que queréis?", y los arengados responden "*abarrente, tataí*", que quiere decir "aguardiente, señor". Moreno es un abogado brillante, regresa de Chuquisaca con pergaminos muy satisfactorios, abre un bufete exitoso y se convierte en abogado de las empresas inglesas en el Río de Plata.

F. P.: Él viene escapando de Chuquisaca porque había defendido a varios indios de los abusos de los patrones encomenderos y había recibido la amenaza del intendente de Cochabamba y de Challanta. Debe huir con su reciente esposa, el amor de su vida, Guadalupe Cuenca, una joven de Charcas. Se establece en Buenos Aires, pone su bufete de abogado y comienza a trabajar para el Cabildo. Va a tener un oficio dentro de la administración española.

P. O.: Con su mujer y con su hijo de apenas ocho meses.

J. G. H.: Mariano se casa con esa chiquilina de catorce años en secreto, pero no por temor a los padres de *Lupe* Cuenca sino porque no quería que los suyos en Buenos Aires se enteraran, ya que el hecho significaba que había abandonado definitivamente la carrera eclesiástica por la de Leyes. Silvia Miguens cuenta la historia de amor entre Moreno y su esposa a partir de las últimas cartas que ella le envía a Europa, sin saber todavía que su amado había muerto en alta mar.

F. P.: Lupe era una mujer muy inteligente, de una sensibilidad extraordinaria, eso se percibe a través de sus cartas, en su forma de escribir y de expresar sus ideas y sentimientos.

J. G. H.: Moreno era un hombre sensible, que se aproximó a las ideas de vanguardia no sólo a través del intelecto, por las lecturas de pensadores como Voltaire o Rousseau, sino también por su contacto con la explotación que sufrían los indígenas en las minas del Alto Perú. El día de su primera audiencia profesional ve morir a su padre. Defiende frente a la Real Audiencia a un canónigo contra el obispo y gana el juicio. Es designado relator de la Audiencia. Se acredita como jurista y se forma una buena situación económica. A su arribo, el nuevo virrey, Baltasar Hidalgo de Cisneros, lo designa asesor.

F. P.: Yo creo que el 25 de Mayo fue el comienzo de una revolución muy pautada y muy limitada en sus manifestaciones, porque existía el profundo temor de incomodar a Inglaterra, que en aquel momento estaba detrás de su alianza con España. Los cabildantes y los integrantes de la Primera Junta se cuidan de mencionar una palabra que estaba absolutamente prohibida: independencia. Incluso se asegura en decir que se hace eso para defender estos territorios para Fernando, que estaba preso de Napoleón. Se insiste en el uso de esta "máscara de Fernando", en decir "nosotros estamos haciendo este movimiento para salvaguardar los derechos de Fernando VII en estas tierras, no estamos haciendo aquí una acción independentista". Aparece como una obsesión eso de marcar cierta continuidad jurídica y política.

J. G. H.: El 26 de mayo la Junta expide un documento y proclama que se ha constituido para garantizar la fidelidad a Fernando VII y la adhesión a la santa religión católica. El tiempo iba a demostrar que la lealtad a Fernando VII no era sincera sino una excusa, un disimulo. Al día siguiente, el 27 de mayo, la Junta envía un ejército al interior que va a luchar contra las tropas del Consejo de Regencia, el organismo que en España representaba al monarca cautivo. En relación con la defensa de la santa religión católica, tampoco el objetivo fue del todo sincero, ya que la tendencia general se dirigió hacia la libertad confesional. La Asamblea del año 13 va a abolir la Inquisición, en 1825 se firma un tratado de tolerancia religiosa con Inglaterra y la Constitución de 1853 va a consagrar la libertad de cultos.

P. O.: Los revolucionarios veían a la Iglesia como un elemento del poder español en América y, en realidad, lo era. Eso los llevaba inevitablemente al conflicto. Moreno lo sabía bien porque había visto en Perú cómo el canónico que lo alojaba se ocupaba más de los negocios que de su ministerio sacerdotal. Ahí vio que las rentas eclesiásticas eran las más suculentas de aquella sociedad, y que los curas eran los más ricos de todo el reino, a costa del diezmo que pagaban desde los más poderosos hasta el último indio. Ahora, es interesante señalar que Moreno no participó de los días previos al 25 y mucho menos el 25, día que pasará jugando a las cartas en casa de un amigo. Pueyrredón contará, años más tarde, que don Mariano hizo, cito textualmente: "...protesta ante la Audiencia por acto violento en su nombramiento". Pensemos por qué Mariano Moreno aparece sin desearlo como secretario de la Junta. A mi juicio, los cerebros de la Revolución de Mayo fueron los primos Belgrano y Castelli, que ya desde el principio tenían un proyecto independentista, a diferencia de la mayoría de los que participaron en ella. Si se analiza la constitución de la Junta denota suma inteligencia y esto se relaciona con el hecho de que nuestra Revolución, la del Río de la Plata, fue la única de las sudamericanas que en ningún momento fue derribada.

F. P.: Es una radiografía del poder, porque ahí están todos los factores que lo componen.

P. O.: Efectivamente, el presidente era el que tenía los "fierros". ¿Qué otro mérito tenía Cornelio Saavedra para presidir la Junta que no fuese el de ser el principal sostén armado del movimiento? El secretario era Moreno, ¿por qué Moreno? ¿Por qué Belgrano va a su casa y lo convence? Porque es el representante de los intereses británicos en el Río de la Plata y se deseaba mostrar a Inglaterra que el movimiento no iba en contra de ellos sino que, por el contrario, se comenzaba a buscar una alianza con la mayor potencia de esos días, con "la reina de los mares", para conjurar la reacción española, que inevitablemente sobrevendría. Asimismo se encuentra Paso, el secretario perfecto, prolijo y riguroso, que también lo será del Congreso de 1816. En la Junta no falta el poder eclesiástico, representado por el sacerdote Alberti; el comercio, por Larrea y Matheu; los criollos revoltosos, por Castelli y Belgrano, y el poder militar reforzado en las decisiones con Azcuénaga. Hay una distribución de los factores de poder que es verdaderamente admirable.

J. G. H.: No comparto plenamente esa opinión. Es difícil interpretar los sucesos del 25 de mayo, como tampoco es fácil entender lo que pasó en Caracas un mes antes, el 19 de abril. La noticia de que había caído la Junta Central de Sevilla llega primero al Caribe, a través de navíos franceses y de ejemplares del *Times* de Londres. Los criollos y los españoles europeos ilustrados, en un primer momento, no expresaron clara y totalmente sus opiniones. Los sucesos del Cabildo del 22 de mayo, que son semejantes a lo que acababa de ocurrir en Caracas, muestran que el sector de los antiguos funcionarios de la monarquía, en ese momento representada por el Consejo de Regencia, es reemplazado por una heterogénea elite local. Aquella burocracia civil y religiosa (había religión de Estado) y aquellos intereses no eran desdeñables, pero hay una oleada ideológica que los supera en forma muy rápida, en cuestión de días. Mi discrepancia consiste en que entiendo que no todos los intereses están representados en la Junta constituida el 25 de mayo. Un sector ha quedado afuera después del 22. Moreno se incorpora y dice que lo hace para trabajar contra los abusos de la administración, contra la corrupción y para educar al pueblo. Mariano estaba identificado desde antes con esos principios: en 1809 había apoyado al Cabildo en su alzamiento contra el virrey Liniers, pese a que era relator de la Audiencia que había sostenido a don Santiago...

P. O.: No creo que cometamos ningún sacrilegio patriótico si decimos que el principal motivo de la Revolución de Mayo fue económico, pues se trató de aprovechar la debilidad política y militar de una España ocupada por los franceses para romper la fastidiosa obligación de mercar exclusivamente con la metrópoli. Ese deseo lo había expresado Mariano Moreno en la "Representación de los hacendados", aunque entonces se rumoreó que lo había escrito esencialmente Belgrano, lo que parece bastante claro por las referencias permanentes a los fisiócratas, los economistas franceses traducidos al español por don Manuel. La Revolución de Mayo es, para la mayoría de sus promotores, aunque algunos pongan la mirada más allá, la forma de abrir el comercio a Inglaterra y romper la exclusividad con España.

J. G. H.: Eso afectaba a un sector importante que ya había empezado a ser perjudicado cuando el virrey Cisneros comenzó a abrir el libre comercio. Porque la primera medida...

P. O.: Yo no dije que estuvieran todos los sectores. Quedaban afuera los que se beneficiaban con la situación monopólica.

J. G. H.: ...ya los sectores de los comerciantes españoles ligados al monopolio se habían resentido...

F. P.: Estaban en decadencia. Porque, tras las invasiones inglesas, en Buenos Aires los grupos económicos se fueron dividiendo en dos fracciones bien marcadas y enfrentadas: los comerciantes monopolistas y los ganaderos exportadores. Los comerciantes españoles querían mantener el privilegio de ser los únicos autorizados para introducir y vender los productos extranjeros que llegaban desde España. Estos productos eran carísimos porque España a su vez se los compraba a otros países, como Francia e Inglaterra, para después revenderlos en América. En cambio, los ganaderos querían comerciar directa y libremente con Inglaterra y otros países, que eran los más importantes clientes y proveedores de esta región. España se había transformado en una cara, ineficiente e innecesaria intermediaria.

J. G. H.: Porque España no podía controlar los mares desde la batalla de Trafalgar, que fue unos años antes...

F. P.: En octubre de 1805.

J. G. H.: Los sectores españoles beneficiados con el monopolio oficial ya se habían disgustado con Moreno cuando él firma "la Representación". Dejan de visitarlo, lo atacan, no le encargan pleitos...

P. O.: Contra ellos habrá que librar la larga y sangrienta guerra de la Independencia.

F. P.: Pero lo importante es que "la Representación" tiene un efecto concreto, que es el decreto de libre comercio. Ya en 1809, un año antes de la Revolución, estos sectores, los monopolistas de Cádiz, están tan debilitados que el virrey Cisneros, ante la falta de recursos y el desabastecimiento que estaba sufriendo Buenos Aires, decreta el libre comercio. Una frase de Moreno y de Belgrano en aquel famoso documento pinta cuál era el espíritu: "Nada es hoy tan provechoso para la España como afirmar por todos los vínculos posibles la estrecha unión y alianza con la Inglaterra".

P. O.: Agrego un párrafo proponiendo que cambiemos la palabra "Inglaterra" por otras más actuales: "Es una vileza vergonzosa que se mire a Inglaterra con una execración injuriosa, una nación generosa y opulenta cuyos socorros son absolutamente necesarios para la independencia, una nación a quien debemos tanto". También escribirá un curioso elogio: "Nación sabia y comerciante que detesta las conquistas y no gira las empresas militares sino sobre los intereses de su comercio". Digo yo, ¿hubo alguna vez una empresa militar en la historia de la humanidad que no girara sobre intereses comerciales? No es difícil responder entonces cuándo comenzó la debacle de nuestra Argentina: en las primeras horas de su existencia.

F. P.: Un documento del Foreign Office británico, contemporáneo a "la Representación", decía: "Sea que sigan dependiendo de España o que formen gobiernos independientes, lo cierto es que los sudamericanos en este momento abren sus brazos a Inglaterra. Es indiferente en qué forma buscan nuestra ayuda, siempre que el incremento de los negocios, el nuevo mercado que nos ofrecen para la venta de nuestras manufacturas compense nuestra protección". Estaban preparándose.

P. O.: Ya se plantea el gran dilema, tan actual, entre proteccionismo y libre comercio. Los monopolistas autóctonos sentían un justificado temor de ser arrasados...

J. G. H.: Una frase en la "Representación de los hacendados", documento que se menciona asiduamente en el colegio pero poco se lee, muestra cómo el liberalismo económico inglés en ese momento estaba unido a las ideas políticas francesas de la vanguardia ideológica. Moreno dice claramente: "Prohibir el comercio libre es atentar contra los más sagrados derechos de la propiedad y la libertad del hombre y del ciudadano". Ésta es la terminología de la Revolución Francesa y por eso Mariano será en el siglo XIX y la primera mitad del siglo XX el gran prócer de la nacionalidad civil, de los liberales y de la izquierda. El Partido Socialista, nacido a fines del siglo XIX, y el Partido Comunista, surgido a principios del XX, comparten a Moreno como el prócer máximo de la nacionalidad junto con los liberales, que en la Constitución de 1853 han incorporado el fomento de la inmigración. El país pobre, despoblado y analfabeto se ha constituido ya en 1913 en una nación alfabetizada, con un producto bruto y salarios superiores a los de Francia.

P. O.: Sí, claro, esa extraña coincidencia de amor por Moreno se vio en 1945, durante la Marcha por la Democracia, en la que los liberales, radicales, socialistas y comunistas llevaron su imagen del brazo de Spruille Braden, el embajador norteamericano de entonces. Ahora, yo me pregunto: ¿Moreno será un antepasado de Cavallo? Porque si leemos otro párrafo de la "Representación de los hacendados" encontramos un típico argumento contra el proteccionismo: "¡Artesanos de Buenos Aires! Cuando os digan que los ingleses traerán tejidos y muebles hechos decid que lo deseáis, para que os sirvan de regla y adquirir por su imitación la perfección en el arte que de otro modo no podéis esperar".

F. P.: Creo que existe una diferencia sustancial, pretende "adquirir la perfección en el arte", está planteando traer los modelos para aprender a hacerlos acá.

P. O.: Habla de la importación de productos.

F. P.: No, está planteando aprender el arte, el oficio, cosa que Cavallo jamás hubiera planteado; Cavallo hubiera planteado, como lo hizo a su turno, directamente traer todo de afuera y que cierren todas las fábricas.

J. G. H.: Es interesante observar cómo a principios del siglo XX aparece en nuestro país una reacción contra la modernidad, contra el progreso. Algunos antiguos liberales, que se hacen conservadores e incluso fascistas, algunos intelectuales hijos de inmigrantes, que aspiran a integrarse en la sociedad por el mérito de declararse ultranacionalistas, rechazan el utilitarismo, el desarrollo material que nos ha enriquecido, y claman por un retorno a las tradiciones coloniales, al olor a incienso de las sociedades clericales, y pretenden una vetusta restauración espiritual, incluso por el cambio de los próceres nacionales. Mariano Moreno y Rivadavia, que postularon el voto libre de los ciudadanos, la educación y —¡vaya paradoja!— la inmigración, van a ser reemplazados, en el "procerato" escolar, por los héroes militares, principalmente por San Martín y Belgrano; en 1950 una campaña gubernativa del peronismo termina por imponer definitivamente a San Martín como el único "Padre de la Patria". No es extraño que al empezar a glorificar el modelo del "militar que muere pobre" (supuestamente), es decir el poder castrense y la pobreza, hayamos tenido violencia política, una guerra contra los ingleses y, en la actualidad, seamos otra vez un país pobre, casi un mendigo internacional.

F. P.: Una obra muy importante de Moreno es la creación de *La Gazeta de Buenos Ayres*, ese periódico desde donde va a impulsar la Revolución y va a hacer algo fantástico como divulgar masivamente el *Contrato social* de Rousseau, en entregas semanales, a la manera de los folletines del siglo XIX, aunque censurándole las partes vinculadas a la religión católica, pero dejando intactos todos los aspectos ideológicos de este progresismo del siglo XIX y de la Revolución

Francesa. En uno de los primeros números de la *Gazeta* decía: "El pueblo no debe contentarse con que sus jefes obren bien; él debe aspirar a que nunca puedan obrar mal. Seremos respetables a las naciones extranjeras, no por riquezas, que excitarán su codicia; no por el número de tropas, que en muchos años no podrán igualar las de Europa; lo seremos solamente cuando renazcan en nosotros las virtudes de un pueblo sobrio y laborioso".

P. O.: Es llamativo el elogio que hace de Rousseau y de su obra, pero cuando se refiere a sus ideas religiosas dice: "Como el autor tuvo la desgracia de delirar en materias religiosas, suprimo el capítulo y principales pasajes donde ha tratado de ellas".

J. G. H.: El Moreno de *La Gazeta de Buenos Ayres* es el personaje que a mí me gusta, por mi vocación periodística. El periódico sale dos veces por semana y se funda para esparcir ideas, fomentar la comunicación y el pensamiento. Pese a sus obligaciones de gobierno, Moreno se daba tiempo para escribir. Lamentablemente no existía una total libertad de prensa, ya que los hombres de Mayo pensaban que el paso del despotismo a la democracia debía hacerse por grados; primero había que destruir a los partidarios del absolutismo, a los enemigos del sistema republicano.

P. O.: Se nos impuso una imagen un tanto edulcorada de Moreno; creo que también debemos mencionar al Moreno violento, al Moreno fanático de sus propias ideas, un Torquemada de la Revolución capaz de todo por ella.

F. P.: Un jacobino.

P. O.: Recordemos el siniestro y secreto "Plan de Operaciones", de cuya redacción también participó Belgrano, aunque nuestra mojigata historia oficial se ocupará de negarlo. Moreno dice cosas como ésta: "Se deberá montar una oficina de seis u ocho sujetos que escriban cartas anónimas, fingiendo o suplantando nombres y firmas para sembrar la discordia y el desconcierto, cuidándose de imponer los ánimos del populacho contra los sujetos de más carácter y caudales pertenecientes al enemigo". Continúa: "Los bandos y mandatos públicos deben ser muy sanguinarios y sus castigos muy ejecutivos. *La Gazeta* debe dar noticias muy halagüeñas, lisonjeras y atractivas, ocultando en lo posible los pasos adversos y desastrados porque aunque algo se sepa lo menos, la mayor parte de la gente no las conozca".

F. P.: Hacía inteligencia.

P. O.: ¿Era necesaria una revolución violenta?

F. P.: Para mí, sí.

P. O.: ¿Hubiera sobrevivido la Revolución de Mayo sin los planes violentos de Moreno y de Belgrano, sin los fusilamientos de Liniers y de Álzaga, sin el terror que imponen Castelli y Monteagudo a su campaña en el Alto Perú?

F. P.: Me parece que no.

P. O.: Es el jacobinismo. Moreno no hizo más que aplicar la moralidad política de su época y también de las anteriores. Él era un estudioso y la historia le demostraba que todas las grandes revoluciones incluían hechos sanguinarios a los que, sin duda, no les habría encontrado justificación en tiempos de paz.

F. P.: Aclaremos que, en un principio, era una violencia básicamente defensiva, porque recordemos que se tiene que enfrentar a una contrarrevolución y además estaba tocando intereses muy poderosos; esto no podía manejarse simplemente con palabras. Cuando se produce la sublevación de Liniers y de otros funcionarios españoles desocupados —como se diría ahora, "la mano de obra desocupada"—, se actúa con energía. Encargó entonces la tarea a Juan José Castelli, que cumplió con la sentencia, fusilando a Liniers y sus cómplices el 26 de agosto de 1810.

P. O.: En un principio Ortiz de Ocampo se niega y propone el perdón para dar una imagen positiva de la Revolución. Pero es relevado violentamente por Moreno. La Junta de Buenos Aires ordenó esos fusilamientos, pero Ocampo se negó a cumplir la orden por haber sido compañero de Liniers durante las invasiones inglesas. Moreno se indignó: "¿Con qué confianza encargaremos grandes obras a hombres que se asustan de una ejecución?".

J. G. H.: En el siglo XX los escritores del revisionismo nacionalista de derecha (pienso en el Hugo Wast de *Año Diez*) afirmaron que Moreno era un mediocre, que no había fundado *La Gazeta* ni la Biblioteca Nacional y lo acusaron de ser pro británico y de haber sido el iniciador del terrorismo de Estado, de los fusilamientos. Pero la orden del fusilamiento de Liniers y de Gutiérrez de la Concha la firmaron todos los miembros de la Junta.

F. P.: Todos, inclusive Saavedra.

P. O.: No lo hace Alberti por ser sacerdote.

J. G. H.: Se consideró que Moreno era el mentor de esta línea porque era un personaje joven, enérgico, que trabajaba febrilmente. En cuanto a la libertad de expresión, el mismo Mariano admitió que era relativa, porque la transición del absolutismo al sistema republicano debía ser paulatina. Sostenía que una vez consolidado el nuevo orden, se iba a permitir la disidencia y el pluralismo. En cuanto al "Plan de Operaciones", todavía no sabemos fehacientemente si existió y si Moreno fue su autor. El fundamentalismo consiste en tomar un texto del Corán, de la Biblia o del Evangelio y, después de varios siglos, aplicarlo o interpretarlo literalmente y fuera de época... Yo creo que Moreno fue jacobino (aunque su hermano Manuel sostiene que no lo fue), pero hay que juzgarlo en el contexto de la época. Él marcó, como después Bolívar en Venezuela, una diferencia entre españoles europeos y españoles nacidos en América.

P. O.: En el prólogo del *Contrato social*, Moreno se define a sí mismo diciendo: "Creo haber merecido más bien la censura de temerario, que la de insensible o indiferente".

F. P.: Un plan de guerra a muerte.

J. G. H.: Bolívar tuvo más tiempo y puso en ejecución el plan de guerra a muerte. En algún momento fusiló a novecientos prisioneros que estaban en La Guaira. Esto fue horroroso, indefendible desde la actualidad e incluso inexcusable entonces, porque estaba prohibido por el Derecho de Gentes. Pero sucedió lo mismo en la Revolución Francesa...

P. O.: San Martín fusiló. Belgrano, también.

J. G. H.: Yo estoy en contra de la violencia, de la sangre. Creo que es intrínsecamente dañosa, no sirve en los procesos políticos y sus secuelas nunca se terminan de borrar. Por eso prefiero rescatar al Moreno ideólogo, que tuvo un pensamiento de vanguardia. No sólo fundó *La Gazeta de Buenos Ayres*, que significaba introducir, aunque fuera en forma restringida, el debate sobre las ideas, sino que inspiró la creación de la Biblioteca Pública, para que los amantes de las letras pudieran aumentar sus conocimientos. Creó una biblioteca de tres mil volúmenes, como una forma de lucha contra el oscurantismo cultural.

P. O.: En los argumentos con que explica en *La Gazeta* la fundación de la Biblioteca Pública, Moreno demuestra cuál es el lugar que para él ocupa la guerra. Aludiendo a las invasiones inglesas, dice que las glorias militares conquistadas durante cuatro años habían "minado sordamente la Ilustración y las virtudes que la produjeron". Y después agrega que los pueblos pagan con la barbarie y la rusticidad la gloria de las armas. Lo que se trata de entender, José Ignacio, es que nuestra Revolución fundacional fue un "putsch", no fue un movimiento de masas, contrariamente a lo que siempre se nos quiso hacer creer con esas láminas de la Plaza de Mayo colmada de entusiastas levantiscos. Fue un "putsch" de un sector de la elite dominante en una ciudad aislada, que desconocía cómo iban a reaccionar las provincias. Tanto es así que después hay que fusilarlo a Liniers, ante la resistencia de Córdoba, que sospecha que el movimiento es para el solo beneficio de un sector de porteños.

J. G. H.: Respecto del "Plan", insisto, no se sabe si es de Moreno. Carlos Segretti opina que sí, pero...

P. O.: En nuestra historia hay muchas cosas que no se quieren saber... "Debe observarse la conducta más cruel y sanguinaria —cito textualmente— con los enemigos de la causa, la menor semiprueba de hechos, palabras, etc. contra la causa debe castigarse con la pena capital." Lo que sigue es muy interesante: "Principalmente si se trata de sujetos de talento, riqueza, carácter y alguna opinión. A los gobernadores, capitanes, generales, mariscales de campo, coroneles, brigadieres que caigan en poder de la causa debe decapitárselos". En cambio, la justicia no era la misma para los amigos y había que disimular, vuelvo a citar: "Si en algo delinquiesen que no sea concerniente al sistema pues en tiempo de revolución ningún otro delito debe castigarse sino el de infidencia y rebelión contra los sagrados derechos de la causa y todo lo demás debe de disimularse".

F. P.: Cuando él presenta el plan en la Junta les dice textualmente a los miembros: "No deben escandalizarse por el sentido de mis voces, de cortar cabezas, verter sangre, sacrificar a toda costa; para conseguir el ideal revolucionario hace falta recurrir a medios muy radicales". Moreno también propuso promover una insurrección en la Banda Oriental y el Sur del Brasil, seguir fingiendo lealtad a Fernando VII para ganar tiempo, y garantizar la neutralidad o el apoyo de Inglaterra y Portugal, expropiar las riquezas de los españoles y destinar esos fondos a crear ingenios y fábricas, y fortalecer la navegación. Recomendaba, como dijo Pacho, seguir "la conducta más cruel y sanguinaria con los enemigos" para lograr el objetivo final: la independencia absoluta.

P. O.: En eso están de acuerdo Belgrano, Castelli, Vieytes, Larrea. Allí surge el conocido conflicto con Saavedra, que quiere hacer las cosas con bondad, sin levantar oleaje. Entonces se produce la astuta maniobra política de Álzaga, que pagará con su vida más adelante. Utiliza artificiosamente un artículo del reglamento de la Junta e incorpora a los delegados provinciales, con lo cual cambia el número de las votaciones y Moreno es derrotado. Enviar a Belgrano y a Castelli fuera de Buenos Aires es otro factor que condena a Moreno y que, a mi criterio, constituye su gran error político.

F. P.: Absolutamente.

P. O.: Los envía a conducir los ejércitos revolucionarios seguramente porque eran las personas más confiables. Pero manda a dos abogados, a los dos ideólogos de la Revolución, a conducir los ejércitos patriotas que enfrentarían el contraataque español. Quizás por envidia.

F. P.: Es increíble el gobernante que se pierde el país con Belgrano, un hombre formado, un cuadro político.

P. O.: Fue un grave error de Moreno.

F. P.: Efectivamente, pues él era el secretario de Guerra, la decisión fue suya.

P. O.: Alguien quería sacarlos del medio.

F. P.: Así parece, porque ambos eran claramente los mejores aliados que tenía Moreno.

P. O.: Y muy mediocres como jefes militares, por eso luego se agradecerá la ayuda inglesa que llega a bordo de la *George Canning*, que trae a los jefes militares indispensables para la Revolución, fogueados en las guerras europeas, San Martín, Alvear y los demás.

J. G. H.: El "Plan de Operaciones" es muy jacobino, muy extremista, terrorista, pero repito que no existe certeza sobre si lo escribió Mariano Moreno. Pero es cierto que la Junta de Mayo aplicó una política muy dura. Por de pronto, el 27 de mayo manda, no quinientos soldados como se dice al principio, sino mil doscientos al interior, que terminan fusilando a Liniers y a otros opositores en Cabeza de Tigre. Moreno decía que la expedición militar al interior no se envió contra los pueblos sino contra los gobernadores y el despotismo representado por el virrey de Lima. Ya señalé otra contradicción: la Junta el 26 de mayo sostiene que se forma para expresar la lealtad a Fernando VII, pero al día siguiente envía un ejército para luchar contra los que representaban a ese mismo rey. El decir una cosa y hacer lo contrario es un rasgo que se incorporó en forma indeleble a nuestra cultura política.

P. O.: En ese caso estaba justificado.

F. P.: Otro tema es la expropiación de los bienes de los españoles; la Revolución se financia con los capitales españoles expropiados y con los impuestos que se cobra a los europeos, que son los que más pagan.

P. O.: Ésta es otra frase del "Plan de Operaciones": "A los hacendados que sigan al partido contrario deberá expropiárseles los bienes para servir a la manutención del ejército".

J. G. H.: Fue así. La historia mitologizada, valga la contradicción, la historia almibarada que nos cuentan en la escuela, muestra la guerra de la Independencia como algo heroico, sublime. Pero la guerra es muerte, saqueo, violación, confiscación de bienes y requisas. Las luchas por la Independencia dejaron también la secuela del caudillismo, es decir, a los oficiales veteranos que toman el poder político en sus provincias sobre la base de la fuerza militar y retribuyen a sus seguidores de la montonera con el derecho al salteamiento. En su libro *El crimen de la guerra*, Juan Bautista Alberdi destacó que la guerra de la Independencia nos dejó la trágica secuela de una cultura militarista. Como no hemos tenido inventores ni científicos que sirvan como modelo, señalaba, cada caudillo quiere ser un Bolívar, un San Martín, y han sumido al continente en un baño de sangre. La Argentina recién salió de ese estado con posterioridad a la Constitución Nacional de 1853, se pacificó, se institucionalizó y creció humana y económicamente. Pero en el siglo XX reaparecieron los apóstoles intelectuales de la "hora de la espada", se recreó a través de la educación patriótica el paradigma del militar y volvimos a estar azotados por la violencia política. Incluso tuvimos una guerra por las islas Malvinas.

F. P.: Algunos datos permiten sospechar firmemente que Moreno fue asesinado.

P. O.: ¿Tu opinión es que fue asesinado?

F. P.: Sí. Hay un hecho puntual: Moreno se va el 24 de enero de 1811 en la fragata *Fama* con esa misión secreta que probablemente consistía en comprar armas, pero la propia Junta contrata con fecha 9 de febrero a un tal míster Curtis con una misión igual a la de Moreno. El contrato que firma míster Curtis, en el artículo 11, dice lo siguiente: "Aclara que si el señor doctor don Mariano Moreno hubiese fallecido o por algún accidente imprevisto no se hallase en Inglaterra deberán entenderse míster Curtis con don Aniceto Padilla, en los mismos términos que lo había hecho el doctor Moreno". O eran muy previsores o algo extraño estaba sucediendo. Si a esto le sumamos que la pobre Guadalupe, a poco de embarcar su marido, recibe un traje de viuda, es evidente que el hecho toma otro color. Saavedra dio su versión de los hechos en una carta dirigida a Chiclana el 15 de enero de 1811: "Me llamó aparte (Moreno) y me pidió por favor se lo mandase de diputado a Londres: se lo ofrecí bajo mi palabra; le conseguí todo: se le han asignado 8000 pesos al año mientras está allí, se le han dado 20.000 pesos para gastos; se le ha concedido llevar a su hermano y a Guido, tan buenos como él, con dos años adelantados de sueldos y 500 pesos de sobresueldo, en fin, cuanto me ha pedido tanto le he servido".

P. O.: Sin duda es un comentario irónico, insolente. ¿Vos qué pensás, José Ignacio?

J. G. H.: No suelo compartir las teorías conspirativas. Además, un elemento importante me lleva a no creer en la conjetura del crimen y es el libro que escribe Manuel Moreno, en Londres, un año después de la muerte de su hermano, para reivindicar su memoria. Allí ataca a los enemigos de Mariano, pero no sostiene que lo hubieran asesinado. Por el contrario, cuenta que Moreno partió a Londres enfermo y abatido por la ingratitud, porque había sido desplazado de la Junta.

P. O.: Sin embargo, Manuel Moreno escribe que el capitán del barco le administra una pócima y cito textualmente: "Imprudentemente y sin nuestro conocimiento".

F. P.: Tampoco lo deja bajar en puerto.

J. G. H.: Manuel afirma que Mariano partió enfermo y que a bordo tuvo mareos y languideces que le impidieron soportar las incomodidades de una navegación penosa. También sostiene que hubo falta de medicinas y cuenta que el capitán le dio un emético, es decir algo que provoca vómitos. Pero no dice que hubiera sido asesinado. Si está haciendo la defensa de su hermano y piensa que lo han podido asesinar, lo lógico es que lo diga clara y expresamente. ¿Por qué iba a callarlo si todo el libro es un ataque contra los enemigos políticos de Mariano? Silvia Miguens, en *Lupe*, sugiere también la hipótesis del envenenamiento. Señala que en el barco iba el capitán Ramsey, el mismo que había llevado a Buenos Aires a Madame Perichon, la amante de Liniers...

F. P.: La abuela de Camila O'Gorman.

J. G. H.: Efectivamente. E insinúa que podría haber sido una venganza amorosa de la amante del virrey Liniers contra Moreno, uno de los responsables de su fusilamiento. Literariamente es muy romántico. Pero de la lectura del libro de Manuel Moreno no se recoge la impresión de que haya sido un crimen.

P. O.: Creo que una cosa es estar en contra de las teorías conspirativas y otra guiarse por la lógica de la política. Existen razones más que fundadas para eliminarlo a Moreno, ya sea por el lado de los hispanófilos como por el de los anglófilos. Para los primeros, porque es el más radicalizado y peligroso de los independentistas, el que está dispuesto a impedir que la Revolución pasara a ser un gatopardismo, que cambiara algunas cosas para que todo continuase igual. También Inglaterra puede haber decidido su eliminación porque Moreno había escapado de su control y no era dócil a la estrategia internacional británica de no provocar la independencia de las colonias americanas de su aliado en la lucha contra Napoleón, que era España. No hay que olvidar que el *Fama* es un barco inglés con un capitán inglés que nunca regresó al Río de la Plata.

F. P.: Además está la negativa del capitán de acercarse a puerto, a pedido del propio Manuel, quien lo relata. Quiere acercarse a un puerto, no lo dejan y muere en altamar con unos dolores espantosos.

J. G. H.: Moreno había sido desplazado de la Junta, era un hombre destituido, prácticamente sin poder. La misión a Londres era una salida elegante, como las embajadas que confieren en la actualidad los presidentes a los ministros que renuncian (un acto generoso, siempre a costa de los contribuyentes). Si bien es cierto que el crimen político existía y, lamentablemente, todavía se practica, no parece el Moreno de ese momento un blanco probable y menos para Inglaterra. Se conjetura todavía si Napoleón Bonaparte fue envenenado en esos años por los ingleses en la isla en que estaba prisionero, pero obviamente había sido para los británicos un rival algo más peligroso que el redactor de la "Representación de los hacendados", que les abrió el libre comercio en el lejano Río de la Plata. Mariano portaba cartas para el canciller lord Wellesley, hermano de lord Wellington, que poco después recibió con toda cordialidad en su residencia particular de Apsley House, en Hyde Park número 1, a otro sudamericano, el venezolano Simón Bolívar, que llevaba el mismo cometido de pedir el apoyo de Inglaterra. Aunque nada me conduce a hacer pensar en un crimen, de todos modos estoy abierto a la aparición de nuevos elementos o consideraciones.

P. O.: No es cierto que Moreno ya no fuera peligroso: pocos días después de su muerte, en septiembre de 1811, sus seguidores derribarán a Saavedra del gobierno. Hay un fragmento de las memorias de Manuel Moreno en el que narra los últimos momentos de Mariano, que son conmovedores: "Aunque quisimos estorbarlo —quiere decir contenerlo— desamparó su cama ya en ese estado y con visos de mucha agitación acostado sobre el piso de la cámara se esforzó en hacernos una exhortación admirable de nuestros deberes en el país en que íbamos a entrar y nos dio instrucciones del modo que debíamos cumplir los encargos de la comisión en su falta; pidió perdón a sus amigos y enemigos de todas sus faltas, llamó al capitán y le recomendó con el más vivo encarecimiento del cuidado de su esposa inocente". Creo que es un gran final para un personaje extraordinario de nuestra historia.

F. P.: No nos olvidemos que estamos hablando de un joven de treinta años.

P. O.: Cuando muere tiene treinta y un años. Impresionante, las cosas que se pueden hacer en tan pocos años. Deberíamos avergonzarnos de malgastar nuestras vidas de manera tan grosera. Al menos, lo pienso de mí mismo.

F. P.: Al poco tiempo de partir Moreno hacia su destino londinense, Guadalupe comenzó a escribirle decenas de cartas a su esposo. En una de ellas le decía: "Moreno, si no te perjudicas procura venirte lo más pronto que puedas o hacerme llevar porque sin vos no puedo vivir. No tengo gusto para nada de considerar que estés enfermo o triste sin tener tu mujer y tu hijo que te consuelen; ¿o quizás ya habrás encontrado alguna inglesa que ocupe mi lugar? No hagas eso, Moreno, cuando te tiente alguna inglesa acuérdate que tienes una mujer fiel a quien ofendes después de Dios". Esta carta estaba fechada el 14 de marzo de 1811, y como las otras, nunca llegó a destino. Mariano Moreno había muerto hacía diez días.

Bernardo de Monteagudo

Estudios en Chuquisaca. Levantamientos de Chuquisaca y La Paz. Monteagudo-Alvear. Monteagu-
do-Castelli. *La Gazeta de Buenos Ayres*. La Sociedad
Patriótica. Del republicanismo a la monarquía. El
Acta de Independencia de Chile. Monteagudo y
O'Higgins. Monteagudo-San Martín. El fusilamiento de los hermanos Carrera. La "guerra de zapa". Alzamiento en Lima. Monteagudo-Bolívar. El asesinato en Lima.

José Ignacio García Hamilton: Vamos a hablar de Bernardo de
Monteagudo, un personaje sobre el que Pacho O'Donnell escribió
una valiosa biografía. Como psicoanalista te habrá resultado una
personalidad interesante.

Pacho O'Donnell: Monteagudo es un personaje muy poco destacado por nuestra historia oficial porque no responde al identikit de
prócer simplificable, al que se puede resumir en un símbolo: creador de la bandera, vencedor de Caseros, redactor de la Constitución
Nacional. Fue una personalidad compleja, contradictoria, inclasifi-
cable, que estuvo a la vera de Alvear, de San Martín, de O'Higgins y
también de Bolívar; un favorito de todos ellos, un intelectual de fus-
te que honró a Tucumán.

J. G. H.: En Tucumán se recuerda a Monteagudo con una calle muy
importante, a dos cuadras de la plaza Independencia, pero no es una
personalidad muy conocida. Tampoco lo es en Chile ni en Perú,
donde tuvo actuaciones destacadas.

51

P. O.: Era un hombre apasionado. El libro al que hiciste referencia lo subtitulé "La pasión revolucionaria", porque Monteagudo estuvo siempre allí donde ardía el punto más crítico y decisivo de la revolución americana, con su extraordinario talento, su maravillosa pluma, su gran capacidad de traducir en ideología el maremágnum de hechos y personajes de su época. Por eso sus transiciones de una lealtad a otra no significan incoherencia o arribismo sino que, por cada uno de esos momentos, se puede descifrar quién es el protagonista esencial de la lucha por la independencia sudamericana, si es Alvear, O'Higgins, San Martín o Bolívar.

FELIPE PIGNA: Él nace en Tucumán el 20 de agosto de 1789, mientras en Francia la Asamblea de París, en plena Revolución, se preparaba para redactar los Derechos del Hombre y del Ciudadano. La vida de Monteagudo estará marcada por esa revolución y sus ideales.

P. O.: Su padre es un capitán de milicias, Miguel Monteagudo, casado con Catalina Cáceres, con quien tiene once hijos de los cuales Bernardo es el único que sobrevive; incluso no se sabe si era hijo de la primera esposa o de la segunda de su padre. La madre fallece cuando es muy pequeño, y tiene una vida signada por lo luctuoso desde sus inicios. El padre lo pone —y esto es decisivo en su vida— bajo la custodia de un pariente lejano, el cura Troncoso, que vive en Chuquisaca. Como ya vimos al referirnos a Moreno, Chuquisaca era el farol de las ideas libertarias de esta parte de América del Sur; albergaba una universidad que competía con la de Córdoba; ambas eran las dos primeras universidades; la diferencia residía en que la cordobesa era esencialmente teológica, en cambio en la altoperuana se enseñaban leyes, que era lo que elegían los jóvenes con inquietudes de aquella época. Este muchacho, que provenía de una humildísima condición, por esos caprichosos avatares de la vida entra en contacto con las ideas revolucionarias y con muchos de los que protagonizarán las luchas independentistas.

F. P.: Era gente que ponía el cuerpo, que sabía defender sus ideales hasta las últimas consecuencias.

P. O.: Monteagudo y los demás vivieron intensamente. Lo mucho que hizo le insumió poco más de treinta años, en poquísimo tiempo se desarrolló aquella vida inflamada en convicciones y sostenida por el coraje, un valor muy adelgazado en la vida moderna y en nuestra patria. Monteagudo y otros de su época eran personas de un inmenso coraje.

J. G. H.: Los argentinos no conocemos bien lo que sucedió antes del 25 de mayo de 1810 en el Alto Perú (actualmente Bolivia), hechos que tuvieron a Monteagudo como uno de sus protagonistas.

F. P.: Monteagudo se había recibido de abogado en Charcas. Allí es nombrado por la Audiencia "Defensor de Pobres". En los levantamientos de Chuquisaca y La Paz, que comienzan el 25 de mayo de 1809, exactamente un año antes de nuestro 25 de Mayo, Monteagudo, con apenas diecinueve años de edad, tendrá un papel protagónico y será el redactor de la proclama, donde dice, entre otras cosas, que ya se ha vivido mucho tiempo en la estupidez, hablando de la dormidera de las ideas medievales españolas, y que había que terminar con la dependencia. Este término aparece muy claramente expresado por Monteagudo en la proclama revolucionaria.

P. O.: Cito: "Hasta aquí hemos tolerado esta especie de destierro en el seno mismo de nuestra patria, hemos visto con indiferencia por más de tres siglos inmolada nuestra primitiva libertad al despotismo y tiranía de un usurpador injusto (se refiere a España, es claro) que degradándonos de la especie humana nos ha perpetuado por salvajes y mirados como esclavos. Hemos guardado un silencio bastante análogo a la estupidez que se nos atribuye por el inculto español, sufriendo con tranquilidad que el mérito de los americanos haya sido siempre un presagio cierto de su humillación y ruina". Y continúa en esa línea, que echa por tierra las afirmaciones de quienes sostienen que los revolucionarios de Mayo no tenían ideas independentistas. Esto sucede un año antes y ya se está hablando de independencia, de libertad, del yugo del opresor.

F. P.: Este sector, el más revolucionario, será luego acallado, marginado del poder, porque ya está presente la idea de ponerle un límite, de que sea sólo un cambio de figuritas políticas y no una verdadera revolución como querían Monteagudo, Castelli y otros.

J. G. H.: En este manifiesto no está la máscara de Fernando VII...

F. P.: De ninguna manera, al contrario.

J. G. H.: No se menciona al "amado rey cautivo"...

F. P.: Es importante recordar que estamos a mediados de 1809 y que todavía no había caído la Junta Central de Sevilla. Aún gobernaba España ese gobierno juntista y resistente a la invasión napoleónica, de manera que esto era una declaración de independencia que tiene un valor realmente notable, porque es la de un precursor. El virrey Cisneros ordena una violenta represión que llevarán adelante los generales Nieto, desde el Sur, y Goyeneche, desde el Norte. Ambos hacen una verdadera masacre y Monteagudo va a parar a la cárcel engrillado. Nieto y Paula Sanz, el gobernador español de Potosí, después serán fusilados por Castelli, cuando vaya al Alto Perú. Son dos de las "víctimas" de Castelli.

P. O.: Ya antes de la proclama, un Monteagudo casi adolescente, de dieciocho o diecinueve años, escribe el "Diálogo entre Fernando VII y Atahualpa", que tuvo gran difusión en su época. Se trataba de una imaginada discusión dialéctica, algo naïf pero temerariamente revolucionaria para su época, donde discuten el rey español Fernando VII y el inca Atahualpa, y éste termina diciendo, en un rapto de voluntarista toma de conciencia: "Habitantes del Perú: si desnaturalizados e insensibles habéis mirado hasta el día (de hoy) con semblante tranquilo y sereno la desolación e infortunio de vuestra desgraciada Patria, despertad ya del penoso letargo en que habéis estado sumergidos. Desaparezca la penosa y funesta noche de la usurpación, y amanezca luminoso y claro el día de la libertad. Quebrantad las terribles cadenas de la esclavitud y empezad a disfrutar de los deliciosos encantos de la independencia". No quedan dudas de que Monteagudo está hablando de independencia y, por si quedase alguna, hace decir al rey español en una más que improbable lucidez de ultratumba: "Si aún viviera yo mismo los moviera a la libertad y a la independencia, más bien que vivir sujetos a una nación extranjera".

F. P.: Monteagudo era un escritor político, íntegramente político. Escribía en tono de panfleto permanentemente, pero con una calidad literaria extraordinaria.

P. O.: Era un gran escritor.

J. G. H.: Ese diálogo es anónimo, pero se le atribuye a Monteagudo. Fernando VII se queja de que Napoleón le ha usurpado el trono y el cetro y Atahualpa (por la voz del tucumano) le dice que tres siglos antes el rey de España le ha hecho lo mismo a él, lo ha desplazado como monarca de los incas. Refleja la clara argumentación que Monteagudo mantiene durante toda su vida, como periodista, escritor y polemista, hasta su asesinato en una calle de Lima.

P. O.: Va variando sus posiciones. Ya señalamos que seguir el pensamiento de Monteagudo es seguir la orientación del designio revolucionario, las formas que la revolución americana se va dando para subsistir y eventualmente triunfar.

F. P.: Los vericuetos, digamos.

P. O.: El 25 de mayo de 1810 Monteagudo se encuentra preso en Chuquisaca por sus actividades revolucionarias.

F. P.: Efectivamente, hasta que, gracias a unas damas y a la amistad de alguno de sus carceleros, logra fugarse poco antes de la llegada del Ejército Auxiliar, que viene al mando de su amigo Castelli. Algo que en la actualidad nos llama la atención es esta coherencia en las ideas, de un hombre que se juega por ellas desde la adolescencia hasta la muerte. Algo que en estos momentos de tanta deserción ética y de tan bajo nivel político es bueno recordar: una persona que hizo de la ideología consecuente su vida. En este sentido Monteagudo es admirable.

P. O.: Un hombre que se equivocó.

F. P.: Como todo el mundo...

P. O.: Y que acertó.

F. P.: Los que no se equivocan son los que no actúan.

P. O.: Posiblemente su proximidad a Alvear es lo que más se le puede criticar.

F. P.: Lo más negro de su vida.

P. O.: Después de Guayaquil se despega de San Martín y va a reunirse con Bolívar, lo que no puede decirse que fuera una traición, porque don José se había ido de la cancha y Monteagudo quería continuar jugando el partido.

J. G. H.: ¿Por qué es lo más negro de su vida haber estado próximo a Alvear? Planteo aquí mi primera disidencia, para mantener nuestro estilo de confrontación. ¿Por qué demonizarlo a Alvear para santificarlo a San Martín? Lo mismo se hizo en Colombia y en Venezuela, se demonizó a Francisco de Paula Santander para glorificar a Bolívar. En la actualidad, ya hay un movimiento de reflujo que tiende a equilibrar las cosas. ¿Por qué es algo negativo haber sido un colaborador de Carlos de Alvear, el jefe militar que encabezó la liberación de Montevideo, el director supremo en tiempos muy difíciles, un hombre que tuvo méritos militares y valores políticos? Sin perjuicio de que haya tenido errores o defectos, ¿por qué condenarlo?

F. P.: Yo no lo hago, no acuerdo con la contraposición con San Martín, no parto de ahí sino de la política que llevó adelante Alvear, por ejemplo, contra Artigas; una política de persecución, además de su famoso ofrecimiento del protectorado británico para estas provincias. Me parece que son dos perlas negras de Alvear, que no señalo para levantar la figura de San Martín sino para describirlo a él mismo.

P. O.: Una tercera perla negra es su permanente antagonismo con San Martín, una inquina que fue más allá de la lógica política y que se alimentó sólo del rencor y la envidia. Recordemos que el último acto de Alvear fue tratar de destituir a San Martín de la jefatura del Ejército de los Andes, cuando envía al coronel Perdriel a relevarlo. Ésa fue la mecha que detonó la sublevación del Ejército.

J. G. H.: San Martín había renunciado a la gobernación de Mendoza y Alvear, como director supremo, envía como reemplazante a Gregorio Perdriel. Pero cuando llega su sucesor, don José inspira un movimiento de resistencia en el Cabildo de Mendoza y permanece en el cargo. Poco después, apoya a Álvarez Thomas cuando éste se subleva y derroca a Alvear. Recordemos que, anteriormente, en octubre de 1812, tanto Alvear como San Martín habían sido los principales autores del golpe militar que había derrocado al Primer Triunvirato. Esto de simplificar la historia y separar a los protagonistas en héroes y villanos es algo que tenemos que superar.

P. O.: Según vos, ¿cuál es su relación con Alvear?

J. G. H.: Mantienen un vínculo muy estrecho. Pero para seguir un orden cronológico, veamos lo que sucede en Chuquisaca.

P. O.: De acuerdo.

J. G. H.: Cuando Juan José Castelli llega a Potosí al frente de la expedición militar que ha sido enviada desde Buenos Aires, Monteagudo se convierte en su hombre de confianza. Tenía una gran habilidad para ganarse la buena voluntad de los hombres con poder. En la zona ya había habido, en años anteriores, algunas rebeliones indígenas, algo diferente de lo que sucedió en la parte norte de la América del Sur, donde los indios, al producirse los movimientos de independencia, en muchos casos apoyaron a la corona porque sentían que los reyes los habían defendido de los abusos de los encomenderos. Monteagudo y Mariano Moreno, en el Alto Perú, se habían pronunciado en contra de la explotación que sufrían los aborígenes en las minas de Potosí.

F. P.: Y Castelli, obviamente.

J. G. H.: Castelli llega al Alto Perú al frente del ejército enviado desde Buenos Aires en diciembre de 1810.

P. O.: En el camino ha fusilado a Liniers.

F. P.: Y obtuvo la victoria de Suipacha, que es el primer triunfo patriota sobre las fuerzas realistas, lo que le abre el camino hacia el Potosí.

P. O.: Y en Potosí también fusila a las máximas autoridades. A raíz de estos sucesos, Monteagudo, que no era un nene de pecho, escribirá meses más tarde en *La Gazeta* que se había acercado con placer a esos patíbulos, cito textualmente, "para observar los efectos de la ira de la patria y bendecirla por sus triunfos". Era de aquellos que estaban convencidos de que la Revolución debía imponerse por la violencia, que era su única vía. Monteagudo se escapa de la cárcel y se une al ejército de Castelli, con quien arma un dueto jacobino de temer.

F. P.: Monteagudo va a ser su secretario, su mano derecha.

J. G. H.: Efectivamente.

P. O.: Ambos son muy volterianos, están muy imbuidos de las ideas francesas de revolución.

F. P.: Son jacobinos, acuerdan con la línea de la Revolución Francesa que proponía no sólo cambios políticos sino también sociales y económicos.

P. O.: Los movimientos de cambio en nuestras tierras inevitablemente se daban de bruces contra lo religioso, por cuanto la Iglesia hispánica estaba estrechamente atada al poder colonial. La confrontación de Castelli y Monteagudo con las muy conservadoras y prohispánicas autoridades eclesiásticas le servirá al astuto Goyeneche para enarbolar el estandarte de la Guerra Santa. Los revolucionarios se muestran demasiado heréticos, ofician misas negras, fusilan curas, dan manifiestos burlones con tinte religioso. Como ya hemos dicho, esto hará que el próximo jefe abajeño del Ejército del Norte, Manuel Belgrano, se vea obligado a llevar adelante una campaña lentificada por misas y consagraciones.

F. P.: Belgrano es el único de nuestros hombres de la Revolución que practica su fe católica, lo que no le impide ser un ferviente revolucionario y tolerar a sus compañeros de ideas que estaban bastante lejos de la misa diaria, como San Martín y por supuesto su querido primo Juan José Castelli.

P. O.: Belgrano es uno de nuestros próceres más católicos, pero tanta religiosidad se debe a que se ve obligado a lavar esa imagen de herejía que han dejado Castelli y Monteagudo a su paso.

F. P.: Me parece necesario recordar que la Iglesia del Alto Perú era una institución casi medieval. Manejaba el tribunal de la Inquisición, que se ocupaba de perseguir a los indios con la excusa absurda de que vivían en la herejía. Era la institución que brindaba la justificación ideológica a todas las masacres y la explotación en las minas. Muchos obispos eran encomenderos y propietarios de minas y haciendas. Esta Iglesia del Alto Perú estaba muy lejos de ser un dechado de virtudes. Era profundamente reaccionaria, utilizaba métodos de tortura medievales.

J. G. H.: La Inquisición funcionaba en todo el territorio de los virreinatos del Perú y del Río de la Plata, pero su cabeza estaba en Lima. En todos los países de tradición católica los movimientos liberales se han opuesto a los privilegios que tenía la Iglesia. Han reivindicado la razón en contra de lo que llamaban el oscurantismo o fanatismo religioso. Lo mismo ocurre en la Revolución Francesa. Pero en el caso de las colonias españolas en América hay un elemento adicional que torna a los procesos independentistas muy jacobinos, en algunos casos, muy anticlericales e incluso inclinados al terror...

F. P.: Al deísmo, aquella doctrina que intenta imponer Robespierre en Francia, el culto al hombre, esa creencia en las capacidades del hombre y la convicción de que no dependen de la voluntad de Dios.

J. G. H.: La Iglesia en Hispanoamérica tenía una estructura que no dependía de Roma sino de Madrid. Las órdenes religiosas dependían de sus superiores en España.

P. O.: Uno de los problemas con los jesuitas fue que respondían al Papa y no al rey.

F. P.: Los jesuitas estaban fuera del patronato, lo que les daba un grado de autonomía notable.

J. G. H.: Los jesuitas generan una estructura de poder muy importante, que despierta celos en la corona.

P. O.: Porque no respondía a su poder.

F. P.: Monteagudo era un gran seductor. En *La Gazeta* escribía cosas como éstas: "Me lisonjeo de que el bello sexo corresponderá a mis esperanzas y dará a los hombres las primeras lecciones de energía y entusiasmo por nuestra santa causa. Si ellas, que por sus atractivos tienen derecho a los homenajes de la juventud, emplearan el imperio de su belleza en conquistar además de los cuerpos las mentes de los hombres ¿qué progresos no haría nuestro sistema?". Este artículo le valió un reto de Rivadavia, secretario entonces del Triunvirato, en estos términos: "El gobierno no le ha dado a usted la poderosa voz de su imprenta para predicar la corrupción de las niñas".

P. O.: Monteagudo era buen mozo, un gran seductor, se mantuvo soltero durante toda su vida.

F. P.: Era una especie de Miranda, que también era un gran picaflor. Anduvo haciendo estragos por las cortes europeas.

J. G. H.: Miranda vivió en Londres en pareja, en su famosa residencia de Grafton Street 27.

F. P.: Monteagudo no era de los que tienen una pareja estable.

P. O.: No tenía tiempo. Cuando se dice que San Martín no llevaba una buena relación con doña Remedios, uno entiende que era difícil que la tuviese con lo ocupado que estaba.

F. P.: Pero Monteagudo se hacía tiempo para las señoritas, para atender galantemente a las señoritas.

P. O.: Hace estragos en los salones "decentes", como se decía entonces, cuando llega a Buenos Aires para defender a Castelli, a quien se juzga por sus derrotas militares.

F. P.: No era políticamente correcto asumir la defensa de Castelli en el juicio que le hacen en Buenos Aires por la derrota de Huaqui. Monteagudo defiende a su amigo con fuertes argumentos políticos, reivindicando los principios de la Revolución. Cuando el fiscal le pregunta: "¿Quebrantó Castelli la fidelidad al legítimo soberano Fernando VII procurando introducir el sistema de libertad e independencia?", Monteagudo responde: "¡Sí, el doctor Castelli atacó el dominio ilegítimo de los reyes de España y procuró por todos los medios directos e indirectos, el sistema de igualdad e independencia!". Mucha coherencia y mucha vehemencia.

P. O.: Entonces Monteagudo entrará en contacto con la Logia Lautaro.

J. G. H.: Que se había constituido en un grupo de influencia.

P. O.: De ahí viene su relación con Alvear.

J. G. H.: Después de la derrota patriota en Huaqui, Castelli es relevado del mando del Ejército y Monteagudo es detenido. Al ser liberado, se dirige a Tucumán y luego a Buenos Aires. Allí se incorpora al grupo más radicalizado, actúa como redactor de *La Gazeta* y es uno de los fundadores de la Sociedad Patriótica, un importante núcleo de opinión. Este sector, a través del golpe militar de 1812 que mencionamos recién, derroca al Primer Triunvirato y promueve la formación del Segundo...

P. O.: La Sociedad Patriótica, que presidirá Monteagudo, es la cara superficial de la Logia, de la sociedad secreta.

J. G. H.: Entonces se convoca a un Congreso que conocemos como la Asamblea del año 13, que es presidida por Alvear, la figura más poderosa del momento. Este Congreso adopta una serie de medidas que Monteagudo había impulsado en el Alto Perú: la abolición de los tributos de los indios, la eliminación de la Inquisición, la supresión de los títulos de nobleza.

P. O.: La Logia Lautaro respondía a intereses anglófilos e Inglaterra decide que esa Asamblea del año 13, que había sido convocada para declarar la Independencia, no lo haga, que no sea ese el objetivo. Por eso se distraen en medidas "truchas", porque no es cierto que se establece el Himno sino una canción patriótica; se dicta la abolición de los títulos nobiliarios cuando no había un solo noble en las Provincias Unidas...

F. P.: Igual que la abolición de la esclavitud.

P. O.: Efectivamente, pasa a la historia como la asamblea que abolió la esclavitud pero la verdad es que los esclavos siguieron con su misma condición. Lo que decidieron fue la libertad de vientres, es decir, los hijos de los esclavos que nacieron desde entonces fueron considerados seres libres.

F. P.: Fue algo virtual, en términos modernos, porque sus dos cometidos principales, la declaración de la Independencia y la sanción de una Constitución, no se logran. Sí se concreta algo que va a traer consecuencias importantes, que es la conformación del Directorio, un poder único, unipersonal, en la figura de Posadas, el tío de Alvear.

J. G. H.: Planteo acá mi segunda disidencia. El Congreso de Tucumán de 1816, tan recordado por haber declarado la Independencia, no llega a dictar una Constitución, no llega a establecer normas concretas para salir de una estructura social estamental, con una religión única. En cambio, la Asamblea del año 13, desde el punto de vista ideológico, toma medidas progresistas, que pretenden cambiar esa sociedad desigual, esa sociedad jerárquica, para hacerla más republicana, más igualitaria.

F. P.: En realidad, será el Congreso de Tucumán, trasladado a Buenos Aires, el que dicte la primera Constitución argentina en 1819, unitaria y centralista.

J. G. H.: Casi monárquica.

F. P.: No se hace mención a la república, por lo que deja lugar a un posible rey. Se dicta la Constitución pero es absolutamente retrógrada.

P. O.: Esa evolución del republicanismo a la monarquía se ve claramente en los escritos de Monteagudo, porque él fundamentará ambas posturas. También recorren esa trayectoria San Martín y Belgrano, recordemos su propuesta del rey inca. Crece la idea de que el republicanismo en los movimientos independentistas americanos desemboca en la anarquía y que ésta atenta contra el éxito de la Revolución. Esto se da paralelamente a la recuperación del absolutismo en Europa, con lo que todo se tiñe de un espíritu mucho más monárquico, más autocrático.

J. G. H.: Antes de salir de la Asamblea del año 13 quiero recordar el episodio doloroso del que es víctima Monteagudo. La provincia de Mendoza lo elige diputado, pero le impugnan su diploma aduciendo que su madre era negra o mulata; se argumenta que por tener sangre africana no puede ser miembro del Congreso...

P. O.: Era el peor insulto en una época muy discriminatoria; luego, también se lo endilgarán a Rivadavia. Y vos, José Ignacio, a San Martín.

F. P.: Fijate que cuando llegan a Buenos Aires los restos de Monteagudo en 1918 los examina el perito Moreno y eleva un informe donde aseguraba con aquel lenguaje que impregnaba la antropología de la época: "No hay en la conformación general craneana ningún rasgo que acuse mezcla de raza africana. La forma de la cabeza revela la característica definida de los tipos europeos. En la parte posterior del cráneo se encontraban adheridos mechones de pelo, ninguno de ellos estaba formado por motas, lo que excluye en absoluto la mezcla de sangre africana".

J. G. H.: En una carta que don Bernardo le manda a Pueyrredón le imputa ser el impulsor de la campaña discriminatoria. "Me siento orgulloso de mis padres, porque son decentes aunque no sean nobles", le dice con gran dignidad. Pueyrredón le responde que él no ha inspirado la impugnación. Esta calificación de mulato (avalada por sus rasgos físicos) lo va a acompañar también en Chile y Perú.

F. P.: En la famosa Asamblea del año 13 hubo varias impugnaciones; la más notable fue la de los diputados orientales enviados por Artigas, que respondió a una maniobra del presidente de la Asamblea, Alvear. La conducción de la Asamblea argumentaba que los diputados artiguistas habían sido mal elegidos, cuando, en realidad, eran los mejor elegidos de todas las Provincias Unidas, conforme a derecho. Era una excusa para no dejarlos expresar sus ideas revolucionarias y federales.

P. O.: Venían con instrucciones muy rigurosas.

F. P.: Ése era el punto.

P. O.: Esas instrucciones de Artigas a sus delegados son extraordinarias.

F. P.: Artigas tiene un proyecto de país; en aquellas instrucciones se descubre un primer proyecto de país.

P. O.: Voy a narrar una anécdota que demuestra la influencia intelectual que va tomando Monteagudo en Buenos Aires. Cuenta Dellepiane, un buen historiador, que en la señorial mansión de los Escalada las damas de la sociedad porteña se habían reunido para contar el dinero recaudado por ellas para la compra de armas para el Ejército del Norte. La novia de San Martín era una persona de clase alta y es ella la que dice "pondremos a consideración de ustedes la nota que hemos redactado con María", que no es sino Mariquita Sánchez de Thompson, la del piano y el himno. Al terminar la lectura todas las damiselas expresan su satisfacción y felicitan a las autoras del manifiesto que presentarán a las autoridades. Entonces, la señora de Alvear, que se ve que era tan sibilina como su esposo el general, se inclina sobre Mariquita y le susurra al oído: "Eso no lo has escrito tú ni Remedios, eso es de Monteagudo". Según los chismes de la época, la indignación de Mariquita y Remedios fue tal que hicieron trizas el papel a la vista de todas y las relaciones con la de Alvear nunca se recompusieron. Parece que ella tenía razón y que, efectivamente, ese documento había sido escrito por Monteagudo. La de Alvear habrá aprendido que no hay nada peor en una discusión que tener la razón.

F. P.: La nota de Mariquita o de Monteagudo decía, entre otras cosas: "Si el amor de la patria deja algún vacío en el corazón de los guerreros, la consideración al sexo será un nuevo estímulo que les obligue a sostener en su arma una prenda del afecto de sus compatriotas".

J. G. H.: Monteagudo es el redactor del acta de la Independencia de Chile, según se afirma...

F. P.: Monteagudo, por pedido de O'Higgins, redacta el Acta de la Independencia de Chile jurada el 12 de febrero de 1818, un año después de la batalla de Chacabuco, y también escribe la primera crónica histórica de la revolución chilena.

J. G. H.: Intervino en muchos de los actos importantes de la Independencia del Perú, cuando es ministro de San Martín, el Protector... A la caída de Alvear, Bernardo vuelve a ser procesado y encarcelado, esta vez en Buenos Aires. Como había ocurrido en Francia con la Revolución, que se comía a sus propios hijos, lo mismo va a ocurrir en América latina. La situación era muy dura, Alvear va preso y también Bernardo, su colaborador de confianza. Cuando es dejado libre, Monteagudo se va a Europa, donde vive en Londres, y ve funcionar a la monarquía con el sistema de gobierno parlamentario. Contempla el oropel de las antiguas monarquías con el paralelo funcionamiento de gobiernos votados por el pueblo. Como les ocurre a Rivadavia, Belgrano y Sarratea, la estancia en Europa produce importantes influencias en Bernardo. Cuando regresa a Buenos Aires ha cambiado su forma de vestir: usa chaquetas de cuello alto, pechera con diamantes, se perfuma con agua de colonia, una exquisitez para la época. También su pensamiento se ha actualizado. Son los tiempos de la Santa Alianza, las repúblicas no son bien vistas, y Bernardo y otros patriotas creen que la Independencia y los derechos cívicos pueden salvarse a través de monarquías constitucionales...

P. O.: Monteagudo será el culpable de que burlonamente se lo llame el "Rey Sol" a San Martín, cuando crea la Orden del Sol, cuya idea es sustituir una nobleza hispánica por otra americana en el Perú. Pero creo que no podemos continuar sin decir que Monteagudo es el principal responsable del fusilamiento de Álzaga, así como lo será también del fusilamiento de los Carrera, en la actualidad próceres chilenos. La relación con la muerte fue una de sus características. Por ejemplo, en la oración inicial cuando asume el mando de la Sociedad Patriótica exclama: "¡Oh, Patria mía! Si yo supiera que el sacrificio de mi vida habría de contribuir a nuestra redención yo la inmolaría esta misma noche con placer". Es evidente que lo dice en serio. También es sincero cuando anuncia en esa misma oportunidad: "Si yo conociera que mi brazo tendría bastante fuerza para aniquilar a nuestros enemigos ahora mismo tomaría un puñal aunque mi sangre se mezclase después con la de ellos". Y tomó el puñal, vaya si lo tomó. Fusiló a Álzaga, fusiló a los Carrera, fusiló a los complotados de San Luis.

J. G. H.: Monteagudo, aunque cambiado en su modo de vestir y ahora favorable a las monarquías constitucionales, conserva un jacobinismo militante. Regresa al Río de la Plata en 1817, después del Congreso de Tucumán. Parece haber cambiado más en los fines que en los medios... Desde Buenos Aires se va a Chile, donde se vincula a O'Higgins. Vuelve a Mendoza y a San Luis y, en esas provincias, redacta dos sentencias de fusilamientos. Cuando San Martín llega a Perú y realiza negociaciones con el virrey en Punchauca, va a recibir los reproches repetidos por los fusilamientos de los prisioneros en San Luis.

P. O.: Pero otras muertes le permiten recomponer su relación con O'Higgins, porque éste odiaba a los Carrera, eran sus adversarios políticos, los que le disputaban el comando de la rebelión chilena. Monteagudo había estado muy próximo a O'Higgins, pero hay una ruptura con el chileno y con San Martín cuando sucede lo de Cancha Rayada, y Monteagudo huye a Mendoza. Allí descubre que no son ciertas las versiones de la muerte de O'Higgins y de San Martín. Pero él está del otro lado de la cordillera, en un gesto que podría ser fácilmente catalogado como de cobardía; la forma de reconciliarse, que no será de extrañar en un hombre inescrupuloso y muy decidido a llevar adelante sus propósitos, fue pasar por las armas a los Carrera y así resolver un gran problema de O'Higgins. Por eso éste lo vuelve a llamar a su lado. Esto le crea un problema a San Martín, dentro de la historia chilena, porque Monteagudo, para engañar a Luzuriaga, el gobernador de Mendoza, le dice que está cumpliendo órdenes de San Martín. Luzuriaga le cree porque ha visto a Monteagudo muy cerca de don José.

J. G. H.: San Martín nunca desaprobó el fusilamiento de los hermanos Juan y Luis Carrera. Aclaremos que los Carrera eran líderes revolucionarios, patriotas. Cuando es acusado por José Miguel Carrera de haber fusilado a sus hermanos, dice que él no ordenó la ejecución, pero que si el caso hubiera estado en sus manos los habría fusilado mucho antes.

F. P.: Voy a citar un fragmento de uno de los escritos de Monteagudo de *La Gazeta*, donde señala: "Sé que mi intención será siempre un problema para unos, mi conducta un escándalo para otros y mis esfuerzos una prueba de heroísmo en el concepto de algunos, me importa todo muy poco, y no me olvidaré lo que decía Sócrates, los que sirven a la Patria deben contarse felices si antes de elevarles altares no les levantan cadalsos". Ahí estaba esa idea temeraria a la que te referías antes.

P. O.: Para certificar el poder de seducción universal que tenía Monteagudo basta con reproducir un fragmento de Vicente Fidel López, uno de los fundadores de nuestra historiografía oficial, en el que describe su aspecto físico: "Los ojos negros y grandes, entrecortados por la concentración natural del carácter, el óvalo de la cara aguda, la barba pronunciada, la voz gruesa sin ser forzada, la boca firme, era casi alto de formas espigadas". En el siguiente párrafo don Vicente se derrumba en una descripción abiertamente erótica: "La mano preciosa, la pierna larga y admirablemente torneada, el pie correcto como el de un árabe, sabía bien que era hermoso y tenía orgullo en esto como de sus talentos".

J. G. H.: Las figuras de los libros del siglo XX sobre Monteagudo nos muestran una cara de rasgos claros y occidentales. Pero las descripciones de la época hablan de su cabello ensortijado y sus labios gruesos, lo que avala la calificación de mulato. A Bernardo le sucedió lo mismo que a San Martín, que a través del tiempo la formación del mito le fue aclarando el color de la piel y europeizando el rostro.

F. P.: En las pinturas parece un francés.

J. G. H.: Un actor de cine, un modelo...

P. O.: La famosa arenga de San Martín cuando llega a Perú la escribe Monteagudo, aquella que dice: "Acordaos que nuestro deber es consolar a la América y que no venís a hacer conquista sino a liberar pueblos. Los pueblos son los peruanos, abrazadlos y respetad sus derechos como respetasteis los de los chilenos después de Chacabuco".

J. G. H.: Para continuar con el jacobinismo constante de Monteagudo, quiero volver al caso de los prisioneros españoles tomados por San Martín en Chile, que son confinados en San Luis, internados... Entre ellos había un general o coronel español, Ordóñez, que había sido compañero de San Martín en las luchas en España en el mismo ejército. Se dice que los prisioneros intentan huir en San Luis; se los procesa, son condenados a muerte y se los ejecuta. Solamente se salva un sobrino de Ordóñez, un teniente de muy escasa edad. Poco tiempo después se levantan muchas protestas, porque no era posible por el Derecho de Gentes, que era lo que en la actualidad llamamos derechos humanos, fusilar prisioneros. Hace casi dos siglos ya no se permitía el fusilamiento de prisioneros, era considerado una grave falta. San Martín va después a San Luis y se entrevista con el sobrino de Ordóñez, pide que le saquen los grillos, lo trata bien, le dice: "Yo he sido compañero de su tío, lamento esta situación". Lo hace poner en condiciones mejores. En alguna medida, Monteagudo hacía la tarea difícil de San Martín. Todas las medidas duras, las medidas jacobinas extremas las tomaba Monteagudo y así terminó después. Fue asesinado en Lima.

F. P.: Estas ideas radicales en las que la violencia era un instrumento las expresa tempranamente Monteagudo en un discurso en la Sociedad Patriótica, cuando decía: "Convengamos en un principio que la indulgencia con los europeos y con los americanos enemigos del sistema es la causa radical de nuestras desgracias. Quiero por el mismo bien de la humanidad que se inmolen a la patria algunas víctimas; que se derrame la sangre de los agresores para que no perezca el pueblo".

P. O.: Algo que marca el genio de Monteagudo es haber sido el autor intelectual y material de lo que en los libros de colegio se estudia como la "guerra de zapa" en el Perú. Había montado una imprenta a lomo de mula y allí imprimía manifiestos que mentían o exageraban y que constituirían el preanuncio de la moderna guerra psicológica. Lograba mellar la moral de las tropas enemigas, de las tropas prohispánicas, no tropas españolas porque, en realidad, estaban constituidas casi totalmente por americanos.

F. P.: Monteagudo tenía agentes que interceptaban la correspondencia y traducían la que estaba cifrada, en clave, y obtenía información sobre los movimientos de los españoles.

P. O.: Deberíamos recordar que las guerras de Independencia fueron guerras civiles porque peleaban americanos contra americanos. García del Río, una alta autoridad peruana, le escribe a O'Higgins para contarle, a propósito de la "guerra de zapa" de Monteagudo: "Es el fenómeno más extraordinario de la guerra derrotar a un ejército poderoso con la fuerza sólo de la opinión sostenida con ardides bien manejados, a nosotros mismos nos admira haber concluido un negocio al estado en que se haya sin adoptar una ofensiva de guerra". Ellos llamaban negocio...

F. P.: ...a las cuestiones políticas, a los temas vinculados al manejo del Estado. En la actualidad los políticos hacen negocios con las cuestiones políticas, qué paradoja.

J. G. H.: Monteagudo es el hombre que en Perú también toma todas las medidas duras, las más difíciles contra los españoles.

P. O.: Expulsa a los españoles.

F. P.: Y los expropia, les quita sus fortunas malhabidas y dice: "Ya no se encuentran esos grandes propietarios que, unidos al gobierno, absorbían todos los productos de nuestro suelo; subdivididas las fortunas, hoy vive con decencia una porción considerable de americanos que no ha mucho tenían que mendigar al amparo de los españoles".

J. G. H.: Él se vanagloria de eso. En una carta dice que cuando él llega al Perú, con San Martín, había diez mil españoles y que a la renuncia de don José sólo quedaban seiscientos. San Martín toma la medida de expulsar con la pérdida de la mitad de sus bienes a todos los españoles que no adhieran expresamente a la Revolución. Esto provoca muchas protestas; también hay quejas contra San Martín porque se lo considera un extranjero que ha tomado el poder.

P. O.: Los acusan de corrupción, tanto a San Martín como a Monteagudo. ¿Qué opinás de eso, José Ignacio?

J. G. H.: Los realistas peruanos repudiaban a San Martín por su dureza. Decían que tanto él como Bernardo eran extranjeros que no tenían ningún derecho a gobernarlos; que se habían enriquecido ilegalmente y vivían lujosamente.

P. O.: Hay que decir que San Martín y Monteagudo tuvieron una obra de gobierno interesante. Se crea la primera escuela normal de Lima, la Biblioteca Nacional que San Martín y Monteagudo donan en gran parte, se establece la libertad de vientres... Esto les gana enemigos poderosos a los que provocan un perjuicio económico importante. Yo estoy convencido de que es esa crisis la que va a matar a Monteagudo, años después, en una calle de Lima, a la que ha regresado sirviendo a Bolívar. Vos sabés mucho de Bolívar, José, y podés contar cómo Monteagudo llega con la amante de don Simón a su campamento, una prueba extraordinaria de su capacidad psicopática de hacer todo aquello que fuera necesario para hacerse notar y lograr su objetivo.

J. G. H.: Lo matan en la calle San Juan de Dios, en Lima, cuando está actuando como colaborador estrecho de Bolívar. Cuando San Martín viaja a Guayaquil a entrevistarse con Bolívar, en Lima se produce un alzamiento contra Monteagudo, que es ministro de Guerra. Esta vez son los propios republicanos los que están en contra, molestos por haberse enterado del envío a Europa de los delegados que van a buscar un príncipe para establecer una monarquía constitucional. Lo obligan a renunciar y a marchar al exilio a Panamá. Cuando don José regresa de Guayaquil se da cuenta de que su autoridad había sido minada por elevación y ese episodio (más la falta de apoyo militar suficiente de Bolívar) precipita su retiro. Desde Panamá, Bernardo se va a Quito.

F. P.: Donde se encuentra con la amiga de Bolívar.

J. G. H.: Efectivamente, se encuentra con Manuela Sáenz (que había vivido en Lima y era amiga de Rosita Campusano, la amante de San

Martín). A través de esta mujer conoce a Simón, se gana su confianza y vuelve a Lima con el propio Bolívar, que entra aclamado como el Libertador que va a terminar la guerra de la Independencia. Los enemigos de Monteagudo, que hacía dos años lo habían expulsado, no lo podían creer. De nuevo estaba en los más altos niveles, con gran influencia. Pero esa misma habilidad le generaba muchas resistencias; lo mismo pasó dentro del entorno de Bolívar. Una noche lo asesinan en la calle y encuentran su cadáver, con el olor a sangre fresca mezclado con el agua de colonia. Se piensa en un crimen pasional (venía de visitar a una mujer casada y estaba muy elegante, como siempre), pero también se conjetura que los autores pueden haber sido sus rivales políticos dentro del círculo áulico o incluso el propio Bolívar. No queda claro en el juicio quién es el...

P. O.: Candelario Espinosa.

F. P.: Candelario Espinosa es el autor material, una especie de sicario que cobra 3000 pesos por el crimen.

J. G. H.: Es el autor del crimen, pero Bolívar se entrevista a solas con él para saber el nombre del instigador del atentado (lo mismo había hecho en Jamaica con un negro que intentó apuñalarlo a él). Al parecer, Espinosa le revela el secreto y, poco después, cuando uno de los rivales políticos de Monteagudo, el republicano Sánchez Carrión, muere envenenado, se dice que ese crimen habría sido instigado por el propio Bolívar. San Martín recibe la noticia en Bruselas y se impresiona mucho por la muerte de su ex ministro y hombre de confianza. Como su corresponsal le comenta que el propio Bolívar podría haber estado detrás del asesinato, se resiste a creer que Simón fuera capaz de tal bajeza. San Martín piensa que si su presencia le molestaba, hubiese podido separar de su lado al colaborador.

F. P.: Quisiera concluir con una frase de Monteagudo que reivindica nuestra tarea: "Sin la historia, que es la escuela común del género humano, los hombres desnudos de experiencia y usando sólo de las adquisiciones de la edad en que viven andarían inciertos, de errores en errores".

José de San Martín

LA CONSTRUCCIÓN DEL MITO. SAN MARTÍN-ROSAS. SAN
MARTÍN-SARMIENTO. LA FILIACIÓN ILEGÍTIMA. SAN MARTÍN-
CARLOS DE ALVEAR. LA CUENTA SECRETA. SAN MARTÍN, "EL
AGENTE INGLÉS". LA INSUBORDINACIÓN DE RANCAGUA.
GUAYAQUIL. LA MASONERÍA. EL PROTECTOR DEL PERÚ. EL
PLAN MAITLAND.

JOSÉ IGNACIO GARCÍA HAMILTON: Hoy nos ocuparemos de don José
de San Martín. Un personaje importante, valioso, muy discutido en
la Buenos Aires de su época y elevado a la categoría de mito a mediados del siglo XX. En 1887, Bartolomé Mitre publicó un libro en
el que reivindica claramente a San Martín, pero le realiza algunas
críticas. Vicente Fidel López, el otro gran historiador argentino del
siglo XIX, le formula graves reproches. López llega a decir que no
tuvo amor por el suelo argentino, que le interesaba solamente su
gloria personal.

FELIPE PIGNA: Sí, López sostiene que todo lo hizo por el bronce. Es
muy duro con San Martín.

PACHO O'DONNELL: Sin embargo, en su escrito titulado "El conflicto
y la entrevista de Guayaquil", López habla del "noble y grande patriotismo" de San Martín, y también dice que aunque podía ejercer el poder como se le antojara, porque tenía la fuerza militar, prefería en-
marcarse en la ley. Cito textual: "Sin negar que San Martín se inclina-

ra por la monarquía constitucional, diremos que eso hace el elogio de sus virtudes, pues teniendo el mando de la fuerza y pudiendo haber imperado con ella, procuraba someterla a un régimen legal, más poderoso y mejor constituido que la autoridad meramente militar que ejercía. Bolívar tomaba naturalmente otro camino".

J. G. H.: La historia cuenta lo que hicieron los hombres en las generaciones pasadas, mientras que el mito nos habla de la actuación de personajes sobrenaturales. Al mitificar un personaje histórico le estamos otorgando características sagradas y, a la vez, estamos creando un modelo para el futuro. En la Argentina se está empezando a discutir si la mitologización o divinización de la figura de San Martín ha sido beneficiosa o perjudicial. Cuando Juan B. Alberdi postuló que había que dejar atrás el modelo bélico de la guerra de la Independencia, que había que abandonar el caudillismo y adoptar el arquetipo de la paz y el trabajo, la nación creció enormemente hasta 1930. El paradigma del "militar que muere pobre" (muy difundido a partir de 1930, pese a que San Martín falleció muy rico) significó glorificar la violencia y la pobreza, por lo cual no es extraño que desde entonces hayamos tenido violencia política, la guerra por las Malvinas (casi declaramos otra a Chile por el canal Beagle) y hayamos declinado económicamente. El psicoanalista Roberto Rusconi, en un trabajo titulado "Los fantasmas de la realidad", sostiene que los argentinos tenemos una orfandad de base que nos ha llevado a crear el mito de un Padre de la Patria constituido sobre un "parricida culposo", con relación a España, con reiteradas desobediencias al gobierno de las Provincias Unidas, que no pudo asumir plenamente la paternidad de su hija Mercedes. Por eso, la función mítica habría fracasado y los hijos de ese Padre de la Patria nos hemos identificado —opina— con los rasgos negativos de esta imagen, lo que nos lleva al sometimiento a caudillos y tiranos y al incumplimiento de las leyes. El historiador Eduardo Hourcade opinó que es necesario revisar el "modelo de santidad" propuesto por la teología de la patria, mientras que el sociólogo Mario Nascimbene postula actualizar los mitos, tornarlos "verosímiles y comprensibles" para nuestra época.

F. P.: Estamos mucho más pobres que en la época de San Martín y sin ninguna gesta libertadora que mejore nuestra situación a la vista.

P. O.: Tampoco San Martín murió tan rico. Mitre no dice eso en "Las cuentas del Gran Capitán", donde describe minuciosamente los bienes con los que contaba el general, y asegura que en el exilio pudo sobrevivir gracias a la ayuda de O'Higgins, que le envía 3000 pesos con los que pudo pagar las deudas contraídas por su enfermedad de cólera. Y con un crédito que le concedió su amigo el banquero Aguado pudo comprar su casa de Grand-Bourg, a orillas del Sena. Dice también que el Perú le pagó 12.000 pesos a cuenta de sus haberes atrasados desde 1823, que llegaban a 164.000 pesos. La diferencia la cobraron sus herederos después de su muerte. Y Chile lo reconoció como integrante de su ejército recién en 1842, otorgándole sueldo de general.

J. G. H.: En los hechos, San Martín siempre manifestó gran preocupación por su futuro económico, por no llegar a la vejez teniendo que mendigar, como decía en muchas de sus cartas que reproduje en mi libro *Don José*. Aunque era un militar profesional, tampoco era un belicista a ultranza que deseaba un estado de guerra permanente. Por el contrario, varias veces intentó finalizar la guerra de la Independencia mediante negociaciones e, incluso, mediante el soborno al general realista Canterac. Pero es interesante analizar si la creación del arquetipo sanmartiniano (aunque no concuerde realmente con el personaje original) tiene relación con la triste situación en la que estamos.

F. P.: Creo que tiene que ver con el acrecentamiento del poder militar, porque hubo tres momentos en la construcción de ese mito durante el siglo XX; uno fue en la década del 30, después del golpe de Uriburu, cuando se desplaza a Moreno y a los personajes civiles del panteón de los próceres, y se pone un fuerte acento en los próceres militares y en los aspectos militares de los próceres, especialmente de San Martín; el segundo momento es en 1950, durante el peronismo, en el "Año del Libertador", cuando aparece incluso una cuestión icónica, la famosa foto de Perón montado sobre el caballo blanco que toma la imagen sanmartiniana. Hay una apropiación, en algún sentido, de la imagen de San Martín. Finalmente, el tercer momento es el del Proceso, que deja de lado todo lo político de San Martín y exalta los valores estrictamente militares.

P. O.: En nuestra historia oficial es un precursor del andinismo, un trepador de montañas.

F. P.: Un hombre que hacía turismo aventura, trekking.

P. O.: Un gran sanmartiniano como René Favaloro, con quien tuve el placer y el honor de conversar varias veces sobre historia, me señaló que San Martín cruzó ocho veces los Andes, yendo y viniendo en aquella época en que las comunicaciones eran personales. Es bueno recalcar ese esfuerzo épico, porque para nuestra historia oficial parecería que San Martín se va y nunca vuelve. O si regresa, la cordillera se ha vuelto plana y nada le cuesta hacerlo.

F. P.: San Martín volvía a Buenos Aires a buscar dinero y provisiones para el Ejército de los Andes.

J. G. H.: Los indígenas cruzaban los Andes a pie desde tiempo inmemorial. También los atravesaron los españoles desde su llegada. Lo difícil de la tarea de San Martín fue la logística de un ejército: administrar la alimentación para las tropas y el forraje para los animales, almacenar el agua, el transporte de armamentos y pertrechos, toda la capacidad de organización y estrategia que distinguía a don José...

F. P.: Es lo que hace notable la tarea de San Martín, la adaptación de la estrategia aprendida en Europa a un terreno tan diferente. Siempre me gusta recordar aquella famosa Orden del 27 de julio de 1819 firmada por San Martín que decía: "Compañeros del Ejército de los Andes: La guerra se la tenemos que hacer como podamos: si no tenemos dinero; carne y tabaco no nos tiene que faltar. Cuando se acaben los vestuarios, nos vestiremos con la bayetilla que nos tejan nuestras mujeres y si no andaremos en pelota como nuestros paisanos los indios, seamos libres y lo demás no importa. Compañeros, juremos no dejar las armas de la mano hasta ver el país enteramente libre, o morir con ellas como hombres de coraje".

J. G. H.: También Sarmiento cruzó los Andes once veces y, en alguna ocasión, lo hizo a pie, con su amigo, el tucumano Pepe Posse. En 1933, durante el gobierno del general Agustín P. Justo, se creó el Instituto Sanmartiniano en el seno del Círculo Militar y sus fundadores pidieron que los 17 de agosto, fecha que todavía no era feriado, se dedicara cinco minutos de recogimiento para recordar al guerrero. En 1937 la fecha se declara feriado y se empieza a consolidar el mito del San Martín Libertador...

P. O.: Lo que vos criticás es que se militarice el procerato sanmartiniano.

F. P.: Critico que la corporación militar se lo haya apropiado durante mucho tiempo, que se lo recuerde en tono de marcha y no de cueca cuyana, por ejemplo. Fijate qué diferente el trato que tenía San Martín con sus soldados al de los genocidas de la dictadura que lo ponían en las paredes de sus cuarteles: "Estoy bien convencido del honor y patriotismo que adorna a todo oficial del ejército de los Andes; y como compañero me tomo la libertad de recordarles que de la íntima unión de nuestros sentimientos pende la libertad de la América del Sur. A todos es conocido el estado deplorable de mi salud, pero siempre estaré dispuesto a ayudar con mis cortas luces y mi persona en cualquier situación en que me halle, a mi patria y a mis compañeros".

J. G. H.: Se va completando la "divinización" de su figura. Sus restos se habían colocado antes en la Catedral; Ricardo Rojas lo había calificado de "Santo de la Espada" y Belisario Roldán le había dedicado en Boulogne Sur Mer su oración "Padre nuestro que estás en el bronce". Se utilizan la figura y la memoria de San Martín para consolidar la idea de que en la sociedad debe haber menos política. A veces te he escuchado a vos, Pacho, decir que a San Martín se lo calificaba de bueno porque no había entrado en las luchas civiles, porque no hacía política...

P. O.: No se contaminaba. Porque, lamentablemente, subsiste la idea de que tomar decisiones políticas es contaminarse. Y los próceres son más puros, más próceres en relación proporcional con su aparente prescindencia política.

F. P.: La repatriación de los restos de San Martín fue utilizada como prenda de paz, en tiempos en que el país se debatía por el tema de la capitalización de Buenos Aires, conflicto que venía sin resolverse desde los tiempos de Rivadavia. Y llegaron en medio de los tiros entre Tejedor y Avellaneda. Lo que sí es cierto es que San Martín es un gran renunciante... Se pasa la vida renunciando.

J. G. H.: Es cierto que cuando San Martín vuelve desde Bruselas a Buenos Aires, en 1829, se niega a entrar en las luchas civiles. Pero antes, en 1812, había protagonizado como jefe del Regimiento de Granaderos el golpe de Estado contra el Primer Triunvirato; había apoyado a Álvarez Thomas al derrocar a Carlos de Alvear como director supremo; había pedido ser gobernador de Mendoza; y en Lima se había autoproclamado Protector del Perú, pese a que las instrucciones del Senado de Chile le indicaban que el poder político debía ser asumido por un peruano.

P. O.: Es interesante preguntarse si es un mérito no meterse en la política.

F. P.: Para mí, no. La política es imprescindible. Creo que se confunde "la política" con la decadente política partidaria actual, con el vergonzoso espectáculo que brindan hoy "los profesionales" de la política.

P. O.: Nuestra historia oficial se ha encargado de ensalzar la decisión sanmartiniana de no comprometerse con los conflictos internos de su patria. Actualmente, a la luz de lo que sucede con nuestra Argentina, en que padecemos las consecuencias del débil compromiso de los buenos en los asuntos públicos y el excesivo compromiso de los malos, habría que revisar esa supuesta virtud de nuestro héroe máximo. Mitre sostiene que su retiro del Perú no fue un acto espontáneo sino el resultado lógico de una madura reflexión, alegó que su carta de despedida fue *pour la galerie*. Cito: "Si San Martín hubiese abdicado el poder, dejando una página de historia inacabada y una misión por concluir, por los móviles consignados en su proclama de despedida, San Martín sería indigno de su fama, y merecería el menosprecio de los venideros, así como recogió la injusticia de sus contemporáneos".

J. G. H.: Los títulos de Padre de la Patria y de Libertador otorgados a San Martín son recientes. En 1819, el gobierno de Buenos Aires decía en una carta que Manuel Belgrano era el Libertador. En 1873, el presidente Sarmiento afirmó en un acto en la iglesia de Santo Domingo que, por los siglos de los siglos, Belgrano iba a ser recordado como el Padre de la Patria. En ese mismo acto, Bartolomé Mitre llamó a don Manuel "el Libertador de los argentinos". Lo cierto es que cuando San Martín llega al Río de la Plata, en marzo de 1812, el actual territorio argentino ya estaba en manos de los revolucionarios. Cuando se va a Europa en 1824, nuestro suelo seguía en poder de los patriotas.

P. O.: Reconozcamos que San Martín no se equivoca al pensar que lo decisivo era tomar Lima.

F. P.: Me parece que eso es indiscutible. Estratégicamente planteó cuál era el foco del poder español y sostuvo que hasta que no se terminase con él no concluiría la dominación hispánica.

J. G. H.: Vicente Fidel López dice que no era importante llegar rápidamente a Lima, porque en 1819 las conquistas de la Revolución estaban aseguradas y había tiempo para todo. San Martín quería llegar a Lima antes que Bolívar —afirma López— "para retirarse en plena posesión de la gloria a vivir en la plácida nombradía, que era el más querido ensueño de su vida". Por ello desobedeció la orden de regresar a Buenos Aires y "fue capaz de abandonar a la patria y a los amigos". Mitre, por el contrario, sostiene que la desobediencia de San Martín a las sucesivas órdenes de los directores supremos Pueyrredón y Rondeau "salvó la revolución americana". Con don Bartolo comenzó la obra de "ingeniería histórica o cultural" de reivindicar la figura de San Martín, que José Pacífico Otero (un fraile franciscano) y Ricardo Rojas (un agnóstico) van a completar en el siglo XX elevándolo al Olimpo. Aunque la intención de Ricardo Rojas no fue ésa, la imagen de don José sirvió para inspirar los golpes de Estado posteriores a 1930.

P. O.: Sin embargo, Mitre no le ahorra críticas y lo hace en el momento de la repatriación de sus restos. Cito textual: "No es posible salir inmaculado de la lucha de la vida. En medio de las terribles y extraordinarias circunstancias en que se halló envuelto, debió cometer muchas faltas, quien tanto hizo y tanto pudo, sin más contrapeso que su propio criterio. El que tenía por objetivo el éxito le sacrificó más de una vez los principios morales, que son el ideal de la vida abstracta. El que había convertido sus pasiones en fuerzas de combate, fue sin duda, arrastrado muchas veces por el ímpetu de ellas, más allá de los límites que marcan la actividad de la vida ordinaria sin exigencias tiránicas". Con esto, Mitre no lo deja tan bien. Es cierto, además, que los triunfos de San Martín son muy superiores a los de Belgrano y, por otra parte, me parece lógico que Sarmiento no lo reconozca a San Martín porque tiene un encuentro muy conflictivo con él cuando lo va a visitar en Francia. El encuentro empieza bien, pero termina bastante mal cuando tocan el tema de Rosas, a quien el sanjuanino odiaba y el Libertador apreciaba.

F. P.: Sarmiento le plantea el tema de Rosas conflictivamente y no le reconoce el mérito, que San Martín destaca, de la defensa de la soberanía nacional durante los bloqueos. Al enterarse del combate de la Vuelta de Obligado, el 20 de noviembre de 1845, cuando los criollos enfrentaron corajudamente a la escuadra anglo-francesa, San Martín volvió a escribirle a Rosas y a expresarle sus respetos y felicitaciones: "Ahora los gringos sabrán que los criollos no somos empanadas que se comen así nomás sin ningún trabajo". Quizás por este hecho San Martín dispuso en su testamento que el sable que lo acompañó en todas sus campañas fuera entregado a don Juan Manuel de Rosas, por la satisfacción que tuvo "como argentino, por la firmeza con que aquel general sostuvo el honor de la república contra las injustas pretensiones de los extranjeros que trataban de humillarla".

P. O.: No fue por la gesta de Obligado sino por el bloqueo francés de cuatro años antes, cuando Lavalle acepta ponerse al frente del ejército cipayo que a las órdenes de los franceses avanza sobre Buenos Aires. Agreguemos que con la complicidad de los unitarios que observaban los hechos embarcados en la flota francesa; allí estaban Echeverría, Florencio Varela, Alberdi y muchos más que hoy son calles y monumentos. Es sabido que San Martín tenía una relación muy estrecha con Rosas, una coincidencia en muchos aspectos. Los unía una relación de amistad y de respeto muy grande. Ambos eran militares de cepa, nacionalistas hasta el chauvinismo, amantes del orden y temerosos de la anarquía. Y tenían los mismos enemigos, nada une más que eso: los corruptos comerciantes porteños, los integrantes de las sociedades secretas, los rivadavianos y los alvearistas, etc. A Sarmiento, como furioso antirrosista, cuando escribe sobre su entrevista con don José en Francia lo menos que se le ocurre decir es que había encontrado a un San Martín que desvariaba, ya chocho, etcétera, porque había defendido a Rosas. Cambiando de tema, José Ignacio, tomá el asunto de la filiación que planteaste con coraje y rigor histórico, y que algunos no te perdonan.

J. G. H.: En vida de San Martín existía una versión que afirmaba que don José habría sido hijo de Diego de Alvear, un marino español muy rico que llegó al Río de la Plata en 1776, y de una indígena guaraní. En esos tiempos Diego de Alvear era soltero y, según la versión, la criatura habría sido entregada al matrimonio de Juan de San Martín y Gregoria Matorras para que la criaran. Posteriormente, Diego se casó y tuvo varios hijos legítimos, entre ellos, Carlos de Alvear, que vendría entonces a ser medio hermano de José. En el siglo XX la familia Alvear guardó esta versión en su seno como un "secreto de familia", pero se ve que en el siglo XIX era un "secreto a voces", pues hay muchos testimonios escritos sobre el tema, que yo recogí en mi *Don José*. Benjamín Vicuña Mackenna, el historiador chileno que promovió en su país la primera estatua en homenaje a San Martín (en Buenos Aires todavía se lo consideraba un traidor) dice directamente que "había servido a la independencia americana, porque la sentía circular en su sangre de mestizo". Pastor Obligado afirmó que los godos lo llamaban "indio misionero" y el general Brayer, "tape de Yapeyú".

P. O.: No sólo vos escribiste sobre ese tema sino también otro buen historiador como Hugo Chumbita.

J. G. H.: Efectivamente, Chumbita publicó un libro sobre el tema. Hay muchos indicios concordantes, en el sentido del origen indígena de don José: Vicente Fidel López destaca su tez morena y dice que su talla correspondía más al hombre de campamento que al hombre culto de "la parte ligera de la alta sociedad. Los antiguos lo hubieran hecho hijo de Vulcano y de alguna trasteverina tostada del Monte Ianículo". Trastevere quiere decir "detrás del Tíber", es decir, los suburbios de Roma, los arrabales.

P. O.: Más que un hijo de Vulcano, un hijo de una "perdida", como hubiera dicho mi difunta tía Adela. No es *fashion* tener un prócer máximo concebido de una relación ilegítima.

J. G. H.: Mitre menciona su "instinto de raza". Elogia "su potencia, en medio de sus deficiencias nativas (ni ortografía tenía)".

P. O.: Cuando se refiere a su educación, Mitre dice que su formación no le costó nada a su patria y asegura que el rey le quedó debiendo a su padre los sueldos de teniente gobernador de Misiones. Dice también que cuando su madre enviudó sostenía que José era "el hijo que menos costo le había traído". Y agrega Mitre una expresión que llama la atención. Cito textual: "¡Hijo barato, como después fue héroe barato, su madre natural como su madre cívica, sólo le dieron de su seno la leche necesaria para nutrir su fibra heroica!". Pero, hilando fino, ¿vos no pensás que el encono que le tienen los Alvear a San Martín puede ser el origen de ese rumor tan descalificador? En especial en aquellos días, porque don Carlos de Alvear había preparado todo para ser el prócer nacional y sus descendientes siguieron esa línea, tanto el presidente Marcelo T. de Alvear como el intendente Torcuato de Alvear, pero Mitre, con justicia, lo consagra a San Martín, su derrotado en la interna de la Logia Lautaro. ¿Puede ser que el consiguiente rencor los haya llevado a expandir y difundir este rumor?

J. G. H.: Hubo, efectivamente, un gran encono entre Carlos de Alvear y San Martín. Lo dicen muchos cronistas de la época, como el general Iriarte, que afirma en sus *Memorias* que Alvear odiaba a San Martín por razones políticas y militares; y que don José aborrecía a Carlos por razones políticas y militares, y por lo que sabía de él. Carlos de Alvear inicialmente protege y apadrina a su aparente medio hermano, desde que están en Cádiz. Recordemos que los dos viajan juntos desde Londres a Buenos Aires y que, incluso, hay una carta de

JOSÉ DE SAN MARTÍN

Diego de Alvear en la que dice que van para allá "mis hijos", para colaborar en la Revolución. Con vos, Pacho, que sos psicoanalista, hemos conversado varias veces acerca de cómo los hijos bastardos suelen tener un motor, un motivo de actuación que los lleva a destacarse mucho más que los legítimos. Suele haber...

F. P.: Un cierto resentimiento, una necesidad de destacarse.

P. O.: Como en los miembros pobres de las familias...

J. G. H.: ...venidas a menos.

P. O.: Los miembros pobres de las familias ricas tienen esa necesidad.

J. G. H.: Puede ser el caso del Che Guevara.

P. O.: Existen muchos ejemplos históricos.

J. G. H.: Incluso, Sarmiento. Es difícil explicar que Alvear, que tenía once años menos que San Martín y menor grado militar, haya sido el que brillara en Buenos Aires cuando llegaron los dos en el mismo barco, el *George Canning*. Alvear es el jefe de la Logia, el que tiene los mejores cargos militares y el que llega a director supremo. A José, en cambio, la familia Escalada lo despreciaba y su suegra lo llamaba "el plebeyo", el "soldadote".

F. P.: ¿Por qué se subestimaría en esa época a un militar, el de mayor grado en todo el Río de la Plata?

J. G. H.: Acaso la "razón" haya sido el tener sangre indígena, ser hijo ilegítimo. Otro testimonio es la "Cronología de mis antepasados" que la hija de Carlos de Alvear, Joaquina de Alvear y Quintanilla de Arrotea, firma en Rosario de Santa Fe el 22 de enero de 1877 para dejar a sus descendientes. En ella sostiene que fue "hijo de mi abuelo, el señor don Diego de Alvear y Ponce de León, habido de una indígena correntina, el general José de San Martín". Se ha pretendido impugnar este documento de familia en virtud de una declaración judicial de "insania por erotomanía" efectuada a esta señora a pedido de su marido, que afirmaba que ella estaba enamorada de otro hombre y sufría alteraciones; el esposo logró que lo designaran curador de sus bienes (los Alvear eran y siguen

81

siendo muy ricos). Podríamos recordar que a Madame Bovary y a Ana Karenina, las heroínas literarias del siglo XIX, también la sociedad de la época las consideró prácticamente enajenadas por haber sido infieles y haber abandonado a sus maridos, como también que la humana afición por el sexo opuesto no puede invalidar todos los dichos de una persona. Cervantes decía que Don Quijote sólo desvariaba con relación a las novelas de caballería y el dicho popular sostiene que "los locos y los niños siempre dicen la verdad". Pero el argumento principal es la declaración del propio San Martín en Mendoza ante los indios pehuenches, a quienes les manifiesta que él es un indio como ellos y que se encuentra luchando contra los españoles que les robaron las tierras a sus padres. Antes, había hecho traducir al quichua la declaración de la Independencia con una referencia parecida.

P. O.: ¿Por qué se enojaron tanto algunos con vos, más allá de que se pueda o no estar de acuerdo, o que pueda o no molestar? Vos sostenés lo que decís con documentación, con una investigación muy seria, por lo que la forma de discutirte no es la indignación sino contraponer documentación o investigación tan rigurosas como las tuyas. Incluso hubiese sido muy interesante hacer el ADN. ¿Vos pediste el ADN?

J. G. H.: No, el ADN de San Martín lo pidieron al Senado de la Nación, Hugo Chumbita; Ramón Santamarina, descendiente de Carlos de Alvear, y Diego Herrera Vegas, un genealogista que posee el original de la "Cronología de mis antepasados" de Joaquina de Alvear de Arrotea.

P. O.: Eso hubiera sido más importante que tanta polémica de baja estofa.

F. P.: Parece que lo que más les molesta a los sectores retrógrados de nuestra sociedad es que San Martín pueda haber sido hijo de una india.

J. G. H.: O que haya sido un hijo bastardo. Nunca entendí del todo estas reacciones. Cuando en 2000 fui a presentar mi libro *Don José* a Rosario, un grupo de sanmartinianos recalcitrantes interrumpió el acto con insultos y con la marcha de San Lorenzo. En Mendoza pasó algo parecido: hicieron una manifestación paralela en la puerta de la biblioteca donde se presentaba mi obra. En Tucumán, el presidente del Instituto Sanmartiniano leyó un documento de rechazo (aunque otros miembros defendieron mi libertad de expresión).

F. P.: Se produjo un intenso debate...

J. G. H.: El debate fue acalorado en todo el territorio nacional y me llovieron agravios por la prensa. La BBC de Londres, la CNN en Español, diarios de Estados Unidos, Francia, España, México, Brasil, Chile y Perú se ocuparon del tema y destacaron la intolerancia de los argentinos y la resistencia a "desmitificar a los próceres". La explicación de mi esposa, Graciela Inés Gass, que es psicoanalista, es que yo me había atrevido a cuestionar al "padre simbólico e idealizado" de nuestros connacionales. Después de la publicación del libro, aparecieron nuevos elementos sobre el particular. El libro *De José de San Martín*, publicado por Telefónica Argentina, con la coordinación de Carolina Barros y Bonnie Browne, trajo el original en inglés de las memorias de la irlandesa Mary Graham, que trató en Valparaíso a San Martín y afirmó que se lo consideraba *mixed breed* (mestizo). Varios escritores, como Carlos Sánchez Viamonte y Jorge Mayer, habrían conocido la versión, según tradiciones familiares. Marcelo T. de Alvear, que habría hecho quemar documentación al respecto, mencionaba en la intimidad a San Martín como su pariente, de acuerdo con las declaraciones de su secretario De Andrea Mohr grabadas por Silvia Illia. Clorindo Testa, arquitecto y artista, me envió un libro de Jorge Sergi, *Los italianos en la Argentina*, escrito y publicado en 1940, donde el autor habla del origen mestizo de San Martín. Rusconi señala en su trabajo que también hemos construido el mito de una madre, la llamada "abanderada de los humildes", de pecho inagotable que brinda bienestar; para otros, bruja mala, que succiona y quita...

P. O.: El padre castrador y la madre seductora, aguante Edipo...

J. G. H.: Respecto de que San Martín ha sido convertido en padre mítico, no parecen caber dudas. El hecho de que don José haya sido un liberal partidario de la Revolución Francesa en su juventud, monárquico en el Perú y haya donado su sable al dictador Juan Manuel de Rosas en su vejez, facilitó su "mitificación", pues todos los sectores ideológicos y políticos podían identificarse con algún aspecto de él. Recuerdo muy bien la ley del peronismo que consagró a 1950 como "Año del Libertador General San Martín" y obligó a los alumnos de las escuelas y a los diarios a escribir todos los días, después de la fecha y en todas las páginas, tal leyenda (fui uno de los estudiantes manipulados). Ese mismo año, la Comisión Legislativa Visca-Decker clausuró más de cien diarios por haber omitido esta referencia. Así como en la tradición judía no puede mencionarse al Ser Supremo, en el Olimpo de los dioses criollos el pecado era no invocarlo cotidianamente. Por ello, Jorge Luis Borges, en un poema sobre Sarmiento, dijo que el cuyano "no fue, como éste o aquél, un blanco símbolo que pudieron utilizar las dictaduras". En el diario estadounidense *Washington Post* se ha publicado recientemente un artículo firmado por Edgardo Krebs, en el que se sostiene que la mitificación de los próceres y la elección de malos paradigmas (como el del gaucho pendenciero Martín Fierro) han sido negativas para la Argentina. Volviendo a la pregunta de Pacho sobre por qué la gente reaccionó así ante mi libro...

P. O.: La gente no, algunos que trabajan de "sanmartinianos".

F. P.: Las corporaciones, los apropiadores del pasado, los que se lo apropian para que la gente no lo aprenda ni lo aprehenda. Son los que lo volvieron loco a Torre Nilson cuando filmó *El santo de la espada*, los que decían "corte" sin respetar la autoridad del director cuando Alfredo Alcón encarnando a San Martín y fiel a los padecimientos del Libertador aparecía vomitando sangre. Ellos, y el general Onganía que nos gobernaba por entonces, decidieron que San Martín no vomitaba. A ese récord Guinness del absurdo se llegó porque esas corporaciones, siempre muy cercanas a lo más reaccionario del Ejército, se sienten los dueños de la historia.

P. O.: En tu libro decís cosas que podrían haber molestado más y, sin embargo, quedaron oscurecidas por la filiación dudosa de don José. Es lo que yo publiqué hace algunos años en *El águila guerrera* y que vos también referís en *Don José*, aquello que Mitre escribe acerca de la importante "coima" que habría cobrado San Martín.

F. P.: En su *Historia de San Martín* lo llama "el punto negro".

P. O.: "El punto negro" titula Mitre, y cuenta que en un banco inglés, en Londres, un funcionario le muestra el comprobante de una cuenta secreta abierta por Álvarez Condarco a nombre de San Martín y de O'Higgins con el vuelto, o el "retorno", para utilizar un término actual, de una compra de armas para la campaña del Perú. Sin embargo, eso no escandalizó a los que les pareció mucho peor que don José fuera hijo de una "cabecita negra".

F. P.: Creo que les molestó mucho la posibilidad de que San Martín fuera hijo natural de una india, esto erizó el pelo a más de un gorila argentino.

J. G. H.: Pero ¿por qué? Si San Martín fue efectivamente hijo de una india, cosa que me parece muy probable...

F. P.: La verdad, sería fantástico que fuera cierto. Aumentaría sus méritos y su proyección americana.

J. G. H.: De ser así, sus méritos habrían sido mayores, porque los habría logrado venciendo las odiosas discriminaciones de su época. En la historia oficial, al menos hasta el presente, don José terminó ocupando un lugar de mayor prestigio que Carlos de Alvear, pese a que éste llegó a ser director supremo. Pero de ahí a consagrarlo como personaje sobrenatural, con características...

F. P.: Mitológicas.

J. G. H.: De ahí a presentarlo como un ser perfecto, hay un paso enorme que considero negativo. Con ese tipo de enseñanza escolar se subestimó la inteligencia de los niños, porque se pretendió congelar su entendimiento en los mecanismos de la magia (lo contrario de la ciencia); se desalentaron las investigaciones históricas críticas, mientras se incentivaron los torneos de elogios a los próceres; y se fomentó la xenofobia que facilita las guerras y promueve las dictaduras.

P. O.: Es decir que cuando uno habla de los "agujeros" de San Martín no está derrumbándolo sino cuestionando que un mito sirva para construir el imaginario de una nación. Por otra parte, señalar las debilidades no es denostarlo sino, por el contrario, elevar su mérito. A pesar de ellas fue capaz de hacer lo que hizo.

F. P.: Para mí la única manera interesante de mostrar ante las nuevas generaciones a San Martín y a la totalidad de los protagonistas de nuestra historia es humanizarlos, bajarlos del caballo, del bronce que enfría y aleja.

P. O.: ¿Qué hay del San Martín "agente inglés"? ¿Qué pensás de eso, Felipe?

F. P.: No creo que haya sido un agente inglés, creo que fue alguien que tuvo un importante contacto con los ingleses. En Londres San Martín tomará contacto con los miembros de la "Gran Hermandad Americana", sobre todo con Andrés Bello y con personas vinculadas al gobierno británico, como James Duff y sir Charles Stuart, quienes le hacen conocer el plan Maitland. El plan es un manuscrito de 47 páginas, que había sido elaborado por el general inglés Thomas Maitland en 1800 y aconsejaba tomar Lima a través de Chile por vía marítima. San Martín tendrá muy en cuenta las ideas del militar inglés en su campaña libertadora. Pero, volviendo al tema del "agente inglés", creo que, por el contrario, es una persona que demuestra, en su enfrentamiento con Alvear y en todos sus planteos, que no responde a la línea inglesa. No se lo puede acusar de agente.

J. G. H.: Juan Bautista Sejean, un ex juez, escribió el libro titulado *San Martín y la tercera invasión inglesa*, en el que sostiene esa tesis. El autor es una persona honorable, que tuvo la valentía de exponer sus ideas por escrito. Tiene todo el derecho de expresarse y fundamenta bien su pensamiento, pero me parece que su tesis no está comprobada, al menos hasta que aparezcan nuevos elementos. San Martín fue pro inglés como lo fue Bolívar, porque las condiciones internacionales hacían que en el proceso de independencia de estas colonias el aliado natural fuera Inglaterra...

F. P.: Inglaterra era un modelo a seguir para la mayoría de los revolucionarios latinoamericanos de ideología liberal.

J. G. H.: Era también un modelo político por su gobierno de monarquía parlamentaria. El sistema de la Revolución Francesa había sido muy tumultuoso y, en 1853, nosotros terminamos adoptando el modelo constitucional de los Estados Unidos, con algunas adaptaciones. En algún momento Bolívar le manifiesta a Francisco de Paula Santander (el vicepresidente de la Gran Colombia) que sería conveniente solicitar el protectorado inglés. San Martín, un par de años antes, había pedido apoyo naval al jefe de la flota británica en el Pacífico, comodoro William Bowles, a cambio de ceder a Inglaterra la isla de Chiloé y el puerto de Valdivia, además de privilegios aduaneros. Pero los compromisos de Inglaterra con España le impidieron aceptar el acuerdo. Estas negociaciones entraban dentro de la lógica del momento...

P. O.: Inglaterra era la gran potencia de la época, la reina de los mares, la posibilidad de defenderse del intento de recuperación español. Buscar el apoyo de Inglaterra correspondía a una actitud política pura.

F. P.: También para los liberales del mundo era el modelo, como, salvando las distancias, el efecto que provocó la Revolución Cubana en los 60. Así como Cuba era un modelo político para la gente revolucionaria de los años 60, Inglaterra era un modelo a imitar para la gente de ideas liberales del siglo XIX, de principios del siglo XIX.

P. O.: Un momento fundamental en la vida de San Martín es su insubordinación en Rancagua, cuando desobedece las órdenes de Buenos Aires, que, en realidad, son las órdenes de la Logia Lautaro, la que, de manera indubitable, está al servicio de los intereses británicos. La Logia había sido fundada por los jefes militares que llegan enviados por Gran Bretaña en la *George Canning*: San Martín, Alvear, Zapiola. Esto será también parte del conflicto entre Alvear y San Martín, porque San Martín privilegia los intereses de su patria mientras que don Carlos María seguirá leal a su anglofilia. La desobediencia sanmartiniana de desandar con el Ejército de los Andes el camino hasta Buenos Aires para defenderla del acoso de los caudillos López y Ramírez nunca le será perdonada y será sometido a una persecución permanente tanto de Buenos Aires, sobre todo por parte de Alvear y de Rivadavia, como también por la Logia, que, como todas las sociedades secretas, castiga severamente a quienes desobedecen a sus Venerables.

F. P.: Fíjense qué interesante cómo contaba *La Gazeta de Buenos Ayres* del viernes 13 de marzo de 1812 la llegada de estos militares: "El 9 del corriente ha llegado a este puerto la fragata inglesa 'Jorge Canning', procedente de Londres en cincuenta días de navegación: comunica la disolución del ejército de Galicia, y el estado terrible de anarquía en que se halla Cádiz dividido en mil partidos... La última prueba de su triste estado son las emigraciones frecuentes a Inglaterra, y aun más a la América septentrional. A este puerto han llegado, entre otros particulares que conducía la fragata inglesa, el teniente coronel de caballería don José de San Martín, primer ayudante de campo del general en jefe del ejército de la Isla Marqués de Compigny (...). Estos individuos han venido a ofrecer sus servicios al gobierno, y han sido recibidos con la consideración que merecen por los sentimientos que protestan en obsequio de los intereses de la patria".

J. G. H.: Vicente Fidel López, en su *Historia de la República Argentina*, afirma que Buenos Aires le dio un ejército a San Martín, pero que éste no tuvo amor por el suelo argentino, no cumplió sus promesas y no le pagó su deuda de gratitud sino que se fue desde Chile al Perú sin defender al gobierno del Directorio, del cual dependía.

P. O.: Mitre dice que en Buenos Aires se lo calificó de desertor de la bandera argentina, y no se lo consideró digno de revistar en su ejército. Aseguró que lo calificaron como cobarde. ¿Vos pensás sinceramente que San Martín debería haber vuelto a Buenos Aires?

F. P.: No, de ninguna manera. Me parece una sabia decisión no brindar su ejército para la represión interna. Pueyrredón propicia la invasión portuguesa de la Banda Oriental para combatir a Artigas y le ordena a San Martín que baje con su ejército y encabece la represión de los orientales. Fijate lo que le dice don José a Artigas en una carta: "Cada gota de sangre americana que se vierte por nuestros disgustos me llega al corazón. Paisano mío, hagamos un esfuerzo y dediquémonos únicamente a la destrucción de los enemigos que quieren atacar nuestra libertad. No tengo más pretensiones que la felicidad de la patria. Mi sable jamás se sacará de la vaina por opiniones políticas, salvo que éstas sean en favor de los españoles y de su dependencia".

P. O.: Hubiera fracasado la campaña libertadora. La desobediencia de San Martín es un acto patriótico.

J. G. H.: Vos estás coincidiendo con Mitre, que sostiene que fue una desobediencia histórica que salvó la revolución americana; pero Vicente Fidel López vio las cosas de otro modo...

F. P.: Sabemos que Vicente Fidel López tiene una especie de enemistad manifiesta con San Martín, lo acusa de buscar el bronce, de que desobedece a un gobierno civil, que sería el Directorio, y de que se roba un ejército; pero creo que habría que ver qué legitimidad tiene ese Directorio y, además, qué tipo de órdenes le estaba dando, órdenes de participar en la guerra civil, en la represión interior.

J. G. H.: El Directorio era un gobierno constitucional, que había armado al Ejército de los Andes y había tomado empréstitos para financiar la expedición hasta Chile...

P. O.: El general Paz también elogia la decisión de San Martín y lamenta que Belgrano haya obedecido, porque entonces él, que estaba bajo sus órdenes, terminó convertido en un policía de los gauchos, en vez de estar peleando por la Independencia. Te escuché comentar, con humor, que San Martín se robó un ejército.

J. G. H.: Eso lo dice Guillermo Arana, un periodista muy talentoso. "Cómo no va a ser San Martín el Padre de la Patria, si se robó un ejército", suele afirmar. Estamos hablando de historia, de acciones de seres humanos, no de dioses o personajes sagrados. La mitología judeocristiana suele tomar personajes reales, como Moisés, y atribuirles condiciones divinas o la facultad de hablar con Dios. Algo de eso hemos hecho los argentinos con San Martín...

F. P.: Me parece que en esta charla lo estamos poniendo en un ámbito político y no mítico. Yo, bien lejos de avalar el mito, planteo que San Martín, desde mi punto de vista, no debía volver porque era involucrarse en la guerra civil, enfrentar a los federales, intervenir en esa contienda y abandonar la causa continental que existía y en la que él tenía un papel muy claro.

J. G. H.: López opina que la obligación de San Martín era defender y obedecer al gobierno que había puesto en sus manos el Ejército de los Andes; que dadas las aciagas circunstancias que atravesaba el Directorio, al que él debía subordinación, al recibir sus instrucciones debió regresar de inmediato a Buenos Aires. El General faltó a ese deber, no acudió a "donde la patria tanto lo necesitaba" y tampoco cumplió la promesa que había hecho anteriormente de enviar desde Chile, en cuanto llegara, tres mil soldados. "La resistencia del general San Martín a sostener el orden constitucional cruzó todas las provincias e introdujo su funesto contagio en el Ejército del Norte", escribió Vicente Fidel. También Alberdi y Sarmiento señalaron que San Martín se insubordinó buscando su propia gloria y que, incluso, al llegar a Lima, no siguió hasta el Alto Perú para liberar la frontera norte de la Argentina, como había sido el propósito oficial, sino que se autoproclamó Protector y se quedó en la ciudad de los virreyes a disfrutar de las mieles del poder. Recordemos que el Senado de Chile le había dado instrucciones a don José de que no asumiera el poder en Perú; y él, precisamente por su rebeldía ante Buenos Aires, había marchado a Lima con un ejército con bandera chilena y con fondos chilenos...

P. O.: Buenos Aires lo abandonaba. El gobierno estaba más preocupado por la interna política que por terminar la guerra de la Independencia. Paz dice que el gobierno había decretado el fin de la guerra antes de que ésta terminara.

F. P.: Buenos Aires lo abandonaba completamente. Algún día deberíamos analizar la legitimidad de estos gobiernos "constitucionales", quién los votaba y sobre todo quiénes tomaban las decisiones y con qué criterios.

P. O.: Además, se teje una red de infundios en su contra, le dicen loco, borracho, ladrón; se establece una campaña de acción psicológica parecida a las modernas. Le dicen ladrón de los tesoros del Perú y lo único que se había traído de esas tierras era el estandarte de Pizarro; lo acusan de asesino. Cuando pasó por Mendoza a su regreso del Perú, no pudo permanecer en su chacra mucho tiempo. Él mismo cuenta en una carta que lo espiaban, le abrían la correspondencia, publicaban infundios en los diarios.

F. P.: Buenos Aires financia esa campaña difamatoria.

P. O.: A mí me parece insostenible que se pueda pensar que San Martín hubiera hecho bien en volver de Chile para defender a Buenos Aires, en un conflicto interno entre dirigentes que habían perdido la dimensión de que lo más importante en esos momentos era terminar la guerra de la Independencia contra España. San Martín, Belgrano, Güemes y algunos pocos más tienen eso muy claro. Sin duda, lo de Rancagua es una actitud radicalmente transgresora de la disciplina militar, pero yo estoy convencido de que nuestra guerra libertadora hubiera fracasado de no haber sido por esa decisión.

F. P.: Es un interesante antecedente del cuestionamiento a la obediencia debida, porque San Martín se niega a obedecer aquellas órdenes que considera ilegítimas.

P. O.: ¿Qué pasa en Guayaquil?

J. G. H.: Antes de pasar al tema de Guayaquil quiero aclarar algo. Vos decís que Buenos Aires abandona a San Martín.

P. O.: Sin duda.

J. G. H.: Es exactamente al revés. San Martín abandona a Buenos Aires y se va de Santiago de Chile a Perú, a pesar de que Buenos Aires le ha ordenado que regrese...

P. O.: Bolívar coincidía con él, por eso se dirigía hacia Lima y después de Guayaquil terminará con la última resistencia española en la batalla de Ayacucho.

J. G. H.: Vos, Felipe, sostenés que la actitud de San Martín es un antecedente de la desobediencia debida. En realidad, es el precedente de un jefe militar que se ampara en la fuerza que le ha sido encomendada para desobedecer al poder civil, a un gobierno constitucional como lo era el Directorio. Se basa en la fuerza de sus tropas para hacer lo que quiere...

P. O.: Es una desobediencia necesaria que demuestra que ya entonces había en Buenos Aires políticos absolutamente equivocados.

F. P.: Yo creo que cuestiona el concepto de obediencia debida, porque sienta el precedente de desobedecer una orden que considera ilegítima.

J. G. H.: Eso es aplicable cuando la orden se refiere a torturas o cosas aberrantes. Pero no cuando un general va con un ejército a una misión determinada y, cuando se le ordena que regrese, contesta que él va a seguir porque le parece más importante...

P. O.: San Martín tuvo siempre, contra sus intereses y en contra de lo que le convenía, el coraje de oponerse al poder porteño, a los doctores unitarios de Buenos Aires, no sólo con lo de Rancagua, sino también al apoyar a Rosas cuando éste enfrenta la invasión de Gran Bretaña y Francia contra las Provincias Unidas. En ese momento el territorio empieza a llamarse Argentina. El apoyo de San Martín no era retórico o virtual sino que se movía por las cancillerías europeas, donde tenía mucho prestigio, defendiendo a don Juan Manuel, a quien termina legándole el sable.

F. P.: Hay que recordar que él vivía en Francia y estaba defendiendo a su país en un conflicto armado con Francia, lo cual no era nada fácil.

P. O.: Podía ser expulsado.

F. P.: Políticamente era bastante incorrecto, él se jugaba mucho en ese apoyo político.

P. O.: ¿Qué pasó en Guayaquil?, insisto.

J. G. H.: En mi época nos decían que San Martín era abnegado, generoso, sacrificado, humilde y que, por eso, se retiró del Perú y le cedió a Bolívar la gloria de finalizar la liberación de América, aunque lo hubiera podido hacer él. Jorge Luis Borges ironizó sobre esto en su cuento "Guayaquil".

F. P.: Bolívar, según algunas versiones nacionalistas fanáticas, sería un general engreído y lamentablemente algo parecido pasa en Venezuela con las versiones chauvinistas de la historia que tratan de opacar la figura de San Martín. Todo esto es muy nocivo para la historia de ambos países y para la memoria de los dos libertadores.

J. G. H.: Muy pagado de sí mismo. En cambio San Martín era una especie de santo laico.

F. P.: "El santo de la espada", según Ricardo Rojas.

P. O.: San Martín es bueno porque renuncia.

F. P.: Ésa es la idea de que la política es mala y mejor dejársela a los dueños del poder, que siempre están dispuestos a hacer el "sacrificio" de gobernarnos. ¡Qué gente tan abnegada!

J. G. H.: San Martín era un místico...

P. O.: Últimamente algunos han tomado ese ejemplo de la renuncia.

F. P.: ¿Qué te parece? ¿Hay algún helicóptero de por medio?

J. G. H.: Don José llega a Guayaquil muy debilitado. No tenía respaldo ni siquiera vínculos con Buenos Aires, por la desobediencia sobre la que ya hablamos.

P. O.: En Buenos Aires dominaba Rivadavia, su gran enemigo.

F. P.: Está claro que no tenía ningún apoyo político. Él se retira porque no tiene apoyo de su patria. La famosa entrevista de Guayaquil se realizó entre los días 26 y 27 de julio de 1822. Había entre ellos diferencias políticas y militares. Mientras San Martín era partidario de que cada pueblo liberado decidiera con libertad su futuro, Bolívar estaba interesado en controlar personalmente la evolución política de las nuevas repúblicas. El otro tema polémico fue quién conduciría el nuevo ejército libertador que resultaría de la unión de las tropas comandadas por ambos. San Martín propuso que lo dirigiera Bolívar y que él lo secundaría, pero don Simón dijo que nunca podría tener a un general de la calidad y capacidad de don José como subordinado. Éste decidió retirarse de todos sus cargos, dejarle sus tropas a Bolívar y regresar a su país.

P. O.: Nuestra historia oficial no tiene en cuenta las enemistades. Nuestros próceres no sólo no eructan sino que, además, no tienen antipatías. Rivadavia no iba a hacer nada para favorecer a San Martín. Varios años después, en una carta que le escribe a O'Higgins desde Bruselas, San Martín da cuenta del enfrentamiento que tenía con los dirigentes de Buenos Aires, y sin nombrarlo, se refiere a Rivadavia: "Confinado en mi hacienda de Mendoza y sin más relaciones que con algunos de los vecinos que venían a visitarme, nada de esto bastó para tranquilizar la desconfiada administración de Buenos Aires; ella me cercó de espías, mi correspondencia era abierta con grosería; los papeles ministeriales hablaban de un plan para formar un gobierno militar bajo la dirección de un soldado afortunado, etc.; en fin, yo vi claramente que era imposible vivir tranquilo en mi patria ínterin la exaltación de las pasiones no se calmase, y esta incertidumbre fue la que me decidió pasar a Europa".

J. G. H.: En Chile tiene el apoyo de O'Higgins, pero éste está a punto de caer, en parte porque lord Cochrane le cuestiona ese respaldo. En ese momento San Martín sufre la falta de sustentación. Militarmente su situación también era muy difícil: tenía ocho mil hombres fatigados, mientras que los españoles contaban con el doble en la sierra y habían reabierto las comunicaciones con el Alto Perú y los puertos intermedios.

P. O.: Con dificultades políticas en Lima, una fuerte oposición interna...

F. P.: A los poderosos de Lima les molestaban cosas como este decreto firmado por San Martín que se adelanta varios años al artículo 18 de nuestra Constitución: "La casa de un ciudadano es sagrada, que nadie podrá allanar sin una orden expresa del gobierno dada con conocimiento de causa. Cuando falte aquella condición, la resistencia es un derecho que legitima los actos que emanen de ella".

J. G. H.: Los realistas de Lima lo rechazaban por las medidas duras que había adoptado contra ellos.

F. P.: Los realistas lo rechazan por su obra revolucionaria, la libertad de los esclavos, el impulso a la educación, toda esa obra en la que tendrá mucho que ver su secretario Bernardo de Monteagudo, y, por otro lado, los republicanos tampoco lo quieren porque lo consideran un monárquico. Es bueno recordar la carta de despedida al pueblo peruano en la que San Martín dice: "La presencia de un militar afortunado, por más desprendimiento que tenga es temible a los estados que de nuevo se constituyen. Por otra parte ya estoy aburrido de oír decir que quiero hacerme soberano. Sin embargo siempre estaré a hacer el último sacrificio por la libertad del país, pero en clase de simple particular y no más. En cuanto a mi conducta pública mis compatriotas dividirán sus opiniones; los hijos de éstos darán el verdadero fallo".

J. G. H.: Cuando los republicanos se enteran de que ha mandado una misión secreta a Europa para buscar un príncipe inglés, ruso, francés, portugués o en su defecto al hermano de Fernando VII, el príncipe de Luca, para establecer una monarquía constitucional en el Perú, se sienten traicionados, ponen el grito en el cielo...

P. O.: ¿Lo de De Luca no es anterior, cuando Pueyrredón propone lo de Luis Felipe de Orléans y los franceses ofrecen al príncipe de Luca en uno de los tantos capítulos delirantes de nuestra historia?

F. P.: Fue en Perú también.

P. O.: Esto del príncipe con San Martín no lo conocía.

F. P.: Sí, sigue en primera plana.

P. O.: Han pasado años, un ejemplo de persistencia.

F. P.: El príncipe de Luca está otra vez en el banco, esperando su turno a un costado de la cancha.

J. G. H.: Como la última instancia.

P. O.: Habría que profundizar la historia de ese hombre, la esperanza nacional; en cuanto aparecía un problema serio nunca faltaba quien propusiese: "¿Y si lo llamamos a De Luca?". "Si son los rayados de Sudamérica deciles que no estoy", le susurraría a su esposa, "que se vayan a fastidiar a otro príncipe". ¿San Martín era masón?

J. G. H.: Fue masón, su personalidad fue claramente masónica. Pero en ese momento él se había peleado con la Logia de Buenos Aires, por su desobediencia. Dicha Logia prácticamente se disuelve y se crea otra, la Logia Provincial, para la que San Martín era mala palabra; lo consideraban un traidor, un personalista. También Bolívar ha dejado de ser masón y va a llegar a prohibir las logias en Ve-

95

nezuela. El poder a Simón no le venía de la masonería sino del ejército de diecinueve mil soldados que tenía, de la victoria que Sucre, su lugarteniente predilecto, acababa de obtener en Pichincha. San Martín, en Guayaquil, le pide refuerzos militares y Bolívar le responde que le va a dar 3000 soldados. Pero esa cantidad era insuficiente para don José y por eso renuncia al Protectorado y se aleja del Perú. Más que un acto de abnegación, es una decisión sensata ante el reconocimiento de su impotencia.

P. O.: Recomiendo que cuando pasen por la Catedral observen la pared que da hacia el río. Notarán que en su parte media tiene una saliente, un gran forúnculo, que es la parte exterior del mausoleo de San Martín. O sea que parece ser cierto aquello de que a San Martín, por masón, se lo enterró fuera de la Catedral.

F. P.: Y está de pie, enterrado casi de pie.

P. O.: ¿Eso por qué es?

F. P.: Porque, aparentemente, calcularon mal las medidas del cajón y lo tuvieron que enterrar semiparado, de manera tal que cuando uno entra está mirando fijamente a los ojos al Libertador.

J. G. H.: Cuando llegan los restos de San Martín también la masonería se opone a enterrar a uno de sus hombres en la Catedral, porque en ese momento se había producido una ruptura entre la Iglesia Católica y la masonería.

P. O.: En tu libro, José Ignacio, te ocupaste de una etapa de la cual, yo al menos, desconocía bastante y es el exilio de San Martín, los últimos años de su vida.

J. G. H.: A San Martín le cuesta volver a Buenos Aires, porque sabe que aquí lo consideran un traidor...

P. O.: En esa carta que cité antes, dirigida a O'Higgins desde Bruselas, San Martín sostiene que ni siquiera el exilio logró calmar el encono de Rivadavia en su contra y se queja de que se vale de los periódicos para calumniarlo. Cito textual: "Sus carnívoras falanges se destacan y bloquean mi pacífico retiro. Entonces fue que se me manifestó una verdad que no había previsto, a saber: que yo había figurado demasiado en la Revolución para que me dejasen vivir con tranquilidad. La ambición y la demagogia nos persiguen sin cesar, como la inaudita ingratitud de todos aquellos que, además de sacarlos del afrentoso yugo español, deben a nuestros sacrificios y a nuestros extraordinarios esfuerzos una existencia y una dicha de que gozan... Me escribieron de Buenos Aires que por su disposición (del gobierno de Rivadavia) se dieron los artículos asquerosos que aparecieron contra nuestra honradez y reputación en los periódicos de Buenos Aires". José Ignacio, vos hablás como si le dieras la razón a Buenos Aires...

F. P.: A Vicente Fidel López.

J. G. H.: Es que objetivamente...

P. O.: Estás del lado de los que lo consideraban un traidor.

J. G. H.: En mi libro he presentado a un San Martín con aspectos simpáticos, como su afición por la música y la pintura: toca la guitarra y va a la ópera; es pintor, colorea marinas y compra cuadros de Giovani Tiepolo que, como "El sacrificio de Malquisedec", en la actualidad están en el Museo de Bellas Artes...

P. O.: Sos muy crítico con él.

J. G. H.: Creo que mitologizar la historia nos ha hecho mucho mal a los argentinos. El mito ha hecho...

P. O.: "El ladrón de ejércitos"...

J. G. H.: Mitre reconoce y expresa textualmente que don José había sufrido en Lima un "principio de descomposición": se hizo decretar un sueldo elevado de 30.000 pesos que empleaba en regalos y gastos de representación, se desplazaba en carroza de gala seguida por guardia regia, recamó su uniforme con palmas de oro, y reemplazó el retrato de Fernando VII por el suyo en el salón de gobierno. Alude también al intento de coronación y a la "orden femenina distribuida con más galantería que discreción, lo que originó murmuraciones" (el caso de su amiga Rosita Campusano). Sacralizar es infantil y hay en la Argentina gente que valora o mide a los personajes históricos de aquellos años, entre 1812 y 1824, según si fueron amigos o adversarios del general San Martín.

P. O.: Mitre admite que en el Perú San Martín vivió con más fasto que en Chile, pero lo disculpa señalando que distribuyó medio millón de premio entre los jefes de sus ejércitos, contentándose él con recamar de oro su uniforme y asegura que lo hizo para deslumbrar a la aristocracia de aquella corte colonial, porque la consideraba influyente en la opinión. Y en cuanto a su alto sueldo, lo justifica diciendo que lo utilizó para gastos de representación pública, sin quedarse con un solo real. Asegura que lo único que se llevó del Perú son 120 onzas de oro y el estandarte con que Pizarro esclavizó el Imperio de los Incas y la campanilla de oro con que la Inquisición de Lima reunía su tribunal. Lo único que falta es que hagas una reivindicación de Cochrane, un mercenario, sinvergüenza, envidioso, que jamás le perdonó a San Martín que O'Higgins le diera la jefatura de la expedición a Lima. Un hombre con prontuario, preso en Inglaterra por estafa, encerrado en la torre de Londres, un personaje nefasto.

J. G. H.: Yo no hago una historia de buenos y malos. Sin la labor y la personalidad de lord Cochrane, sin la tarea de su flota, no hubiera sido posible la expedición al Perú. En Chile está considerado como un prócer. Vos no podés apoyar la expedición al Perú y rechazar a Cochrane...

P. O.: Cochrane fue un permanente obstáculo.

J. G. H.: No creo que uno haya sido un santo y el otro un demonio. La historia escolar argentina lo condenó, para glorificar a San Martín. Lord Cochrane, después de haber contribuido a la independencia del Perú, integra la expedición que organiza lord Byron para liberar a Grecia de los turcos. Es un aventurero legendario; uno de los grandes héroes románticos del siglo XIX...

P. O.: San Martín fue un hombre culto. Tiene relación de amistad con Rossini.

J. G. H.: A don José le gustaba la música; en París iba a la ópera; en la casa de Alejandro de Aguado alternaba con Joaquín Rossini y con Honorato de Balzac...

P. O.: Durante su exilio en Francia San Martín daba fiestas. En una de ellas gastó sesenta y cinco pesos, dentro de los que se incluyen dos pesos con los que se gratificaron al que tocó la guitarra "en una noche que se bailó alegre", anotó textualmente don José.

F. P.: El guitarrista español Fernando Sor fue su maestro.

J. G. H.: Ésos son los aspectos positivos, aunque Mitre señala que tenía sus "deficiencias nativas".

F. P.: ¿Mitre se refiere con ese concepto racista de "deficiencias nativas" a que era hijo de una india?

J. G. H.: No sé exactamente, parecería que hablara de defectos de educación... San Martín fue un personaje interesante por su tenacidad, la capacidad organizadora, la paciencia y astucia para lograr sus propósitos, pero fue falseado por la historia oficial, que en varios aspectos lo convirtió en lo opuesto de lo que fue. Su obsesión por llegar a Lima le hizo dejar de lado todo lo demás: amigos, autoridades constituidas, el principio de la subordinación militar al poder político. Desde el 25 de mayo de 1810, los patriotas del Río de la Plata intentaron llegar a Lima para liberarla. San Martín lo logró, pero descuidando su sustento en las Provincias Unidas y en Chile. Acaso en su figura esté resumida una de nuestras características principales: tenemos grandes ideales, pero a veces los obtenemos sin que las bases estén consolidadas.

Bernardino Rivadavia

EL "NEGOCIO DE ITALIA". LA LEY DE VAGOS. LA CONSTITU-
CIÓN DEL '26. NACIONALIZACIÓN DE LA ADUANA. EL EM-
PRÉSTITO CON LA BARING BROTHERS. EL RECONOCIMIENTO
BRITÁNICO DE LA INDEPENDENCIA. LA MASONERÍA. EL PRI-
MER GOLPE DE ESTADO. RIVADAVIA Y LA IGLESIA. DORREGO.
EL EXILIO.

PACHO O'DONNELL: Rivadavia es un personaje a partir del cual se
puede entender mucho de lo que nos sucede en la actualidad. Podríamos comenzar por un hecho que, a mi criterio, simboliza una
lamentable tendencia nacional: cuando el director supremo Gervasio Posadas lo envía a Europa junto a Belgrano, que había sido derrotado en las batallas pero tenía prestigio, para intentar alguna tur-
bia maquinación diplomática que lograra sostener la Revolución.
Para muchos, en Buenos Aires, la Revolución era frágil y por ello
urdían estrategias y negociaciones politiqueriles, mientras otros,
como Güemes, San Martín y los caudillos altoperuanos, tan olvidados por nuestra historia oficial, ponían el cuerpo y combatían
por una independencia de la que no dudaban. Posadas manda a
Rivadavia y a Belgrano, que va como "muleto", porque el que está
al tanto de las minucias secretas es don Bernardino, para encon-
trarse en Londres con el muy astuto Manuel de Sarratea y perge-
ñar lo que dio en llamarse el "negocio de Italia", con el que se trataba de preservar algo de la independencia en las provincias del
Río de la Plata coronando como rey de lo que luego fue la Argentina al infante Francisco de Paula...

FELIPE PIGNA: El Infante estaba residiendo en Roma.

P. O.: Efectivamente, y era hermano de Fernando VII, el rey de España que estaba prisionero de Napoleón e hijo menor de Carlos IV. Fue una maniobra diplomática muy fantasiosa, que consistía en sobornar al ex rey de España para que accediera a quitarle los derechos de Fernando VII sobre las colonias del Río de la Plata y se los cediera a su hermano, Francisco de Paula. Sus dominios serían las Provincias Unidas, Chile y parte del Perú. Rivadavia le encarga a Belgrano la redacción de la Constitución monárquica, tal vez para que esté ocupado y no se entrometa en asuntos más secretos. Don Manuel se involucra en el asunto y no sólo redacta la Constitución monárquica sino que, además, diseña el nuevo escudo nacional: sobre el conocido fondo de mitades blanca y azul se reproducirían las dos manos estrechadas pero, en vez de sostener la pica con el gorro frigio, elevarían las tres flores de lis representativas de la Casa de Borbón. En lugar de laureles, un tigre americano y una vicuña. Como si esto fuera poco se crea una corte rioplatense con abundantes condes y duques. El proyecto avanza más de lo imaginable pero, finalmente, fracasa cuando se entera la gente en nuestra patria, y hay una revuelta tan grande que el ya debilitado Alvear termina por caer. Éste fue uno de los tantos intentos de coronar reyes o príncipes en el Río de la Plata.

F. P.: Belgrano va a cambiar de opinión, de alguna manera va a americanizar la propuesta cuando vuelva y ya esté funcionando el Congreso de Tucumán. Marcha hacia Tucumán, plantea la hipótesis de coronar a un inca como rey de estas tierras; idea que va a recibir el apoyo de Güemes y de San Martín. Esto ya lo hemos contado.

P. O.: Había muchos representantes de las provincias altoperuanas en el Congreso de Tucumán.

F. P.: Exactamente. Algo que me parece curioso es imaginarse a esa gente deambulando por las cortes europeas buscando reyes y tentándolos para que dejen sus cómodas cortes a venir al Río de la Plata, a esta zona de barro y aburrimiento que era Buenos Aires, comparada con los palacios y los lujos y comodidades europeos.

P. O.: Pueyrredón lo intentará tiempo después con Luis Felipe de Orléans, que llegó a ser rey de Francia.

JOSÉ IGNACIO GARCÍA HAMILTON: San Martín lo va a hacer cuando está en el Perú gobernando bajo el título de Protector. Manda dos enviados secretos a Europa (Diego Paroissien y Juan García del Río) para que busquen al príncipe de Saxo Coburgo o, en su defecto, a un miembro de la dinastía inglesa, de la de Rusia, Francia, Portugal o, en última instancia, al español duque de Luca, para establecer una monarquía en Lima. Las razones eran simples: Napoleón había sido derrotado, las monarquías tradicionales regían nuevamente y la Santa Alianza rechazaba el sistema republicano. Solamente los Estados Unidos de América mantenían una república. Lo que en la actualidad es extravagante, parecía muy razonable en aquel momento.

F. P.: Europa estaba viviendo la Restauración, aquel período conservador en el que los dueños del poder querían volver a la etapa previa a la Revolución Francesa. Algo así como "borrar de un plumazo" todo ese período de ascenso de las ideas libertarias, de la democratización de la sociedad.

J. G. H.: Los que participaron de estos proyectos, Rivadavia y Belgrano, por ejemplo, pensaban que lo importante era lograr que se mantuvieran las libertades civiles, aunque la forma de gobierno fuera monárquica. En el caso de San Martín, dada su condición de conquistador militar del Perú, puede haber jugado también el deseo de poder acceder al cargo de Regente, dado que era difícil que alguno de estos príncipes europeos quisiera trasladarse a reinar a la distante América. Ningún monarca español había visitado las Indias en tres siglos de monarquía.

P. O.: Habría que plantearse si eso no marca una tendencia nacional, vigente aun en la actualidad, de pensar que la solución de nuestros problemas tiene que venir de afuera, una suprema desconfianza en nuestras propias capacidades.

F. P.: En Londres, Rivadavia tomará contacto con un pensador liberal muy influyente en la época, Jeremías Bentham y, a través de él, conoce las ideas de David Ricardo, de Adam Smith, esas ideas liberales que marcaban el progreso de la Europa de la época. Cuando vuelve, lo hace con el entusiasmo de instaurar un país progresista, moderno, industrial, con un perfil europeo y se encuentra con que acá no tiene elementos, no por los habitantes específicamente, sino por la clase dirigente, que no está dispuesta a innovar ni mucho menos a cambiar su modelo de apropiación de la riqueza. En una carta le dice a su amigo Bentham: "¡Qué grande y gloriosa es vuestra patria!, mi querido amigo. Cuando considero la marcha que ella sola ha hecho seguir al pensamiento humano, descubro un admirable acuerdo con la naturaleza que parece haberla destacado del resto del mundo a propósito".

J. G. H.: Ya en su época, Rivadavia fue un gran calumniado. Se lo combatió y condenó porque fue un precursor. Acaso el primero que habló de fundar escuelas, promover la inmigración, la ciencia, la libertad de cultos y la colonización de las tierras fiscales. Se decía que era un extravagante, que traía ideas demasiado adelantadas para su época; y, efectivamente, no pudo poner en plena vigencia todos sus proyectos (aunque hizo mucho), que recién se plasmaron con posterioridad a la Constitución de 1853. Rivadavia tenía una cierta pompa, un apego a las formas, buscaba para el país una especie de respetabilidad europea...

P. O.: Jauretche dirá que no fue que Rivadavia se adelantó a su tiempo sino que siempre actuó a destiempo. Que la historia oficial termina echándole la culpa al tiempo en vez de reconocer los errores de don Bernardino. Uno de éstos es que sobreactúa lo europeo. En esa época daba mucho prestigio haber vivido tantos años en Europa y él saca partido de eso exagerando su europeísmo. Lo mismo, aunque en menor medida, le sucede a Belgrano, que, al regreso de Europa, despierta críticas de sus contemporáneos porque se viste y calza tan sofisticadamente que se murmura que se ha afeminado. Por fortuna le duró poco. En cuanto a Rivadavia, uno de los fundadores de nuestra historiografía, Vicente Fidel López, hijo del autor de la letra de nuestro Himno, decía que era, textualmente, "muy poco aventajado en la letra, no había profundizado la literatura clásica ni el derecho político ni las ciencias". Es decir que muchos lo criticaban por ser un hombre fatuo, que aparentaba un saber que no tenía.

J. G. H.: Mariano Moreno también lo criticó; decía que Rivadavia sostenía estudio jurídico sin ser letrado, usurpaba el aire de los sabios sin haber frecuentado las aulas, y ejercía el comercio sin tener patrimonio.

F. P.: Recordemos que a don Bernardino le fue muy mal en los estudios en el Colegio de San Carlos en 1798, donde cursó gramática, filosofía y teología. No se graduó en ninguna de estas materias y abandonó los estudios en 1803. Es interesante lo que decía el enviado inglés lord Ponsomby sobre él, cuando ya era presidente: "El presidente me hizo recordar a Sancho Panza por su aspecto pero no es ni la mitad de prudente que nuestro amigo Sancho".

P. O.: Allí se ve nuestra tendencia nacional a la crítica y a la denostación. Muchos usaron el mote de "mestizo" para menospreciarlo.

J. G. H.: Curiosamente Rivadavia va a sufrir una segunda ola de denostación en el siglo XX. Los hombres de la generación del '37, particularmente Alberdi, Sarmiento y Mitre, lo admiraban como un modelo del progreso. Alberdi, en Valparaíso, tenía su retrato en el escritorio; y Mitre señaló que Bernardino fue el más grande hombre civil de los argentinos. En las escuelas del siglo XIX, los próceres por antonomasia fueron Mariano Moreno y Rivadavia, dos civiles promotores del cambio social. Pero, a partir de 1908, cuando se inicia la llamada Educación Patriótica, destinada a homogeneizar a los hijos de inmigrantes, las corrientes nacionalistas que rechazan el progreso, la modernidad, la industria y el cosmopolitismo y añoran las tradiciones coloniales españolas y el catolicismo conservador, presentan a Rivadavia como extranjerizante, enemigo del gaucho y de lo nacional. Como si crear escuelas, difundir el arte, fundar el Museo de Historia Natural, fomentar la industria y tratar de poner en producción las tierras no fuera una buena forma de querer al país. ¡Qué paradoja! El hombre que fundara la Universidad de Buenos Aires e instalara la primera Oficina Nacional de Inmigración, al cabo de un siglo iba a ser condenado como antipatriota por hijos de inmigrantes (puede ser el caso de Scalabrini Ortiz) graduados en esa casa de estudios.

P. O.: Tus insistentes críticas a la educación patriótica sugieren una crítica al sentimiento patriótico, en lo que sos honestamente liberal. Pero en mi criterio nuestra tragedia actual se debe más al débil o ausente patriotismo de nuestra dirigencia. Lo que es claro en los negociadores de nuestra deuda externa.

F. P.: Rivadavia es un personaje contradictorio, porque si bien tiene ideas progresistas y fomenta la educación, también promulga la Ley de Vagos, una ley contra los desocupados, copiada de las leyes victorianas, mediante la cual los desocupados son condenados a trabajar compulsivamente en estancias, son enviados a la milicia o detenidos. Rivadavia inaugura una de las costumbres de los sectores de poder en la Argentina: tratar como delincuentes a los desocupados.

P. O.: Aparece otra contradicción, que es esa gran zanja que divide la historia argentina hasta nuestros días. Existe una línea compuesta por Rivadavia, Sarmiento, Alberdi, podríamos agregar a Mitre y a la tan publicitada generación del '80, próceres destacadísimos que le han dado mucho al país y que en la actualidad nos gustaría que estuvieran vivos y ocupándose de los asuntos públicos de nuestra maltratada Argentina. Pero también puede criticárseles que en pro de esa civilización que ellos identificaban con un modelo europeísta se convencieron de que debían descartar lo más autóctono, nuestras tradiciones, nuestra religión, nuestros "cabecitas negras" de entonces. Así terminaron, insisto, por dejarnos casi sin sentimiento patriótico, sobre todo en Buenos Aires. La Constitución exacerbadamente unitaria que promulga Rivadavia en 1826, que merece la airada reprobación de los gobernadores provinciales, es una de las causas de la anarquía que sobrevendrá después. Además, don Bernardino no se preocupó por el progreso del país sino sola y obsesivamente por el de Buenos Aires. Podría recordarse que aquella Constitución unitaria dictada por una asamblea presidida por Narciso Laprida hará que éste, quien también fuera el presidente de la declaración de nuestra Independencia, fuese, de ahí en más, considerado un enemigo de los federales, por lo que será apresado por las huestes del fraile Aldao en uno de los tantos entreveros fratricidas en Cuyo, y encuentra una muerte horrible, amurado en una celda sin ventana.

J. G. H.: Efectivamente, Rivadavia es un hombre con contradicciones. En sus reformas religiosas ordena suprimir la subordinación de las órdenes católicas con las matrices en España; reglamenta el número de frailes que puede haber en los conventos; seculariza obligatoriamente los cementerios. Acaso lo puramente liberal (el término proviene de libertad) hubiera sido dejar plena autonomía al clero, pero en los países de religión única, forzosa y oficial los procesos de democratización se han hecho siempre a través de medidas que restaron poder a la Iglesia. Sus innovaciones fueron notoriamente progresistas: concede el voto a todo hombre libre, sin restricciones; elimina el fuero mercantil y religioso; anula la costumbre de compeler a los artesanos urbanos a trabajar en las cosechas. La Ley de Vagos buscaba incorporar a todos los hombres a la producción y crear una cultura del trabajo. Pero no puede calificarse de insensible al hombre que fundó la Sociedad de Beneficencia. Si lo propio es el atraso, los reformadores están condenados a modificar lo autóctono. Tampoco es justa la calificación de unitario a Rivadavia, porque el mismo Salvador María del Carril, su contemporáneo, dice que Bernardino era un republicano sincero que quería un régimen mixto y federal. Ocurría que los centralistas presionaban: tres provincias, Salta, Tucumán y La Rioja, habían votado en la Convención Constituyente por el régimen unitario; cuatro se expidieron por el sistema federal; y la comisión dictaminó a favor de una forma representativa republicana consolidada en unidad de régimen, pero dejó que las provincias manejaran sus propias finanzas.

F. P.: Rivadavia lo lamenta...

J. G. H.: Sí, y expresa que Brasil, siendo un imperio, ha dictado un sistema federal que la Argentina todavía no puede tener. Por eso dice que al menos debemos prepararnos para el federalismo y exhorta a las provincias a que aprendan a manejar sus finanzas. Como tucumano que soy, debo reconocer con tristeza que aun en la actualidad la mayoría de las provincias no tienen seriedad en el manejo de los recursos (veamos si no el endeudamiento astronómico de la mayoría) y tenemos un sistema de coparticipación por el cual la Nación recauda y les entrega a las provincias fondos que los gobernadores dilapidan irresponsablemente.

P. O.: Hoy tenemos muchas monedas truchas.

J. G. H.: Es más fácil emitir esos bonos, que implican endeudamiento, monedas espurias que significan nuevas aduanas interiores, que recaudar los tributos locales con seriedad, disminuir los gastos, el clientelismo político y las dádivas que degradan a los que las reciben y corrompen a quienes las dan.

F. P.: Yo creo que hay una evolución entre el Rivadavia del Primer Triunvirato y aquel que fomenta la ley fundamental del '25, donde dice que cada provincia se regirá por sus propias autoridades y sus decisiones hasta que se sancione la Constitución, que será la Constitución unitaria y centralista de 1826, rechazada, como señalaba Pacho; creo que implica un avance con relación a la Constitución de 1819. Aparece, por ejemplo, claramente expresada la forma de gobierno republicana. Incluso Rivadavia va a tener problemas con todos, con unitarios, federales, federales porteños, federales del interior, por la ley Capital, que declara a Buenos Aires como Capital. La ciudad de Buenos Aires quedaba bajo la autoridad nacional, hasta que ésta organizara una provincia. La provincia había desaparecido, lo que contradecía lo expresado por la Ley fundamental de 1825.

P. O.: Una prueba más de su obsesión por Buenos Aires, a la que quería convertir en réplica de una ciudad europea. Otro tema que impulsa Rivadavia es la ley de enfiteusis promulgada en 1826. Aunque era una idea que Belgrano había desarrollado en sus tiempos de funcionario de la Aduana, antes de la Revolución de Mayo. La enfiteusis rivadaviana daba en concesión las tierras públicas, muchas de ellas hipotecadas, para el empréstito contratado con el exterior en 1824. El famoso empréstito Baring. Rivadavia decía que con la enfiteusis se iba a lograr el poblamiento y la producción de la tierra. En realidad, se trataba de uno de los pocos recursos que le quedaban al Estado para generar rentas, con las que tenía que enfrentar los conflictos internos y la guerra con el Brasil. Finalmente, lo que se logró con la enfiteusis fue que los que ya eran dueños de grandes extensiones acumularan otras nuevas. Por algo la apoyaban los Anchorena, Braulio Costa, los Riglos, los Lezica, todos ligados a la banca, al comercio y al campo. Porque aunque esta ley fue aprobada con carácter nacional, el gobierno no repartió tierras en ninguna de las provincias, sólo lo hizo en Buenos Aires.

F. P.: Desde luego, y vienen de ella las rentas, el puerto, etc., lo que tampoco deja conforme al interior. Éste es uno de los motivos de la caída de Rivadavia.

J. G. H.: Ésa es una medida federalista, porque las rentas de la Aduana, que hasta el momento eran patrimonio de los porteños, van a ser disfrutadas por todas las provincias. Cuando los gobernadores de provincia rechazan la Constitución unitaria del '26 no lo hacen por federales, sino porque son caudillos absolutistas, basados en la fuerza militar, que van a tener que renovar su poder mediante procedimientos republicanos. Hay un famoso episodio cuando el enviado Tezanos Pintos va desde Buenos Aires a Santiago del Estero con la flamante Constitución y Felipe Ibarra lo recibe en calzoncillos, chiripá y vincha...

F. P.: Durmiendo la siesta... ¿Cómo se le ocurre a Tezanos Pintos interrumpir la siesta en Santiago del Estero?

P. O.: Aclaremos que va a informarle, a entregarle el documento de la Constitución, de la nueva Constitución.

J. G. H.: Constitución que ha sido sancionada en la Convención de Buenos Aires. Lo que le molesta a Ibarra no es la interrupción de la siesta santiagueña ni el ataque a la dignidad de su provincia sino la posible interrupción en el goce de un poder ilimitado en el tiempo y en las facultades. La circular que le informa de la existencia de una Constitución es la notificación de su propia cesantía. Rivadavia es el hombre que empieza a buscar afuera cuáles son las ventajas de un mundo libre, educado, republicano y productivo. Quiere repartir tierras fiscales para crear una clase media agricultora que genere mercados, pero esa idea recién va a poder materializarla el presidente Nicolás Avellaneda después de 1874; el apoyo a la ciencia lo va a concretar Sarmiento en su presidencia; su idea de federalización recién se va llevar a cabo en 1880; la de educación laica y universal, en 1884 con la ley 1420; el voto universal, en 1912. Sus proyectos fueron las semillas que después hicieron crecer a la Argentina, que en 1913 estaba poblada de extranjeros, había alfabetizado al 80 por ciento de sus ciudadanos, tenía un producto bruto por habitante superior al de Francia e Italia y salarios iguales a los de Estados Unidos.

F. P.: A Rivadavia le faltó una burguesía progresista que lo acompañara; tenía ideas progresistas pero acá había una burguesía terrateniente muy retrógrada que estaba contenta con la exportación de cueros y carne salada y que no apoyó ese proyecto que tenía tan entusiasmado a Rivadavia por haber estado viviendo esos años en Londres...

P. O.: Algo curioso en Rivadavia es que ése no era su nombre, sino que se llamaba Bernardino de la Trinidad González...

J. G. H.: González Rivadavia.

P. O.: Ribadabia, las dos veces con la "b", era el apellido de su abuela paterna. ¿Cuál habrá sido la razón de la modificación de su nombre? Sería más aristocrático, quizás. Lo que irritaba también a las provincias, y justificadamente, era su amor por Buenos Aires. Rivadavia es el que empieza a construir una Buenos Aires deslumbrante con farolas, empedrado, escuelas lancasterianas, parlamentos discurseantes, incluso con un presidente que, por supuesto, sería él mismo. El grueso de los fondos recaudados es para una Buenos Aires que don Bernardino sueña a imagen y semejanza de Londres o París, aunque ese privilegio desabastezca de apoyo a San Martín, a Güemes y a Artigas.

F. P.: En ese embellecimiento de Buenos Aires, en su modernización está el origen de nuestra deuda externa, el motivo de solicitud del empréstito a la casa Baring Brothers de Londres...

P. O.: Que es la mancha negra en la vida de Rivadavia y el inicio de la corrupción de nuestros funcionarios.

F. P.: Absolutamente, ese préstamo inaugura nuestra deuda externa con el pretexto de fundar pueblos, hacer las aguas corrientes de la Capital y el puerto de Buenos Aires, entre otras cosas. De esa manera se lo pide a la banca Baring, que era una entidad bancaria cuyos directivos estaban muy vinculados a la realeza y al poder en Inglaterra —uno de los Baring era lord del Almirantazgo—. Se solicita un millón de libras esterlinas de préstamo, pero en realidad, por una serie de cuestiones bastante poco claras y confusas, van a quedar simplemente 560.000 libras disponibles. Se hacen descuentos, por ejemplo, por riesgo país, que ya existía en aquel momento, por cuotas adelantadas, porque el Estado porteño no era confiable, por comisiones de los negociadores, entre ellos dos ingleses. Llegan 560.000 libras, la mayoría en letras de cambio que eran bonos contra la casa Baring; en efectivo sólo ingresan 96.000 libras, pero la deuda es por el valor nominal, por un millón de libras, que es lo que se pide. El empréstito se termina de pagar durante el gobierno de Roca, en 1904; se abonan unas diez o quince veces el valor del monto original.

P. O.: Ya es una Inglaterra que ha aprendido que para dominar a otras naciones no son necesarias las expediciones militares como las que nos enviaron en 1806 y 1807 sino que es más cómodo y eficaz hacerlo a través de los endeudamientos, para lo que siempre se contará con socios internos. Ahí ingresamos en la era moderna del imperialismo.

F. P.: La transición del imperio al imperialismo, del dominio económico por encima del dominio territorial.

P. O.: Alexander Baring, el dueño del banco, expresa en algún momento su temor de que el gobierno de Buenos Aires no fuera a aprobar una operación que ya de inicio dejó 150.000 libras de "coima". Pero don Félix Castro, hombre de confianza de Rivadavia, y Parish Robertson, seguramente un espía inglés que aparecerá en muchos momentos de nuestra historia, le escriben diciéndole que nada tiene que temer porque el entonces ministro Rivadavia participaba del asunto.

F. P.: El nacimiento de la Casa Baring coincide con el auge de la política financiera del Imperio británico. Los hermanos Alexander y Francis Tornhill son los hijos del fundador de la casa, sir Francis Baring, y sus principales directivos en el momento de firmarse el empréstito con Buenos Aires. Los Baring unirán su carrera financiera a su actividad política. Alexander será nombrado, por el primer ministro Peel, ministro de la Moneda. Su hermano Francis llegará a ser lord de la Tesorería, ministro de Hacienda de Inglaterra, director de la Compañía de Indias y primer lord del Almirantazgo.

J. G. H.: Contraer créditos en el extranjero para dilapidar sus fondos se ha convertido en un cáncer nacional, sobre todo en la segunda mitad del siglo XX. También es cierto que los bancos pagaban, y pagan, comisiones a los gestores y esto es legal si no se trata de funcionarios. Es el caso de la comisión que cobraron Paroissien y García del Río en Londres, cuando fueron enviados por San Martín para buscar un príncipe para el Perú, y terminaron contratando un empréstito. Pero no está documentado (al menos no lo conozco) que Rivadavia se haya beneficiado personalmente o haya percibido sumas por el préstamo de la Baring Brothers. Me parece difícil creer en eso porque Rivadavia no parece haber muerto rico en su exilio de Cádiz. Su esposa falleció antes que él en Río de Janeiro y su cuerpo terminó en una fosa común.

F. P.: Porque no tiene plata...

J. G. H.: Porque no paga los derechos de la sepultura.

P. O.: José María Rosa desmiente en un artículo que don Bernardino hubiese muerto pobre. Lo de su ex esposa puede deberse a que el corazón de Rivadavia ya pertenecía a otra damisela.

F. P: Un dato significativo es que un año después del empréstito Baring se firma el acuerdo comercial con Inglaterra, por el cual Inglaterra reconoce la Independencia del Río de la Plata; éste es un hecho claramente vinculado al anterior...

J. G. H.: Ese acuerdo fue un gran avance para la Argentina.

F. P.: Sí, pero sostengo que está conectado con lo anterior más allá de que sea un avance.

P. O.: Lo que vos decís es que los gringos pensaron que les convenía tener relaciones diplomáticas con ese país al que se le pueden sacar beneficios.

F. P.: Exacto.

J. G. H.: Hasta ese momento, todavía en plena vigencia de la Santa Alianza, los países europeos se negaban a reconocer la independencia de las antiguas colonias europeas. Éste es el tema de la discusión que mantienen, un par de años antes en Londres, Rivadavia y San Martín. Bernardino le dice a don José que no sea necio, que las monarquías del viejo mundo no aceptaban los movimientos libertadores ni aun cuando éstos establecieran sistemas dinásticos.

F. P.: Inglaterra tenía una especie de carta de intención modelo que aplicaba en la mayoría de los países latinoamericanos a la hora de reconocer la independencia. Los convenios que se firmaron en América latina en esa época, a mediados del '20, fueron muy parecidos.

J. G. H.: A quienes nos convenía el reconocimiento de la independencia era a nosotros, los países hispanoamericanos. Los argentinos desde 1816, desde hacía nueve años, veníamos buscando un reconocimiento que las monarquías europeas no querían brindar por solidaridad entre ellas. El acuerdo de Rivadavia con Inglaterra fue un triunfo para Buenos Aires.

P. O.: Antes nombraste a lord Ponsomby, el embajador inglés, y es interesante leer un breve fragmento de lo que escribe cuando llega a estos pagos. El lord era un hombre de altísimo nivel dentro de la nobleza inglesa y los chismes que corrían en los corrillos británicos decían que había sido enviado al fin del mundo, es decir aquí, en castigo porque tenía un asunto amoroso con la Reina. Cuando llega a Buenos Aires opina, textualmente, que es "el lugar más despreciable que jamás vi", también como "un lugar para bestias (*a beastly place*)". Pero allí no termina: "Nadie vio un sitio tan desagradable como Buenos Aires. Suspiro cuando pienso que tendré que quedarme aquí en este lugar de barro y osamentas pútridas, sin carreteras ni caminos ni casas pasables ni libros ingleses ni teatro soportable. Clima detestable, nunca falta polvo, barro con temperatura que salta en un día 20 grados". Tanto desagrado no le impedirá intervenir decisivamente en muchos hechos fundamentales en aquellos años iniciales de nuestra historia.

F. P.: Y dice también que Buenos Aires es "el sitio más despreciable que jamás vi, estoy cierto que me colgaría de un árbol si esta tierra miserable tuviera árboles apropiados...", así hablaba John Ponsomby, barón de Imokilly, enviado extraordinario y ministro plenipotenciario de Gran Bretaña ante las Provincias Unidas. Woodbine Parish, afectado por la designación de Ponsomby, había escrito que era "un *high aristocrat* que está poco calificado para tratar a los bajísimos demócratas con quienes debemos alternar aquí".

P. O.: Aceptemos que hizo algo mejor que eso. Mejor para su patria. No para la nuestra.

J. G. H.: Por eso, para juzgar a Rivadavia hay que tener en cuenta que el Río de la Plata era el territorio más pobre, despoblado y alejado de los centros del poder de todo el Imperio español en América. México y Perú, donde estaban los metales, eran los lugares opulentos. La generación de Rivadavia ve en Europa las ideas y los elementos para traer y hacer progresar estas zonas, para desarrollar el comercio y la agricultura, establecer puertos e instalar aguas corrientes. Para apreciar su acción no debemos comparar su obra con la Argentina próspera del siglo XX sino con los valores coloniales españoles de fanatismo religioso, absolutismo político y odio al extranjero que regían hasta entonces y que él enfrentó. Cuando los ingleses se alían con la monarquía española para luchar contra Napoleón y luego este acuerdo se prolonga en la Santa Alianza, la tarea de los patriotas del Río de la Plata es cada vez más difícil. De ahí el gran mérito de Rivadavia, tanto en su labor diplomática en Europa como en sus dos períodos de gobierno, donde permanentemente es acusado de hereje, de lindar con la masonería...

P. O.: No linda con la masonería, es masón.

J. G. H.: Está en duda si fue masón, porque cuando se realiza el golpe contra el Primer Triunvirato...

P. O.: En ese momento él no es masón todavía... Ingresa a la fraternidad cuando se exilia en Europa.

J. G. H.: Es posible, porque Alvear y San Martín, cuando ya están operando acá y han constituido la Logia Lautaro, lo invitan a incorporarse. Rivadavia no acepta, porque eso implicaba que el Triunvirato que él integraba iba a quedar subordinado a la Logia. Bernardino no quería ceder el poder y entonces, ante la negativa, Alvear y San

Martín con sus tropas dan el golpe de Estado que desplaza al Primer Triunvirato. Entonces se forma el segundo.

P. O.: En ese momento Rivadavia aprende que en su época quienes tenían ambición de poder y figuración debían ser masones. San Martín y Alvear dan el primer golpe de Estado contra autoridades constituidas cuando invaden la Plaza de la Victoria y derrocan al Triunvirato del cual Rivadavia era factótum, a pesar de ser sólo su secretario. Don Bernardino nunca se lo perdonará a San Martín y se convertirá en uno de sus grandes enemigos.

F. P.: Fue el 8 de octubre de 1812.

P. O.: A vos, Felipe, que te gustan los chismes históricos, ¿qué nos podés contar del matrimonio de Rivadavia?

F. P.: El 14 de agosto de 1809, a los veintinueve años, se casa con una joven muy distinguida de la sociedad porteña: Juana del Pino y Balbastro, hija del octavo virrey del Río de la Plata, Joaquín del Pino. El matrimonio Rivadavia se muda a la calle Defensa 153, donde nacerán sus cuatro hijos: Benito; Constancia, que morirá a los cuatro años; Bernardino y Martín.

P. O.: Del Pino fue un buen virrey.

F. P.: Sí, aunque tuvo una pequeña mancha al prohibir *El Telégrafo Mercantil*. El primer acto de censura sobre el primer periódico del Río de la Plata es llevado a cabo por el virrey Del Pino. El periódico, dirigido por Belgrano y Cabello, era sumamente interesante. Lo prohíben, según dice el decreto, aunque la censura siempre tiene artilugios y nunca dice la verdad, porque su lenguaje es soez...

J. G. H.: ¡Qué harían ahora, entonces!

F. P.: A partir de eso se justifica la prohibición del periódico, que en realidad le molestaba al Virrey porque tenía ideas innovadoras, fisiocráticas, muy revolucionarias para la época.

P. O.: Rivadavia tuvo disputas de poder con la Iglesia, porque quería imponer cambios, transformaciones, y los curas eran muy conservadores, la mayoría seguía añorando los tiempos de la Colonia. Entonces se planteó una guerra de medios periodísticos. Entre los adver-

sarios mediáticos de Rivadavia se contaba el famoso padre Castañeda, que ponía nombres ingeniosos e insultantes a sus diarios como
*La matrona comentadora de cuatro periodistas, La guardia vendida
por el centinela y la traición descubierta por el oficial de día, El desen-
gañador gauchi-político, federi-montonero chacuaco-oriental, choti-
protector,* etc. A su vez se publicaban textos en contra de los curas,
como éste de un diario donde escribía, y que posiblemente dirigió,
Juan Cruz Varela: "Se juegan con las mozas que les placen, predican
malamente y como a destajo; si esto es lo mejor que un fraile hace,
de qué nos sirve pues tanto espantajo, en qué letargo Buenos Aires
yace, que no los echan a todos al carajo".

F. P.: Se llegó a tal punto en las reformas rivadavianas referidas a la
Iglesia, a tal nivel de crítica al poder eclesiástico que Rivadavia solicita a una comisión un informe para determinar para qué sirve el
santuario de Luján. El decreto decía: "el gobierno, para velar por el
cumplimiento del principio de que las instituciones piadosas están
obligadas a rendir a algún servicio público que contribuya a la co-
modidad o al sostén de la moral, y en todo caso al progreso del país
que las adopta, procedió a instruirse de cuál era el objeto y servicio
del santuario llamado de Luján, cuál era el estado de sus bienes y
rentas y cuál su administración. Lo que ha resultado, comprobado
es que no rinde servicio alguno, y que no tiene más objeto que el
culto de una imagen".

P. O.: Y entonces le expropió todo... El general Paz, en sus *Memorias*,
da cuenta de cómo era la vida de los sacerdotes en aquel tiempo. Y
de sus descripciones se deduce que la vida sacerdotal tenía bastante
poco que ver con la austeridad monacal. Los conventos en Buenos
Aires eran alojamientos de señores que con su título de curas se dedicaban a la buena vida, y les importaba bastante poco sus funciones pastorales. Rivadavia los combatió por improductivos.

J. G. H.: ¿Quién firma ese dictamen?

F. P.: El curita Agüero, Julián Segundo de Agüero, uno de los ideólogos del grupo rivadaviano.

P. O.: Masón.

F. P.: Desde luego.

J. G. H.: En 1968, el presidente Onganía hizo un gran acto consagrando el país a la Inmaculada Concepción, que fue seguido por una peregrinación a Luján.

F. P.: Y como todos recordamos, a partir de ahí todo anduvo mejor. Es notable cómo los dictadores recurren a estos actos propagandísticos que nada tienen que ver con la sincera fe de la gente, más bien tratan de utilizarla para fines inconfesables.

P. O.: Hay quien sostiene que el camino al infierno está empedrado de buenas intenciones. Si es que las ha habido...

J. G. H.: Por eso no es casual que en 1920 y 1930 el movimiento nacionalista que intentó identificar el nacimiento del país con lo militar y lo católico simultáneamente condenó a Rivadavia acusándolo de antinacional o antipatriótico. Como Rivadavia, al igual que los principales hombres del 25 de mayo de 1810, deseaba la libertad de cultos y la expansión de la sociedad civil por el libre comercio y el republicanismo, no podía entrar en el esquema autoritario que quería imponerse.

F. P.: Creo que lo que no le perdonan a Rivadavia, no es ser el padre de la deuda externa sino la reforma religiosa, que se haya metido con la Iglesia. En general a la gente que se metió con la Iglesia en la historia argentina le fue bastante mal. Ya en su momento, los sacerdotes descontentos, guiados por Gregorio Tagle, encabezaron dos conspiraciones en agosto de 1822 y marzo de 1823. El gobierno se enteró del intento y decidió reprimirlo. En la Plaza de la Victoria los conjurados marchaban al grito de "¡Viva la religión!" y "¡Mueran los herejes!" mientras repartían rosarios, escapularios y panfletos con rezos como éste:

De la trompa marina – libera nos Domine
Del sapo del diluvio – libera nos Domine
Del ombú empapado de aguardiente – libera nos Domine
Del armado de la lengua – libera nos Domine
Del anglo-gálico – libera nos Domine
Del barrenador de la tierra – libera nos Domine

Del que manda de frente contra el Papa – libera nos Domine
De Rivadavia – libera nos Domine
De Bernardino Rivadavia – libera nos Domine
Kyrie eleison – Padre Nuestro.

Dos de los complotados fueron fusilados, muchos fueron detenidos y Tagle logró huir.

J. G. H.: También, en lo personal, la vida de Rivadavia fue muy dramática. Él viaja como diplomático a Europa en 1814 y permanece allí hasta 1821. Durante esos seis años su esposa Juana le escribe permanentemente desde Buenos Aires; le recuerda que ella es una mujer joven; le pide que regrese. Durante su ausencia muere uno de sus tres hijos, que se han quedado con la madre. Juana recelaba del marido, pero él le escribía asegurándole que estaba en celibato, que se quedara tranquila.

F. P.: En 1829 Rivadavia parte hacia Francia, dejando a su familia en Buenos Aires. En París vuelve a su oficio de traductor y pasan por sus manos *La Democracia en América* de Tocqueville, *Los viajes* y, una curiosidad, *El arte de criar gusanos de seda* de Dándolo. En 1834 decide regresar a Buenos Aires. Pero el gobierno de Viamonte le impide desembarcar. Su mujer y su hijo Martín, que lo esperaban en el puerto, suben al barco y se suman al exilio de Rivadavia, en cambio los hijos mayores, Benito y Bernardino, se suman a Rosas, se hacen federales, lo cual debe haber sido una desgracia, algo terrible para este hombre.

J. G. H.: Igual que los hijos de Facundo Quiroga, que se hicieron unitarios.

P. O.: No es así, el hijo mayor de Facundo fue el jefe del gauchaje que voluntariamente participó en la Vuelta de Obligado, a favor de Rosas.

F. P.: Tras la muerte de Juanita del Pino en un accidente doméstico, Rivadavia se va a vivir a Cádiz, con unas sobrinas en una modesta casa del barrio de la Constitución. Dolorosamente descubre que estas sobrinas le están robando la poca plata que le queda, sus últimos recursos, entonces cambia su testamento poco antes de morir. Muere el 2 de septiembre de 1845. Una de sus últimas voluntades, la más firme, es que no lo traigan al país, que lo dejen ahí donde está, en Cádiz. Lo pide expresamente. Pero, por supuesto, los gobiernos no cumplen, lo traen en 1857, y en 1932, durante la presidencia de Agustín P. Justo, se construye el mausoleo que actualmente está en plaza Once.

J. G. H.: Andrés Lamas fue un día con unos amigos a visitarlo en Río de Janeiro, donde estaba exiliado. Un criado los atendió y anunció su presencia al dueño de casa. Desde la puerta, Lamas oyó que Rivadavia instruía a su sirviente: "Dígale a los señores que don Bernardino Rivadavia no estará nunca en casa para los argentinos".

P. O.: Ese rencor hacia su patria no es raro en nuestros próceres. Hay una frase de enorme despecho y tristeza de San Martín con relación al trato recibido de sus compatriotas, a los que acusa, textualmente, de "ingratos y deleznables". Además, morirá en el exilio y execrado, como ha sido norma para muchos de nuestros mejores hombres y mujeres.

F. P.: Era un gran enemigo de Rivadavia.

P. O.: San Martín y Rivadavia fueron grandes enemigos, ése es otro aspecto por el que don Bernardino debería rendir cuentas ante la historia. La renuncia de San Martín ante Bolívar se debió, entre otros motivos, a que Rivadavia, que gobernaba en Buenos Aires, lo privó de todo apoyo. Otro tema que nos queda afuera es la reivindicación de Dorrego, víctima de los rivadavianos.

F. P.: Se puede decir que Dorrego comienza a destacarse políticamente en su lucha contra los rivadavianos durante el debate de la ley electoral, cuando dijo: "Si se excluye (del voto) a los jornaleros, domésticos y empleados también, ¿entonces quién queda? Queda cifrada en un corto número de comerciantes y capitalistas la suerte del país. He aquí la aristocracia del dinero, hablemos claro, el que formaría la elección sería el Banco, porque apenas hay comerciantes que no tengan giro en el Banco, y entonces el Banco sería el que ganaría las elecciones, porque él tiene relación con todas las provincias".

P. O.: Rivadavia cae a manos de Dorrego a raíz de la muy sospechosa negociación de su enviado Manuel García con los brasileños. En presencia del embajador Ponsomby, después de la victoria militar de la Argentina sobre Brasil, entrega la Banda Oriental a Brasil, que ni lerdo ni perezoso hace de lo que es en la actualidad Uruguay su provincia cisplatina. Al asumir la gobernación de Buenos Aires en contra del poder porteño de logistas, rivadavianos y protounitarios, Dorrego ha firmado su condena a muerte. Lavalle será su verdugo. Dorrego es una gran figura.

F. P.: Creo que Rivadavia fue un personaje claramente polémico; como hemos visto tiene aspectos positivos, negativos, no tenemos por qué transformarnos en rivadavianos o en antirrivadavianos a esta altura de las circunstancias. Me parece que es bueno ver en su conjunto a este personaje tan particular, tan denostado y tan llevado al altar, porque durante mucho tiempo parecía ser un prócer que estaba en el panteón patriótico a la altura de San Martín, más o menos como constructor de la patria. Creo que no fue ni una cosa ni la otra.

Juan Manuel de Rosas

EL GAUCHO-ESTANCIERO. EL TIRANO. EL BLOQUEO DE IN-
GLATERRA Y FRANCIA. EL PROYECTO ECONÓMICO. LA "MA-
ZORCA". DOÑA ENCARNACIÓN EZCURRA. LA CONQUISTA DEL
DESIERTO. LOS ANCHORENA. MANUELITA ROSAS. EL FUSILA-
MIENTO DE CAMILA O'GORMAN. EL EXILIO.

PACHO O'DONNELL: Hoy vamos a hablar de un tema que seguramente nos va a exaltar: Juan Manuel de Rosas. Un tema en el cual anti-
cipo que tenemos posiciones bastante distintas.

FELIPE PIGNA: Creo que Rosas fue un gran estanciero, un digno representante de su clase y, de alguna manera, un gobernante polémico para su época porque tuvo que enfrentar situaciones, como él dice en su testamento político, muy especiales, tuvo que gobernar en
circunstancias...

P. O.: "Circunstancias extraordinarias", así lo dijo.

F. P.: "Circunstancias extraordinarias", dice él, "se me juzga como si
fueran épocas normales pero todo mi gobierno fue durante circunstancias extraordinarias", lo cual no justifica absolutamente
nada...

P. O.: Siete guerras, sí, siete conflictos bélicos, dos con Francia, uno
con Inglaterra, otro con la Confederación Peruano-boliviana, otro
permanente en la Banda Oriental, dos con Brasil (Caseros fue parte
de una situación de beligerancia con el Imperio brasileño).

F. P.: Digo "no justifica" en el sentido de toda la sangre, de todo lo
que pasó durante su gobierno. También es interesante ver cómo se

leyó en la historia argentina la figura de Rosas, cómo fue rescatada, odiada, repudiada, usada políticamente en diferentes épocas.

P. O.: Siempre "demasiado": demasiado odiada, demasiado exaltada... Es difícil mantener un cierto equilibrio cuando se habla de Rosas.

F. P.: Por otro lado, está la imagen del gaucho que creo él usó muy bien, aunque no era un gaucho más, era el principal propietario de la provincia de Buenos Aires, no era un gauchito. Él decía en una carta: "Me propuse adquirir esa influencia a toda costa; para ello fue preciso hacerme gaucho como ellos, protegerlos, hacerme su apoderado, cuidar de sus intereses, en fin, no ahorrar trabajo ni medios para adquirir más su confianza". No era cualquier gaucho, era el dueño de una de las estancias más grandes de la provincia.

P. O.: "Los Cerrillos", Monte.

F. P.: Un estanciero, respetado por sus congéneres, incluso los Anchorena, sus primos, que confían tanto en él que le dan la administración de seis de sus estancias.

JOSÉ IGNACIO GARCÍA HAMILTON: Rosas inaugura un modelo que va a tener mucha vigencia en Hispanoamérica y la Argentina del siglo XX. Es una mezcla de populismo, nacionalismo y demagogia. Controla la Iglesia y la prensa, prohíbe a la oposición y usa el terror, es decir la fuerza militar desde el Estado, para dominar a todos los sectores y domesticar a la población. Él fomentó el odio contra los extranjeros (ingleses y franceses); buscó permanentemente conflictos con países limítrofes (Uruguay, Bolivia, Chile), para mantener cohesionados y movilizados a su seguidores internos. Y practicó la violencia contra los opositores, con todo lo cual creaba una ilusión de participación popular.

P. O.: Ya que ustedes han planteado algunas de las críticas me veo en la necesidad de balancear un poco. A Rosas hay que reconocerle, por un lado, que fue un aristócrata que no respondió a las pautas de la aristocracia. Tan es así, que se enfrenta con sus pares, su principal enemigo, los que se exilian en Montevideo y harán todas las maniobras posibles para derrocarlo. Incluso él renuncia a un apellido tan aristocrático como Ortiz de Rozas —con zeta— y lo transforma en un Rosas, con ese a secas. Él era un estanciero "de estancias", y no uno de esos estancieros pitucos de ciudad. Vivía en la frontera con los indios, peleaba cuerpo a cuerpo, domaba potros, es decir, se hizo un gaucho más. Habría que considerar, como decís vos, Felipe, y tenés razón, esa carta que él escribe a un amigo uruguayo donde le explica que se hizo gaucho para dominarlos. Sostiene que el error de su clase siempre fue el oponerse a los sectores populares en vez de comprenderlos y de seducirlos. Además, creo y sin ninguna duda, que Rosas fue un dictador, con todo el oprobio que eso implica. Pero lo fue en momentos en que no existía la democracia en ninguna parte del mundo, o sea que no se le puede exigir espíritu democrático. Por otra parte, era un hombre violento en épocas que eran violentas, todos lo eran. Fueron violentos Lavalle, Paz, y mucho más Urquiza después de Caseros.

J. G. H.: Rosas garantizó el derecho de propiedad a los estancieros, lo cual, desde un punto de vista económico, significó un avance, porque amplió las fronteras de la ganadería: durante su época se exportaban cueros y el tasajo (las carnes saladas que en el Norte llamamos charqui), había una agricultura de subsistencia y se importaba trigo y harinas de los Estados Unidos. Pero el problema es que respetaba la propiedad solamente a sus partidarios y no a los opositores. En 1840 la Legislatura que él dominaba dictó una ley por la cual se les podía confiscar los bienes a todos los supuestos colaboradores de la invasión del general Juan Lavalle desde Montevideo. El gobernador realiza entonces dos mil actos de incautación: se apodera de quinientas estancias y un millón de cabezas de ganado de supuestos unitarios. Como en todas las tiranías, las arbitrariedades generan corrupción y sirven para enriquecer a los gobernantes y allegados: en 1830 Rosas poseía 160.000 hectáreas y seis años después ya tenía el doble y era el mayor propietario rural del país. Ya en el exilio reconoció que, desde el gobierno, había ayudado a enriquecerse a sus primos, los Anchorena. El peculado, como el terror, no fue algo excepcional, sino una parte esencial de su régimen, su estilo distintivo.

F. P.: Una cosa que dijiste antes, José Ignacio, con la que yo no estoy de acuerdo es con que Rosas fomentaba el odio a Inglaterra. Con excepción de la etapa del bloqueo, él tuvo una relación con Inglaterra extraordinaria y hay pocos episodios de enfrentamientos con los ingleses. Fue un breve período que tuvo que ver con la defensa de soberanía.

J. G. H.: Estoy de acuerdo, Felipe, él fomentaba el odio retórico, es decir, se expresaba públicamente en contra de los ingleses por razones demagógicas ("mueran los extranjeros sarnosos", decía) y manifestaba prejuicios contra el "ganado unitario", como llamaba a las razas traídas por los británicos, pero siempre fue amigo de ellos, los protegió, respetó su comercio y su culto anglicano (mientras pregonaba genéricamente contra los protestantes), nunca los hizo objeto de requisas ni violencia como a los argentinos. Quiso entregarles las Malvinas en pago por el empréstito Baring Brothers y llegó hasta la sumisión: "los ingleses fueron nuestros padres en la Revolución y queremos que sean nuestros amos", le dijo al embajador Mandeville. Todos los embajadores británicos (salvo Gore Ouseley, quien lo calificaba de cobarde,ególatra y cruel) lo apoyaron. Aun durante el bloqueo, que políticamente favoreció al tirano (como la guerra por las Malvinas a la Thatcher), el almirante de la flota británica, comodoro Herbert, paseaba por las calles de Buenos Aires y Rosas le ofrecía vituallas, por paradójico que parezca. Por eso a su caída pudo exiliarse en Inglaterra.

P. O.: A mí me parece que ustedes están exagerando, olvidan que Rosas enfrentó a los ingleses a cañonazos. Creo que tuvo buenas relaciones mientras Inglaterra no tuvo una vocación de conquista del Río de la Plata, pero cuando llegó la Armada inglesa, la más poderosa del mundo, incluso aliada con Francia, su actitud fue otra. Esa flota traía los cañones más modernos, los primeros cohetes, una balística de la más alta generación. Venían con barcos de vapor, que podían remontar los ríos sin necesidad de depender de los vientos. Era la Armada de las dos potencias más grandes del mundo que llegaba para arrebatar nuestras tierras. Porque la intención era independizar la Mesopotamia. Hay que recordar que en esos tiempos se decía que el general Paz, que ha sido tan disculpado por nuestra historia oficial, iba a ser su primer presidente. Eso era lo que Florencio Varela había negociado. En esas circunstancias, Rosas se puso los pantalones, acompañado por el pueblo argentino, y los derrotó. Los barcos ingleses y franceses llegaron hasta el Paraguay en una expedición comercial con más de cien buques. Pero Rosas les provocó tantos desastres y tanto naufragio, que no les quedaron más ganas de volver.

F. P.: Un detalle interesante es el papel que cumple la burguesía terrateniente criolla, que está dispuesta a ceder a los ingleses el control del comercio pero no del territorio. Están de acuerdo con que los ingleses se hagan cargo de venderles las vaquitas, de comprarles los cueros, pero no están de acuerdo con que ocupen el territorio.

P. O.: Son los estancieros. Rosas tiene un proyecto capitalista, protocapitalista, dicho en términos modernos. La estancia es la ventaja comparativa que tienen las Provincias Unidas en relación con otros países. Rosas transforma a la Argentina en una gran estancia y esa estructura se mantiene hasta ahora. Y gobierna el país como si fuera un patrón de estancia. Uno puede seguir los cánones de su gobierno leyendo las "Instrucciones para los mayordomos" que escribió para el funcionamiento de sus propios campos.

F. P.: Con el complemento del saladero. El saladero es la primera actividad industrial del Plata, la primera empresa capitalista que paga salarios.

P. O.: Rosas fue un autócrata paternalista que le dio un lugar en la sociedad a la chusma, él iba a los festejos de los negros, bailaba los candombes con las mulatas, a los indios los trató muy bien, incluso él escribió de su propia mano un diccionario pampa para entenderse con los indios; a diferencia de lo que sucedía en aquella época, una sociedad absolutamente discriminatoria, Rosas trataba y jerarquizaba y le daba un espacio a la chusma y eso hay que reconocérselo. Cuando Urquiza invade el territorio nacional y se va gestando lo de Caseros, cuando la suerte ya está echada, lo que confiesa el entrerriano es que no recibía absolutamente ningún apoyo de la gente del pueblo, que se apartaban de ellos "como si tuvieran la peste", contará el general Iriarte en sus *Memorias*.

F. P.: Lo interesante de Rosas es que logra conformar un frente bastante extraño, una alianza de clases entre los más ricos y los más pobres.

P. O.: Rosas encara un principio de reforma agraria. Cuando hace la conquista del desierto entrega a los chacareros pobres las tierras más peligrosas que están en la frontera con el indio.

F. P.: Rosas combinó durante la campaña la conciliación con la represión. Pactó con los pampas y se enfrentó con los ranqueles y con la confederación liderada por Juan Manuel Calfucurá. Según un informe que Rosas presentó al gobierno de Buenos Aires, el saldo fue de 3200 indios muertos, 1200 prisioneros y se rescataron 1000 cautivos blancos. La campaña aumentó su prestigio político entre los propietarios bonaerenses, que incrementaron su patrimonio al incorporar nuevas tierras y se sintieron más seguros ante la amenaza indígena bajo control. Es una conquista bastante particular porque por un lado hay represión, pero por otro hay arreglos con los indios, además de los sobornos y los permisos para que los soldados se casen con las cautivas con la idea de poblar.

P. O.: Jerarquiza a los caciques, les reconoce autoridad y comparte con ellos alguna cuota de poder, en algo bastante parecido a las internas políticas de hoy. Son ellos, los caciques, quienes reparten los yeguarizos, el tabaco, la ginebra, es decir, afirman su autoridad con las prebendas que reciben del gobierno de Buenos Aires. Lo más reprobable de Rosas es la Mazorca, una especie de grupo parapolicial para asustar y controlar a la oposición, creado por su mujer, Encarnación Ezcurra, aunque, sin duda, con su anuencia.

J. G. H.: La conquista del desierto que hizo Rosas significó incorporar a la producción tierras que hasta ese momento permanecían casi inactivas. Los críticos le censuran lo mismo que después al general Roca: la forma violenta en que se hizo esa penetración. Lo más repudiable de Rosas es el terrorismo de Estado, es decir, el uso de la violencia como instrumento para impedir o castigar a la oposición, incluso para escarmentar a los propios partidarios y disuadirlos de eventuales rebeldías. Ya en 1831 él pide a los jueces de paz que le manden listas de los opositores con el detalle de sus propiedades. Se penaba con prisión a quien no denunciara la conversación de un tercero con un unitario y se crea la Mazorca, un grupo de asesinos profesionales cuyo jefe, González Salomón, tenía contacto directo con el Restaurador. Jinetes mazorqueros con ponchos colorados y cinta federal apresaban en las calles a las víctimas y la gente se cuidaba hasta de la delación de los sirvientes domésticos. Cuando se produce, años más tarde, el fracaso de la invasión de Lavalle, hay un mes en el que el terror se adueña de Buenos Aires y de todas las grandes ciudades. Son treinta días en los que aparecen cadáveres traídos por el río, y la gente de mañana se encuentra cadáveres degollados en las calles. Cuentan los cronistas que la gente no salía salvo para trabajar, cerraba las puertas, los postigos. El mismo embajador inglés se queja un día de que están rompiendo de noche las puertas y las ventanas de una casa vecina y entonces Rosas le dice que no se preocupe, que no hay errores, que no se equivocan en sus objetivos.

P. O.: Y le dice algo más. Le sugiere que se cuide, que no sea imprudente y le habla de las cuadras peligrosas que el diplomático suele caminar por las noches para visitar a una amante. Le da a entender que él sabía de esa relación clandestina gracias a su red de espionaje, basada en la lealtad de los negros y los sirvientes que hacían de espías de sus patrones y transmitían lo que escuchaban o lo que imaginaban al gobierno de Rosas.

F. P.: Yo creo que fue un verdadero terrorismo de Estado, un antecedente de terrorismo de Estado. Es interesante la frase que vos mencionabas, José Ignacio: "no hay errores". Me recuerda a aquella frase nefasta de la dictadura militar, "hubo errores y excesos", como si no se hubiera tratado de un plan criminal manejado desde el Estado. Llamaban "errores y excesos" a su *modus operandi*. Por lo menos, Rosas puede dar ciertas garantías de que no iba a haber errores.

J. G. H.: Y no hubo familia que no tuviera al menos una víctima, algo que pasó también en nuestra generación, durante la dictadura de Videla, tiempo en que mucha gente creía que esas cosas no ocurrían, pero sucedían. Mi tatarabuelo por línea materna fue degollado por los rosistas en Tucumán; y por línea paterna tengo otro antepasado ejecutado, en la misma época, por los mazorqueros. Son horrores que en algún momento la gente prefirió olvidar.

F. P.: Mucha gente no salía de su casa. Lo cuenta el propio Anchorena, primo de Rosas, que tenía miedo de salir de la casa, no sabía si a él también le iba a tocar en algún momento la degollina de la Mazorca.

J. G. H.: Y eso que Anchorena había sido uno de los impulsores. Anchorena es el que prohíbe las biblias protestantes, acusa a los judíos y a los masones, quema libros de Voltaire y pinturas con desnudos; clausura periódicos. Calificaba a todos los extranjeros de "herejes" y "liberales", pero no se privaba de comerciar con ellos. Ese estilo, basado en el antiguo odio al extranjero de los españoles, echó raíces muy profundas en nuestra cultura política.

F. P.: El decreto que transforma en obligatorio el uso de la divisa punzó es impulsado por Anchorena, fijate en qué términos: "Siendo la divisa punzó que llevan al pecho los amigos del orden y los restauradores de las leyes, un distintivo de su adhesión a la causa de los libres, que hace ostensible su oposición a los tiranos, que bajo el pretexto del régimen de unidad, pretenden sojuzgar a los pueblos, ha acordado su excelencia que no sólo la deben usar todos los empleados públicos, sino que también deberán propender a que la usen los discípulos de las escuelas".

P. O.: Anchorena es la persona por quien Rosas va a sentir más rencor en el final de su vida, a pesar de que fue él quien lo recogió en su infancia, cuando Juan Manuel abandonó su casa después de una disputa con su madre. Agustina Osorio, la madre, tenía un carácter muy fuerte. Después de esa discusión Juan Manuel decide abandonar el apellido y, antes de irse, dejó un papelito en el que decía: "renuncio a todo lo que me podría pertenecer". Renunció a la herencia de una familia rica como eran los Ortiz de Rozas. Los Anchorena, que son parientes, lo acogen en su seno. Rosas tiene una relación muy filial con ellos. Cuando llegó al gobierno tuvo algunas "gentilezas" con esa familia. Rosas fue absolutamente honesto en su gobierno, al punto de que ni sus mayores enemigos pudieron acusarlo de corrupción, pero, en cambio, favoreció a los Anchorena exceptuándolos de las levas obligatorias de peones para engrosar el ejército. Esto era una gran ventaja porque les permitía seguir produciendo. Pero los Anchorena, como hacen nuestros empresarios de hoy, ya que el dinero no tiene moral ni patria, inmediatamente después de Caseros se sentaron a conversar y a negociar con Urquiza. Encima no lo ayudaron en su exilio. Rosas se enfurece y, en una actitud casi infantil, les reclama que le paguen el tiempo que les administró gratuitamente sus estancias. Les manda mes por mes y año por año todo lo que le deben, más los intereses.

F. P.: Encarnación Ezcurra era de alguna manera la operadora política de Rosas.

P. O.: La Evita de Rosas.

F. P.: Sobre todo en la etapa en que Rosas se va del gobierno porque no le conceden la suma del poder público y parte a la conquista del desierto. Entonces Encarnación le manda una carta muy significativa a Juan Manuel donde dice: "Estamos en campaña para las elecciones, no me parece que las hemos de perder, pues en caso que por debilidad de los nuestros en alguna parroquia se empiece a perder, se armaría bochinche y se los llevaría el diablo a los cismáticos. Nada tendríamos que temer si no fuera la acción del gobierno legal, pero sus iniquidades lo han de hacer caer y para siempre. Las masas están cada día más bien dispuestas, y lo estarían mejor si tu círculo no fuera tan cagado, pues hay quien tiene más miedo que vergüenza, pero yo les hago frente a todos y lo mismo me peleo con los cismáticos que con los apostólicos débiles, pues los que me gustan son los de 'hacha y chuza'. Memorias de todos y un adiós de tu mejor amiga". Poco después la Ezcurra produce un hecho político muy astuto con el objetivo de derrocar al gobierno de Balcarce: la "revolución de los restauradores".

P. O.: La censura de prensa de Balcarse incluyó un diario rosista que se llamaba *El Restaurador*.

F. P.: Claro, *El Restaurador de las Leyes*.

P. O.: Encarnación y su gente aprovecharon la oportunidad para poner carteles en las calles con la leyenda "mañana se juzgará a El Restaurador", confundiendo a la gente con la idea de que se iba a juzgar a Rosas. Eso provocó un tumulto muy grande que terminó, como bien decías, con la caída de Balcarce.

F. P.: La relación entre Juan Manuel y Encarnación fue en un principio complicada. Los padres de ella se oponían a la relación e incluso inventaron que estaba embarazada para no pagarle la dote.

P. O.: Dicen que era muy fea de cara...

F. P.: Cuando a los padres de Encarnación les empieza a ir mal y Juan Manuel mejora su situación económica, logra comprar gran parte de las tierras de los Ezcurra, ejerciendo una especie de venganza por aquella dote que le niegan y lo mal recibido que fue en esa familia.

J. G. H.: Y cuando Encarnación muere, Rosas vive con una chiquilina de quince años.

P. O.: "Episodio higiénico", como dicen algunos historiadores.

J. G. H.: Episodios parecidos a los que van a pasar un siglo después...

P. O.: Eugenia Castro, la hija de un comandante del ejército de Rosas que se la entrega como ama de llaves. Con ella tiene cinco hijos. Pero, fuera de esto, Rosas no tuvo romances, fue hombre austero, no bebía, no fue mujeriego, no respondió al perfil del dictador tradicional.

F. P.: Salvo por sus gustos extraños, como el de tener bufones. Como Eusebio de la Santa Federación, "emperador de las Malvinas y la isla Martín García", tal el título que le da Rosas.

P. O.: Que los usaba para jorobar a los diplomáticos extranjeros. Encarnación muere bastante precozmente, y quien la reemplaza es su hija Manuelita, con la cual tiene una relación...

F. P.: De incesto.

P. O.: Que orilla el erotismo, según dice Rivera Indarte en las "Tablas de sangre", exagerando o inventando defectos. Cuando Manuelita se casa en el exilio, Rosas lo vive como una traición. A Ramón Guerrero, un chileno que lo va a visitar, uno de los pocos que lo hacen, le dice que su hija lo ha abandonado en el momento que más la necesitaba.

J. G. H.: A los que tenemos hijas a las que se les acerca un novio, ese es el único aspecto en que podemos comprender a Rosas... Charles Darwin y otro inglés famoso, Guillermo Enrique Hudson, visitaron la casa de Rosas y los dos dieron testimonio en sus memorias de la presencia de bufones, de la utilización de un humor denigrante y grotesco. Rosas inaugura un arquetipo de autócrata todopoderoso, dueño de vidas y haciendas (firmaba de puño y letra las sentencias de muerte), que incluye la tradición de exiliarse en Europa, precisamente en los países que durante su gobierno pregonaban combatir. Lamentablemente, hemos sido ricos en proveer modelos negativos a la literatura.

F. P.: Volviendo a Manuelita, me parece interesante hablar del rol que cumplía. Al morir su madre, mientras su hermano Juan, lejos del poder, administraba la estancia de la familia, Manuelita se convirtió en la "jefa de las relaciones públicas" del régimen, con oficinas en el palacio de Palermo. Imponía sus gustos, modas y colores y era la obligada intermediaria entre Rosas y quienes quisieran entrevistarlo. Hay una anécdota relatada por un visitante inglés, Samuel Green Arnold, a quien Rosas le presentó a Manuelita en estos términos: "Ésta es mi mujer, tengo que alimentarla y vestirla y eso es todo: no puedo tener con ella los placeres del matrimonio; dicen que es hija mía pero yo no sé por qué; cuando estuve casado teníamos con nosotros en la casa a un gallego y puede ser que él la engendrase. Se la doy a usted, señor, para que sea su mujer y podrá tener con ella, no solamente los inconvenientes sino también las satisfacciones del matrimonio". Manuelita, sonrojada, atinó a decir: "Mi padre trabaja mucho y cuando ve a alguna visita es como una criatura".

P. O.: Manuelita no logra evitar el fusilamiento de Camila O'Gorman.

J. G. H.: Manuelita no era la que impulsaba la violencia, más bien los testimonios de algunos exiliados de la época, como José Mármol, dicen que era una moderadora. No es el caso de Encarnación, la esposa, que mandaba apedrear y balear las casas de los opositores.

P. O.: José Ignacio, si hablamos de la violencia no podemos dejar de hablar de la violencia de la época, si no, estamos distorsionando la historia. El "octubre del terror" ordenado por Rosas, que mencionabas antes, es muy inferior a las doscientas y pico de personas que fusila Urquiza después de Caseros. La cuenta de aquel momento del terror de Rosas fue de sesenta y pico de muertos, lo cual es muchísimo, una barbaridad. Pero Urquiza, después de Caseros, mata más de doscientas personas. El general Paz, después de la batalla de Oncativo, toma al ejército contrario y mata uno de cada cinco: cuenta uno, dos, tres, cuatro, cinco, y a ése lo fusila. Eran épocas que nuestra historia oficial ha disculpado. ¿Y la violencia de Lavalle? Cuando le escribe a su esposa "nadie se mete conmigo por miedo, por terror, porque saben que cuando Lavalle ordena matar, matan a todos los que encuentren". Es decir, es una época violenta, no caigamos en la inocencia de nuestra historia oficial, donde parecería que el único violento fue Rosas.

J. G. H.: Pero no es lo mismo, Pacho, la violencia desde el gobierno que la que ejercen desde el llano los que luchan contra una tiranía. El gobernante que debe imponer la paz, el orden, la ley y utiliza los recursos y las fuerzas públicos para aniquilar a los opositores es un terrorista de Estado. El rosismo asesinó a dos mil víctimas políticas (es el promedio que calcula John Lynch) y provocó cinco mil exiliados. De todas forma yo no...

P. O.: Yo no niego el autocratismo de Rosas, el oprobio de la Mazorca, todos sus defectos. Por eso no soy rosista. Pero me parece estúpido no reconocer que al terminar su gobierno don Juan Manuel dejaba: 1) un país con sentido de nación y de soberanía que hasta ha recibido su bautismo: República Argentina; 2) un territorio sin exacciones y que de ahí en adelante sólo sufrirá pérdidas menores, como la cesión de las "Misiones Orientales" por parte de Urquiza; 3) un proyecto económico que nos proyectará en el capitalismo y nos dará un lugar y una función en la organización del mercado mundial: la estancia y la producción agropecuaria; 4) una clase baja, la plebe, que ya ha experimentado su protagonismo social y que nunca se resignará a perderlo, dando origen en el futuro a movimientos políticos y sindicales de envergadura. En cuanto al tema de la soberanía, José Ignacio, parecería que para vos el tema de su defensa por parte de Rosas no tiene ninguna importancia, lo único que te importa es el hecho de que Rosas era violento en una época violenta.

J. G. H.: Para mí son más importantes los derechos humanos internos que la defensa de una supuesta soberanía, sin duda.

P. O.: ¿Qué supuesta soberanía?

J. G. H.: La soberanía no está en el territorio ni en la defensa de un himno o de una bandera. La soberanía está en que los opositores sean respetados, que rija la ley, que la propiedad no se avasalle. Ésa es la verdadera soberanía...

P. O.: Ése es el pensamiento de Alberdi cuando justificaba la invasión anglo-francesa. En 1839, en plena ocupación extranjera, escribió en los diarios de Montevideo que su patria era la de la libertad, la igualdad y la fraternidad, y por eso su pabellón es el tricolor, que su bandera es la francesa.

J. G. H.: Él no dice que su bandera es la francesa, él dice que al 25 de Mayo lo inspiró lo Revolución Francesa... Unirse...

P. O.: No, no, no, nuestra bandera es la tricolor, lo dice claramente...

F. P.: Yo creo que hay dos soberanías: la soberanía popular, esto del respeto por el ciudadano, y la soberanía territorial. Las dos son válidas y sería deseable que vayan juntas. Lo que pasa es que lamentablemente no siempre han ido juntas. En el caso de Rosas prevalece la defensa de la soberanía territorial dejando de lado la soberanía popular, en algún sentido, en cuanto al ejercicio de los plenos derechos, la ciudadanía.

P. O.: Pero quién pensás que es más sensible a lo popular, ¿Rosas o Sarmiento?

F. P.: No tengo duda de que Rosas, si entendemos lo popular como una cuestión más cercana al populismo.

P. O.: Rosas, indudablemente. Sarmiento dice que lo único útil que tienen los gauchos es su sangre como abono de la tierra. Rosas, en cambio, escribe un diccionario pampa para entender a los indios. Hay una diferencia.

F. P.: Lo que pasa es que habría que ver objetivamente quién en definitiva terminó beneficiando más al pueblo: el que aparentemente tenía una práctica cotidiana popular o el otro que practicaba la educación popular y fundó ochocientas escuelas. No creo que sea necesario a esta altura optar por uno de los dos. Quizá la figura de Rosas nos caiga a algunos más antipática todavía porque ha sido reivindicado por lo peor del nacionalismo autoritario argentino. En la década del 30 la figura de Rosas fue utilizada como justificación de gobiernos autoritarios, el modelo del patrón que tenía que establecer la disciplina social. De alguna manera creo que Rosas quedó pegado a estas ideas que van a plasmar, por ejemplo, en el golpe del '30; ahí está Carlos Ibarguren en su famosa biografía de Rosas hablando del Juan Manuel bautizado en el mismo acto: militar y católico, esta unión entre catolicismo y autoritarismo tan grave en la historia argentina del '30 para acá, que ha justificado tantos horrores, no el nacionalismo bien intencionado sino el que ve en el autoritarismo la única forma de ejercer el poder.

P. O.: Habría que ver si la apropiación de Rosas por parte de la derecha autoritaria y católica es culpa suya o de la izquierda, que nunca se identifica con procesos nacionales. Basta con recordar su permanente divorcio con el peronismo, que sólo se rompió, en apariencia, cuando en los 60 y principios del 70 intentó coparlo e instrumentarlo. José Feinmann escribió un excelente libro sobre el tema.

J. G. H.: El nacionalismo de derecha efectivamente reivindica a principios del siglo XX a Rosas. Es una posición inspirada en los nacionalismos europeos —inglés, francés, alemán y español, ¡vaya paradoja!— que rechazan el modernismo, el cosmopolitismo, a la ciencia, el positivismo, y entonces buscan en el pasado un momento para idealizar. En España lo encuentran en la etapa de la monarquía de los Habsburgo; en Francia e Inglaterra lo ubican en la Edad Media, en el corporativismo. Los ideólogos nacionalistas argentinos rechazan la inmigración, la ven como una invasión, como una amenaza que trae valores materiales, utilitarios; y también buscan un pasado dorado. Como nosotros no tuvimos Edad Media, lo sitúan en Rosas, cuyo apoyo a los privilegios de la Iglesia y su discurso de rechazo a judíos y luteranos les permite identificarlo con Felipe II. Entienden que el Restaurador, que combatió la ciencia y el liberalismo, puede representar el patriarcado y el corporativismo medieval como los Habsburgo. Entonces idealizan al autócrata criollo, absolutista, partidario de la monarquía y el orden jerárquico, obsesionado por la subordinación. "Rosas nos hace amar la patria", imaginaron. Pero cuando un adolescente idealiza a un dictador y lo toma como modelo, a la larga se va a convertir en un déspota. Cuando un país joven idealiza la figura de un tirano en algún momento se va a realizar ese anhelo; es natural que esto se reproduzca. Es lo que pasó en el siglo XX, tuvimos a Uriburu, tuvimos el golpe del '43, tuvimos, en fin, dictadores militares, caudillos políticos. Esa idealización de la figura del tirano tratando de sacarle los aspectos negativos y viéndole los aspectos positivos (Hitler construyó caminos, pero en el balance es indefendible) puede servir para traer de nuevo a los autócratas. El debate sobre lo que es un tirano es algo que debe hacerse. Discrepo con vos, Pacho, en que en Caseros venció la ideología liberal. Triunfó en las armas, se dictó una Constitución republicana y vino la educación laica, gratuita y obligatoria, para alfabetizar e introducir el libre pensamiento, pero a través de esa enseñanza pública, después, a principios del siglo XX, el nacionalismo cultural reintrodujo valores militaristas y autoritarios.

P. O.: Vino un gobierno muy impopular, con la persecución de los caudillos, con la derrota del federalismo. Te voy a leer algo que es interesante, la opinión de los socialistas contemporáneos de Rosas. Es un discurso de Laurent d'Ardeche, un diputado socialista del Parlamento francés que en esos momentos está dominado por los chauvinistas, que son quienes mandan la invasión francesa al Río de la Plata porque desean tener presencia imperial y lavar el contraste que habían tenido en México por la oposición norteamericana. Dice: "No olvidemos que la guerra de los gauchos del Plata, es decir, Rosas y los suyos, contra los unitarios del Uruguay, es decir con los unitarios exiliados en Montevideo y también con los unitarios uruguayos, representa en el fondo la lucha del trabajo indígena contra el capital y el monopolio extranjero, y de este modo encierra para los federales una doble cuestión de nacionalidad y de socialismo. Los unitarios y sus amigos lo saben bien. Así, ved lo que dicen de Rosas. A sus ojos el jefe del federalismo es un vecino peligroso para Brasil a título de propagandista y libertador de los esclavos, a sus ojos si hay algo en las orillas del Plata que ofrezca analogía con las doctrinas de los revolucionarios y factores de barricadas, son las doctrinas y los actos del general Rosas". Este discurso es interesante porque tiene que ver con un hecho que nuestra historia oficial no registra, y es la invasión de la Armada francesa en 1839, anterior a la invasión francoinglesa, que se produce porque los franceses querían homologarse a ciertas prerrogativas que se habían ganado los ingleses, como la excepción al servicio militar. Además de la detención del cartógrafo Bacle, quien, al parecer, había dado datos muy necesarios para la invasión de la confederación boliviano-peruana, que fue una de las tantas guerras que tuvo que sostener el Río de la Plata. Llegó la Armada francesa y, nuevamente, se registra una gesta extraordinaria cuando el pueblo argentino la rechaza. Sí creo que hay dos errores de Rosas que son muy decisivos: uno, el fusilamiento de Camila O'Gorman, que lo persigue hasta el final de su vida. El otro es su resistencia a dictar la Constitución, su gran error político, que dio pretexto y consistencia a su derrocamiento.

F. P.: En el caso de Camila, además, se suele omitir que Rosas —a pesar de que él lo niega en una carta— fue influido tanto por los federales como por los unitarios; los unitarios de Montevideo aprovechaban el episodio de Camila a pesar de su supuesto progresismo para atacar a Rosas diciendo que las niñas de la sociedad se iban con los curas, fingiendo escandalizarse por la situación moral de la sociedad porteña. Es una postura hipócrita, contradictoria con su pensamiento de liberales románticos que estaban a favor del amor libre, y sin embargo hicieron lo posible para que la pobre Camila terminara muriendo.

P. O.: Estaban empeñados en demostrar que el gobernador Rosas era moralmente muy cuestionable. Y en esto la Iglesia también intervino.

F. P.: Sí, la Iglesia tuvo el papel protagónico, como se dice ahora, fogoneando para que la maten. Quería quitarse la "mancha" de que un sacerdote, el padre Uladislao Gutiérrez, se hubiera escapado con una niña de una de las familias más "respetables" de la sociedad de la época.

J. G. H.: Era la Iglesia que Rosas había utilizado y manipulado como un instrumento más del poder, tratándola como una rama de la burocracia. Las procesiones marchaban con el retrato de Rosas y recorrían las naves mientras se tocaba el órgano y se entonaban himnos. El obispo Medrano las recibía con ropas federales y desde el púlpito pedía que se apoyara al gobierno. En retribución, el tirano condenaba a los masones, heréticos e impíos, y los identificaba con los unitarios.

P. O.: Eran bastante masones.

J. G. H.: Después a Rosas le va a pasar con la Iglesia lo mismo que al dictador que tuvimos a mediados del siglo XX. Con la ejecución de Camila se va aglutinando la oposición y termina con la derrota en Caseros. En Pavón también triunfaron militarmente los liberales, pero a partir de 1908, con la campaña de educación patriótica realizada desde el Consejo Nacional de Educación para homogeneizar a los hijos de inmigrantes, retornaron las ideas autoritarias, el culto a los héroes militares y las veladas justificaciones a la dictadura y a las figuras providenciales. No sé si todavía el patriarcado, el orden caudillesco, ha sido erradicado de la cultura política argentina.

P. O.: La dictadura genocida del Proceso se hizo bajo el signo del libe ralismo. ¿O Martínez de Hoz y Cavallo son nacionalistas o populistas?

F. P.: Es que también entre los autodenominados liberales argentinos hay una gran dosis de autoritarismo.

J. G. H.: O de intolerancia.

F. P.: Mitre era un liberal bastante autoritario en sus procederes. Quiero decir, no es que terminado el rosismo se acabó el autoritarismo, los que vinieron después no fueron menos violentos.

P. O.: La resistencia de Rosas a dictar la Constitución también fue un tema significativo.

F. P.: Central.

P. O.: Él insistía en que si se dictaba la Constitución iba a volver la anarquía. Seguramente había una resistencia a abandonar el poder.

F. P.: Quiroga le había expresado a Rosas reiteradamente sus inquietudes sobre la necesidad de convocar a un Congreso y organizar constitucionalmente al país. Rosas le contestaba que no estaban dadas las condiciones mínimas para dar semejante paso y consideraba que era imprescindible que, previamente, cada provincia se organizase. En realidad a Rosas no se le escapaba que la organización nacional implicaba la pérdida para Buenos Aires del disfrute exclusivo de las rentas aduaneras, entre otros privilegios.

P. O.: Lo cierto es que después de Rosas vinieron muchos años de luchas, que mucho se parecieron a la anarquía que él temía. Lo que no puede dejar de reconocerse, más allá de sus defectos, es la arbitrariedad con que lo ha tratado nuestra historia oficial. Es de recordar una carta que Sarmiento escribe a Nicolás Avellaneda el 16 de diciembre de 1865: "Necesito y espero que su bondad me procure una colección de tratados federales, hechos en tiempos de Rosas, que los unitarios tan han suprimido después con esa habilidad con que sabemos rehacer la historia". Arbitrariedad o "habilidad" que alcanza también a los caudillos, a pesar de que casi todos fueron héroes de la Independencia y tuvieron conductas ejemplares. ¿Quieren un ejemplo? Ahí va: en la ciudad de Buenos Aires, capital de la República, no hay una sola calle que recuerde a Estanislao López, Francisco Ramírez o Juan Bautista Bustos. Hoy hemos discutido ardorosamente. En casos así se toman posiciones extremas, se pierde la elogiable ecuanimidad. Siempre digo que Rosas y Eva Perón, quizás el Che, son las personas por las cuales uno se puede seguir peleando a trompadas a pesar de los años pasados. Creo que tocan puntos del inconsciente colectivo nacional que no están para nada resueltos.

F. P.: Y confirman que la historia argentina está viva.

Domingo Faustino Sarmiento

EL PROYECTO DE PAÍS. EL POSITIVISMO. EL PROGRESO. LA LEY 1420. SARMIENTO-ROSAS. CIVILIZACIÓN O BARBARIE. LA MASONERÍA. DOMINGUITO SARMIENTO. AURELIA VÉLEZ.

PACHO O'DONNELL: A continuación nos ocuparemos de un personaje que se presta a la polémica, importantísimo en nuestra historia. A mi criterio, con enormes virtudes y enormes defectos.

FELIPE PIGNA: Sarmiento, un personaje notable, que forma parte del panteón de los próceres con el mote de "padre del aula". Lo han condenado a ser el gran educador de la Argentina, lo que me parece una injusticia porque hizo mucho más que eso. La educación fue su obsesión durante gran parte de su vida pero, además, se destacó como un gran polemista, un notable intelectual, uno de los grandes pensadores de la Argentina. Tenía opiniones muy categóricas, algunas realmente irritantes, lo que lo expuso y lo expone a críticas; algunas justas y otras injustas. Creo que muy pocos de los que lo elogian hasta la apología o lo denostan hasta la injuria se han tomado el trabajo de leer aunque sea parte de su riquísima obra intelectual, que consta de cincuenta y dos tomos.

P. O.: Aquello que pensaba lo decía o lo escribía, aunque fuese contradictorio con lo que había dicho o escrito poco tiempo antes. Tampoco le importaba quién se sintiera ofendido. Vos, José Ignacio, le dedicaste un libro.

JOSÉ IGNACIO GARCÍA HAMILTON: En mi libro lo llamé "el cuyano alborotador", porque así lo calificaron en Chile. Donde él estaba había bochinche, conflicto, debate. Pero "alboroto" viene de "albor", del alba que rompe las tinieblas de la noche y anuncia un nuevo día. Eso fue Sarmiento. Con defectos, con pasiones, con vehemencia, con la aspereza y el rigor que puede haber tenido en las relaciones personales, fue alguien que avizoró, que trató de divisar una nueva Argentina que rompiera definitivamente con el atraso, con los valores coloniales del mundo de su madre, doña Paula. Fue un hombre del siglo XX al que le tocó vivir en el siglo XIX.

P. O.: Se le puede reconocer que, bueno o malo, tuvo un proyecto de país, aquello de lo que carece nuestra dirigencia actual, que sólo parece distinguir los intereses del sector que representa.

J. G. H.: Ricardo Rojas tituló su biografía de Sarmiento *El profeta de la pampa*. No me gusta mezclar lo religioso con lo político (eso era precisamente lo que el sanjuanino rechazaba), pero fue un profeta, en cuanto miró hacia el porvenir; y un artífice, en cuanto fue construyendo con mandobles ese futuro. Nicandro Pereyra, un gran poeta argentino, dijo que su "vida fue una epopeya cruzada de ofuscamientos, un sinfín furioso con hambre de luz y libertad"...

P. O.: ¿Por qué la pampa si él venía de San Juan?

J. G. H.: Por la Argentina...

P. O.: Era un sanjuanino "encandilado por las luces del centro", como diría el tango. Según su propia definición, era "provinciano en Buenos Aires y porteño en las provincias". Tuvo una actuación destacadísima en la Legislatura de Buenos Aires con proyectos sobre temas municipales, como el ensanchamiento de las veredas, hasta se ocupó de defender el derecho de los animales, algo increíble para la época. Propuso que se prohibiera a los lecheros llevar a los terneros atados a la cola de las vacas, para evitar que se lastimaran el hocico.

F. P.: La pampa, por el odio al desierto. Él sostenía, con la generación del '37, que el mal radicaba en el desierto. Los hombres del '37 pensaban que uno de los peores males de la Argentina era el desierto, la tierra despoblada, baldía, que generaba, según Sarmiento, el espíritu de montonera; esos aislamientos geográficos provocaban el atraso, el surgimiento de caudillos autónomos, amos y señores de sus territorios. Aquí se ve en Sarmiento el determinismo geográfico, tan típico del pensamiento del siglo XIX, que planteaba que el medio hacía al hombre, que lo condenaba, lo predestinaba.

P. O.: Jauretche decía que una de las "zonceras" nacionales, y se la adjudicaba a don Domingo, era algo en lo que se insistía en aquella época: "el problema argentino es la extensión". En cuanto a lo que decís ahí está muy claro que a él no le gustaba cómo era su patria, ni tampoco quienes la habitaban. Lo dice en *Argirópolis* cuando propone mandar la capital a la isla Martín García. Cito textual: "A nadie se le ocultan los defectos que nos ha inoculado el género de vida llevado en el continente, el rancho, el caballo, el ganado, la falta de utensilios, como la facilidad de suplirlos por medios atrasados. ¡Qué cambio en las ideas y en las costumbres! Si en lugar de caballos fuesen necesarios botes para pasearse los jóvenes; si en vez de domar potros, el pueblo tuviese allí que someter con el remo olas alborotadas; si en lugar de paja y tierra para improvisarse una cabaña, se viese obligado a cortar a escuadra el granito".

F. P.: A mí me causa admiración su vehemencia política y el coraje para sostener sus ideas hasta las últimas consecuencias, porque además de ser un teórico fue un práctico, ejerció el poder con todo lo que eso implica, lo que le da un valor agregado por sobre, por ejemplo, ese otro genial teórico contemporáneo de Sarmiento que fue Alberdi. Pero no comparto muchas de las posturas políticas de Sarmiento, sus ideas reaccionarias y racistas, aun admitiendo que eran parte de la ideología de la época. El positivismo era la base ideológica de la mayor parte de los "bien pensantes" de aquel momento, la mayoría tenía estas ideas eurocéntricas, de desprecio por lo autóctono, por lo indígena, por lo criollo.

P. O.: El gaucho aparecía como obstáculo civilizador.

F. P.: Él veía en lo nacional, en lo popular, algo negativo. Estaba imbuido del espíritu de progreso que él situaba en Europa, particularmente en Francia, en Inglaterra y en los Estados Unidos, que era el país que más admiraba.

J. G. H.: Cómo va a despreciar lo popular el hombre que creó escuelas para los chicos...

F. P.: Me estoy refiriendo a lo autóctono entendido como local, como sinónimo de un atraso que justamente él combate con la educación popular.

P. O.: Sarmiento estaba convencido de que no se podía construir un país a la europea, que era lo que él entendía por "civilización", con los orilleros, los indios, los gauchos, los mulatos, que eran los reales pobladores de nuestro territorio. La gran incógnita de Sarmiento y de los que pensaban como él, continuadores de Rivadavia, era cómo deshacerse de esa "chusma". Alberdi, en el capítulo XV de *Las bases,* escribirá: "Haced pasar el roto, el gaucho, el cholo, unidad elemental de nuestras masas populares, por todas las transformaciones del mejor sistema de educación: en cien años no haréis de él un obrero inglés que trabaja, consume, vive digna y confortablemente". Ése era el pensamiento de muchos de nuestros prohombres, sobre todo de aquellos que vencieron en la guerra civil, los triunfadores de Caseros, de Pavón, de Cepeda, también de la guerra de la Triple Alianza. Sarmiento se conformará después con educarlos en vez de matarlos...

J. G. H.: Sarmiento es el impulsor en la Argentina de la educación popular. En *Recuerdos de provincia* dijo que, de todos los libros que él había escrito, el que más estimaba era *De la educación popular*; y, efectivamente, fue él quien implementó en Chile y en la Argentina la idea de formar maestras en Escuelas Normales y crear todo un sistema de educación pública, que en cinco décadas iba a llevar los niveles de alfabetización de la población del diez por ciento al ochenta por ciento. Cuando regresó de los Estados Unidos como presidente electo, expresó: "Vengo de un país donde la educación lo es todo, y por eso allí hay democracia; y mi programa va a ser tierras y escuelas, es decir, darle al gaucho un pedazo de tierra para que la trabaje y escuela para sus hijos". El hombre que decía que hay que enseñarles a todos lo mismo, para que todos sean iguales, y que puso en práctica ese proyecto, es alguien que quería a su pueblo. Allá por 1997, en los días en que se publicaba mi biografía sobre Sarmiento, una cuadrilla de obreros arregló varios mausoleos de la Recoleta, entre ellos el de Domingo Faustino. Cuando llegó el momento de pagarles, el paraguayo que dirigía a los trabajadores dijo: "No, por Sarmiento no cobramos. Porque por él nuestros hijos tienen escuelas". Alberdi (con pensamiento muy parecido al de Sarmiento, pero distinto en su temperamento) decía que había que traer gente europea que tuviera hábitos de industria y hábitos de libertad, porque la civilización no crece de semilla sino de gajo; había que injertarla acá...

F. P.: Ninguno de los dos, ni Sarmiento ni Alberdi, contó con una burguesía moderna progresista que los respaldase; estaban muy solos, porque estas ideas progresistas en Europa o Estados Unidos funcionaban porque había quien las bancara económicamente; en cambio, en la Argentina no pudieron fructificar. El proyecto de Chivilcoy impulsado por Sarmiento, una ciudad de pequeños y medianos propietarios en plena pampa húmeda, prácticamente sólo se logra extender a Mercedes. Los grandes terratenientes se oponen al reparto de tierras, a la pequeña y mediana propiedad, y siguen con sus latifundios, de manera tal que Sarmiento no tiene quién lo respalde con su modelo de *farmer* a la norteamericana.

J. G. H.: Él sostenía que había que luchar en contra del latifundio argentino y del minifundio europeo; fomentar las propiedades medianas, apegar el hombre a la tierra. Estaba en contra de la modalidad de los terratenientes criollos que se dedicaban solamente a la ganadería y al agro. Cuando se crea la Sociedad Rural de Buenos Aires, él estaba en los Estados Unidos como embajador y les manda a los fundadores de la flamante entidad una larga carta con informes sobre las mejoras en la agricultura de aquel país, exhortándolos a promover nuevos cultivos e industrias a partir de los productos agrícolas. Les decía que los norteamericanos no sólo producían cereales, algodón y maderas, sino que habían seguido con los metales preciosos y "aún les queda para el porvenir el hierro, el cobre y el carbón de piedra con que proveerán al mundo". Agregaba que producir un solo producto, "como nos sucede a nosotros, es muy inconveniente", y sugería la creación de "industrias agrícolas que aumentan la población, dando más valor a la tierra". Antes había calificado a los ganaderos de "aristocracia con olor a bosta, pues la riqueza les viene de la pujanza de los toros alzados de sus estancias" y no del trabajo disciplinado de la agricultura. A los productores los exhortaba a modernizarse y mejorar sus campos con su peculiar rudeza: "Alambren, no sean bárbaros". Domingo no pudo ir al colegio secundario ni a la universidad, pero fue un fanático de la ciencia, la tecnología, el utilitarismo. Era un adolescente cuando leyó la biografía de Benjamin Franklin y se identificó con ese personaje: había sido pobre y autodidacta, había trabajado con sus manos, luchado contra la opresión y desarrollado un invento como el pararrayos.

F. P.: En este sentido también es interesante el debate sobre las concesiones a los ferrocarriles británicos en el que Sarmiento opone al modelo vigente desde la presidencia de Mitre, que consistía en darles a los ferrocarriles cinco leguas a cada lado de la vía sin límite, y el siete por ciento de ganancias garantidas por el Estado, el modelo norteamericano que entregaba tierras alternadamente para no crear grandes latifundios. Estaba de acuerdo con entregar tierras a las compañías ferroviarias, pero en bloques intermedios de propiedad para pequeños propietarios con el objetivo de evitar el latifundio y los negociados con las tierras.

P. O.: A mí lo que más me gusta de Sarmiento es su visión de progreso, de futuro. Hay un trabajo de Horacio Reggini que muestra a un Sarmiento entusiasta impulsor del telégrafo, que es el equivalente a la Internet actual, pues es el avance tecnológico que permite, por primera vez, la transmisión de la palabra a distancia. Cuando Sarmiento deja el gobierno, la red de telégrafo se ha extendido por todo el país, intercomunicando a las zonas más alejadas y aisladas. Y tendió, además, el primer cable transatlántico. Lo inauguró el 5 de agosto de 1874 y decretó que ese día fuera feriado. En su discurso de inauguración se adelantó al concepto de "aldea global" de Marshall MacLuhan cuando envió un saludo a todos los pueblos "que se hacen por el intermediario del cable, una familia sola y un barrio". Pero no hay que confundir su concepto de "progreso" con el de "civilización", que consiste en negar nuestra raíz americanista y promover la experiencia de "injertar" Europa del otro lado del océano, hacer del argentino un híbrido económicamente inglés y culturalmente francés, con un tajante rechazo por las tradiciones cristianas e hispánicas. Esto aparece claro en aquella famosa frase de Alberdi: "Gobernar es poblar", siempre mal citada porque no se refería al fomento de la procreación autóctona ni a una correcta redistribución sino a que debía fomentarse la inmigración de europeos rubios y de ojos celestes para mejorar nuestra raza degradada, para que la Argentina se pareciera a Europa, no sólo en sus edificios y en sus costumbres, sino también genéticamente. Ese desprecio por lo nuestro, por la supuesta barbarie, es muy brutal en Sarmiento cuando le escribe a Mitre el 20 de septiembre de 1861: "No trate de economizar sangre de gauchos. Éste es un abono que es preciso hacer útil al país. La sangre de esta chusma criolla, incivil, bárbara y ruda es lo único que tienen de seres humanos". De otros integrantes de la plebe, los indios, escribirá: "Se les debe exterminar sin ni siquiera perdonar al pequeño, que tiene ya el odio instintivo al hombre civilizado".

J. G. H.: Nunca leí un texto de Sarmiento en el que dijera que a los indios hubiera que eliminarlos desde la cuna...

P. O.: *El Nacional*, 19 de mayo de 1857.

J. G. H.: Como todos los hombres progresistas de su generación, Sarmiento era positivista y estuvo influenciado por la obra de Carlos Darwin, *La evolución de las especies*. Cuando Darwin muere, Domingo pronunció en Buenos Aires una conferencia sobre sus ideas, que habían sido rechazadas por la Iglesia Católica e incluso por la Iglesia Anglicana y los sectores tradicionalistas británicos...

F. P.: Se rechazaba el darwinismo social, la aplicación a la sociología de la teoría de la supervivencia del más apto; en este caso, el hombre blanco.

J. G. H.: Se la rechazaba en la medida en que contrariaba la versión bíblica de la creación del universo y postulaba que el ser humano podía derivar de los monos. En este sentido, es cierto que los hombres de la generación del '37 subestimaban a los indígenas, rechazaban a la España de la Inquisición y pensaban que había que incorporar la civilización europea, es decir, las ideas de la Ilustración. En cuanto a la palabra "gaucho", en el siglo XIX tenía un significado distinto del actual. Cuando Sarmiento le dice a Mitre "no ahorre sangre de gauchos, es lo único que tienen de humano", está hablando de Urquiza, es decir de un empresario y ganadero muy rico. Gaucho quería decir marginal, delincuente o, políticamente, intolerante. Por eso a Rosas y a Urquiza (ambos muy ricos) les decían gauchos en este último sentido, es decir caudillos bárbaros, que no permitían el disenso.

P. O.: Para los unitarios de Buenos Aires "gaucho" era un insulto, parecido al actual de "negro de mierda", racista y discriminatorio.

J. G. H.: Después de ser presidente, Sarmiento cría a un indiecito adolescente en su casa y él personalmente le enseña a leer y a escribir...

P. O.: Era su amigo judío.

J. G. H.: La escuela pública lo canonizó como "padre del aula, Sarmiento inmortal"...

F. P.: ¿La madre nunca se conoció, verdad? La madre del aula, ¿quién habrá sido? Qué cosa nuestra historia de madres desconocidas, sólo padres de la patria, de la bandera, del aula...

J. G. H.: Ese mito fue negativo, porque, finalmente, los alumnos de las escuelas terminaron odiando a Sarmiento.

P. O.: Lo que se debe distinguir en don Domingo es su honestidad para reconocer que el mito que lo erigía como el alumno modelo era falso. En *Mi defensa*, que publica en 1843, acepta que "La plana —es decir la libreta de calificaciones— era abominable, tenía notas de policía —quiere decir 'conducta deficiente'—, me escabullía sin licencia y otras diabluras con que desquitaba mi aburrimiento". En su defensa habría que señalar que iba a una escuelita rural cuya enseñanza llegaba a tercer o cuarto grado, o sea que muy posiblemente Sarmiento fuera obligado a repetir el último con las consecuencias inevitables.

J. G. H.: En *Recuerdos de provincia* cuenta sus aventuras de estudiante, cuando encabezaba una patota de alumnos que peleaba con piedras y palos contra los chicos de los otros barrios de San Juan.

F. P.: Tenía una escuela al lado de su casa, mal podría faltar.

J. G. H.: En el otro extremo del mito escolar, a principios del siglo XX, apareció un movimiento nacionalista de derecha que rechazaba la modernidad y el laicismo y añoraba las tradiciones católicas de la Colonia... Este movimiento nacionalista está conformado, paradójicamente, por algunos hijos de inmigrantes que quieren integrarse tratando de retornar a los valores coloniales, y rechazan los aportes del laicismo, el cientificismo y la modernidad propulsados por Sarmiento. El catolicismo tradicional alimentó ideológicamente estas corrientes, acaso como una revancha por haber perdido el monopolio de la educación, y se desarrolló una gran campaña para mostrar a Domingo Faustino como antinacional, antigaucho, genocida. Estos sectores nacionalistas, muchos de cuyos integrantes en algún momento se hacen fascistas e incluso nazis, van a alcanzar un gran predicamento cultural y, con el golpe de 1943, ocupan el Ministerio de Educación a través de Gustavo Martínez Zuviría, que escribía con el seudónimo de Hugo Wast. El 31 de diciembre de ese año, el gobierno militar dictó un decreto restableciendo la educación religiosa católica en las escuelas. La campaña contra Sarmiento tuvo mucho éxito y el hombre que sembró de escuelas el país, que introdujo en ellas el libre pensamiento y logró alfabetizar a la República, pasó a ser calificado de antipopular y genocida, mientras se glorificaba a los héroes militares. Pero la personalidad del cuyano fue tan fuerte y está tan viva que pudo resistir la solemnidad escolar y las condenas de los autoritarios. Como dijo Jorge Luis Borges en un poema, Sarmiento "camina noche y día entre los hombres, que le pagan (porque no ha muerto) su jornal de injurias o de veneraciones".

F. P.: Yo creo que no hay por qué quedarse con uno de los dos, me parece que Sarmiento tiene de las dos cosas, tiene la cualidad de educador popular que nadie le va a negar, nadie le puede quitar las ochocientas escuelas que funda como tampoco todo su trabajo en la educación popular, lo que hace en Chile, los viajes y todo esto.

P. O.: Tampoco el observatorio astronómico de Córdoba, el fomento de los adelantos en la agricultura, el poblamiento del Tigre y la instalación de la industria del mimbre. Él fue quien plantó la primera varilla de mimbre en el Delta, una planta originaria de los Andes. Y dijo en ese momento, "si nada queda de mí en este lugar, que quede claro, que yo, el 8 de septiembre de 1855, planto con mis manos el primer mimbre que va a fecundar el limo del Paraná, deseando que sea el progenitor de millones de su especie, y un elemento de riqueza para los que lo cultiven con el amor que yo le tengo". Fue, además, un gran escritor.

F. P.: Y, a su vez, tiene concepciones realmente muy reaccionarias, con algunos calificativos racistas.

P. O.: Sarmiento es piedra fundacional del proyecto de país que concibe a la Argentina solamente viable si se ata a los intereses de la potencia de turno. Padece de una profunda desconfianza en las propias fuerzas, en los propios recursos. En la actualidad Sarmiento sería un apasionado propugnador de una sujeción a los Estados Unidos y a los organismos internacionales.

F. P.: A mí me parece que debemos entender que es una persona totalmente contradictoria, que ha hecho mucho por la educación popular, al terminar su presidencia 100.000 niños cursaban la escuela primaria, es el impulsor nada menos que de la ley 1420; como superintendente de escuelas de Roca es el que lleva adelante la ley que va a ser resistida por la Iglesia.

P. O.: ¿Por qué entra en conflicto con la Iglesia, además de por ser masón?

F. P.: Porque, cuando propone la ley 1420, la Iglesia se siente atacada ya que, de alguna manera, hasta ese momento monopolizaba la educación, lo que, además de un beneficio ideológico, le reportaba un beneficio económico, porque las escuelas eran pagas. La Iglesia perdía demasiado con la ley 1420, que establecía la educación gratuita, obligatoria y laica.

P. O.: Sarmiento coincide con Rivadavia en que la educación en manos de la Iglesia dificulta el proceso "civilizador". Nuestra Iglesia siempre ha sido hispánica y le cabía la repugnancia que ellos sentían por todo lo que tuviese un tufillo ibérico. Recordemos que Alberdi propuso sustituir el español por el francés como idioma nacional. Cuenta Paul Groussac que en un discurso que pronunció Sarmiento en Montevideo, en la Escuela Normal de Mujeres, calificó a las monjas de la Santa Unión de los Sagrados Corazones como "filoxeras de la educación", que es un bicho que se come la raíz de la vid. Y las llamó "hermanas de caras feas, aldeanas y labriegas en su tierra" que con "sus formas de mortaja no pueden servir para educar damas y señoritas".

J. G. H.: Porque la educación religiosa es dogmática, no permite la discusión ni el disenso, que son los elementos que hacen avanzar a las ciencias positivas. Hasta Sarmiento, la educación estaba en manos de la Iglesia Católica, pero como los sacerdotes eran pocos y había que pagarles, los argentinos alfabetizados no pasaban del diez por ciento. El sanjuanino quiso incorporar el libre pensamiento a las escuelas públicas...

P. O.: Importa maestras norteamericanas, no casualmente protestantes.

J. G. H.: Eso le achacó la Iglesia Católica... pero él no las trae porque fueran protestantes sino porque había que formar maestras argentinas en las escuelas normales que se estaban fundando. Alguien tenía que enseñarles a ser docentes. Sarmiento introduce a la mujer en la educación porque decía que los hombres creamos leyes pero las mujeres crean hábitos.

F. P.: Coincidiendo con Belgrano, que sostenía algo muy parecido sobre el papel de la mujer en la educación.

J. G. H.: Belgrano también condenaba la ociosidad de los argentinos, señalaba que era un mal endémico y que era necesario traer hábitos europeos, porque la cultura del trabajo estaba en Europa. Aunque la India y China eran países milenarios y de gran sabiduría, no tenían la cultura del trabajo que se valoraba en el siglo XIX. Alberdi, concretamente, pensaba que había que traer anglosajones, que eran los que tenían "hábitos de industria y de libertad", como se decía entonces. Sarmiento decía que las leyes que creamos los hombres suelen violarse; en cambio, los hábitos que forman las mujeres se cumplen mucho más. Por eso quería mujeres como maestras, y para formarlas trajo a las maestras norteamericanas.

P. O.: Eso se parece bastante a los argumentos de que los negros y los indios no sirven para el trabajo porque "son vagos", cuando no se entiende por qué deberían esforzarse en beneficio de amos y patrones que los explotan y los maltratan secularmente. Lo mismo pasaría con los sojuzgados hindúes y chinos. ¿Vos no estás de acuerdo con que a Sarmiento se le fue la mano con su europeísmo?

J. G. H.: No, más bien pienso que se quedó corto.

P. O.: Sarmiento no escribió "las ideas no se matan", como nos enseñaron en la escuela, sino *on ne tue point les idées*.

J. G. H.: Escribe "las ideas no se matan" cuando marcha al exilio en tiempos de Rosas. Otro aspecto admirable de Sarmiento es que luchó contra la dictadura...

P. O.: Lo escribe en francés, no me parece reprochable, pero reconozcamos que indica algo.

J. G. H.: También es admirable que un hombre que no tuvo educación sistemática haya aprendido francés con el diccionario y con tres meses de clases. El inglés lo aprendió igual y nunca supo pronunciarlo...

P. O.: El problema es que aprende francés en contra de lo propio, para sentirse superior a los gauchos, a los criollos.

J. G. H.: ¿Lo propio es lo indígena o lo español? ¿Qué es lo propio? El conocimiento no es en contra de nadie sino a favor del crecimiento...

P. O.: Sarmiento proponía la extirpación de todo lo que fuera español. Si hubiera sido por estos pensadores, hubieran prohibido el idioma castellano. En la actualidad, él no habría mandado sus hijos a un colegio bilingüe sino a uno donde se enseñase solamente inglés.

J. G. H.: ¿Vos les prohibís a tus hijos que estudien inglés o francés?

P. O.: No, no, estoy señalando otra cosa.

J. G. H.: *Language is power*, el lenguaje es poder, decía un personaje del norteamericano James Baldwin, un notable escritor que vivió en París y fue discriminado por ser negro y homosexual. No es real que Sarmiento hubiera sido partidario de eliminar el castellano. Cuando llegan los inmigrantes y en Buenos Aires hay escuelas para chicos italianos que enseñan en italiano, y en Entre Ríos, en las colonias judías, se enseña en ídish, Domingo Faustino discrepa y, con su habitual vehemencia, participa en una campaña para que no se les permita utilizar idiomas extranjeros. Es el momento en que habla con sorna de los "bachichas" e, incluso, tiene alguna expresión descomedida contra los hebreos y dice que en las escuelas públicas sólo debe enseñarse en castellano. Es la época en que empieza a hablarse del "idioma nacional". Esta actitud, vista desde la actualidad, me parece criticable, porque saber dos o más idiomas es mejor que hablar sólo uno. Hoy se promueve en todo el mundo el multilingüismo; y en ciertas zonas de Santiago del Estero se enseña en quichua, afortunadamente, porque alquien que sabe castellano (o "castilla", como se dice en Santiago) y además quichua es más completo que quien habla sólo una lengua. Yo le hago críticas a Sarmiento, pero no las del nacionalismo tradicional.

P. O.: No se trata de criticar el bilingüismo sino un proyecto que se continúa hasta nuestros días, de un país que, supuestamente, no tiene viabilidad si no es colgándose de los intereses de las potencias y de las instituciones poderosas, sin capacidad de buscar en las propias características, en las propias tradiciones, en las propias riquezas, en las propias culturas. Eso es lo más reprochable de Sarmiento y de todos los que hasta hoy abonaron su concepción de "civilización o barbarie", que lamentablemente son los que nos han gobernado casi siempre salvo algunos años de Yrigoyen y de Perón. No comprendieron, aun aceptando lo arbitrario de su calificación, que el problema no debía plantearse como "civilización o barbarie" sino como "civilización y barbarie" buscando la síntesis de lo mejor de lo ajeno con lo mejor de lo propio. Lo que había que hacer con los gauchos no era usarlos de abono de la tierra sino integrarlos en el proyecto tomando lo más positivo de ellos, su amor a la tierra, su coraje, su lealtad, su rebeldía, su cultura, aquella que José Hernández aprovecha para construir nuestro poema nacional, aunque la intelectualidad extranjerizante, "civilizada", de Buenos Aires aún no reconozca en el *Martín Fierro* una obra mayor.

J. G. H.: Sarmiento decía que nuestra tradición era la Inquisición española, es decir, quemar al que tiene otra religión... La tradición nuestra es el fanatismo, decía; la religión única, forzosa, oficial; la tradición nuestra es la universidad dogmática, escolástica, donde se enseñan los cánones y no puede discutirse, disentir; por eso hay que buscar en otras fuentes, sostenía. Tampoco es cierto que él va a abrevar en Europa, porque él prefiere mucho más el modelo norteamericano. Él decía que el catolicismo había progresado en los Estados Unidos porque no podía perseguir a nadie, porque allí no tenía teas para quemar a los disidentes. Cuando él visita por primera vez a los Estados Unidos, dice que hay que tomar varias cosas de allí...

F. P.: Él se enamora de Estados Unidos y de ese modelo que, como señalaba, acá no tiene apoyo, porque es un modelo basado en el salario, en el mercado interno, más moderno, más industrial. Sarmiento llegó a Nueva York en mayo de 1865. Acababa de asumir la presidencia Andrew Johnson en reemplazo de Abraham Lincoln, asesinado por un fanático racista. Sarmiento quedó muy impresionado y escribió *Vida de Lincoln*, y siendo un autodidacta frecuentó los círculos académicos norteamericanos y fue distinguido con los doctorados "Honoris Causa" de las universidades de Michigan y Brown. En *Argirópolis* expone un proyecto para crear los Estados Unidos del Sur, uniendo la Argentina, Uruguay y Paraguay con una nueva capital en la isla Martín García. Ahí adelanta algunos temas que intentará concretar durante su presidencia: fomentar la inmigración, la agricultura y la inversión de capitales extranjeros.

P. O.: El problema se produce cuando se trata de imponer un modelo y no se hace asco de utilizar la fuerza para ello; recordemos cuántas provincias intervinieron militarmente Mitre y Sarmiento durante sus presidencias, sin hacer un mínimo esfuerzo en adaptar ese sistema a características propias.

J. G. H.: Con su modelo de educación pública, Sarmiento logra un éxito singular, que va a ser celebrado mucho más allá de nuestras fronteras. Posiblemente ningún país del mundo ha tenido los éxitos que la Argentina tuvo en la educación primaria. En 1915 ya teníamos al ochenta por ciento de la población alfabetizada, porcentaje que no habían alcanzado países europeos como España, Italia, Polonia, Irlanda o Portugal. Hasta 1940, la Argentina fue uno de los países del mundo que más gastaba en educación por habitante. En la

América hispánica (y también en el Estado norteamericano de Massachusetts) se celebra el día del maestro el 11 de septiembre, día en que murió Domingo Faustino. Y Sarmiento logró todo eso pese a las resistencias de la Iglesia Católica y de los sectores conservadores de su época.

P. O.: Pienso cuál habrá sido la importancia de que Sarmiento fuese masón.

J. G. H.: Sarmiento fue masón. En Valparaíso ingresa en la masonería y, luego, cuando llega a Buenos Aires, después de su exilio durante el gobierno de Rosas, se incorpora a la masonería porteña e incluso, en la actualidad, en el templo de la masonería en la calle Perón todavía hay un estrado de madera tallada, donde me comentaron que se sentaba Sarmiento. Cuando llegó a la presidencia de la República fue agasajado con una cena por la Logia Constancia, en la que anunció que renunciaba a la masonería para dedicarse por completo a su función de gobernante. Dijo allí que la masonería no atacaba la religión, pero que para tranquilizar a los timoratos que creían eso, prefería alejarse. Cuando dejó el gobierno se incorporó a otra Logia, donde contó como secretario con Leandro Alem.

P. O.: ¿Por qué muere en el Paraguay?

J. G. H.: El invierno húmedo de Buenos Aires era peligroso. El riesgo de la pulmonía estaba muy presente.

F. P.: Se fue a buscar un clima mejor, aparentemente por motivos de salud.

P. O.: ¿Para qué enfermedad puede ser mejor el clima del Paraguay? Él tenía problemas cardíacos y respiratorios.

J. G. H.: La gente de Buenos Aires se iba en invierno a Rosario de la Frontera, en Salta, donde había aguas termales, y también al Paraguay...

P. O.: Seamos serios, no es creíble que Sarmiento, ya anciano, se haya desplazado al Paraguay por motivos de salud. Salvo que su médico haya sido alguien que lo odiaba o haya sido sobornado por algún enemigo de don Domingo.

F. P.: Buscaba el calor, probablemente.

J. G. H.: Se buscaba un mejor clima, con más sol. Cuando yo era chico, en Tucumán, la gente mayor decía que el que pasaba agosto vivía un año más. Era un éxito sobrevivir al invierno y a los cambios bruscos de clima que ocurrían en agosto. La pregunta que me hago es cómo un hombre que apoyó la guerra contra el Paraguay...

F. P.: Su único hijo, Dominguito, murió en el Paraguay, en el combate de Curupaytí.

J. G. H.: Parece que los paraguayos, o por lo menos una parte de la sociedad paraguaya, lo recibieron muy bien por su labor a favor de la libre navegación de los ríos, según le contó en una carta a su nieto. Desde Asunción, le mandó a Adolfo Saldías el epitafio que quería para su tumba, que decía "una América toda, asilo de los dioses todos, con lengua, tierra y ríos para todos", y pidió que lo enterraran con las banderas paraguaya, argentina, chilena, uruguaya y norteamericana. Los amigos paraguayos le regalaron un terreno donde empezó a construir una casa de las llamadas isotérmicas, con paredes dobles para lograr buenas temperaturas en el interior. Tenía setenta y ocho años y le escribió a su amiga Aurelia Vélez Sarsfield para invitarla a que pasara una temporada con él: "Venga pues a la fiesta. Gran espectáculo: ríos espléndidos, lagos de plata bruñida, el Chaco incendiado, música, bullicio y animación. Venga, que no sabe la bella durmiente lo que se pierde de su... Príncipe Charmant".

P. O.: Él la llamaba "la casa elegante". Durante meses preparó la fiesta de inauguración. Le escribe a Saldías, que estaba en París, le cuenta que va a haber fuegos artificiales y luces de bengala y le dice que lamenta no haber podido encontrar titiriteros y fantoches para hacer más memorable la fiesta. Una gran fiesta que él califica como "noche de orgía, por el gasto y el brillo de las luces". Poco después murió. Minutos antes de expirar pidió que lo ayudaran a darse vuelta porque quería ver el amanecer. Es notable esa foto de Sarmiento muerto, sentado en su sillón.

F. P.: Es una silla muy especial, con una especie de atril de lectura.

P. O.: Tiene que ver con su carácter, esperar la muerte sentado, nunca acostado... Recién se hizo referencia a Dominguito, con quien Sarmiento nunca tuvo una buena relación, lo que, a la postre, lo hará sentir culpable. Esto me parece mucho más atractivo, psicológicamente, a fin de entender la elección del Paraguay para morir.

F. P.: No queda muy claro si Sarmiento fue el padre o no de Dominguito; existe una sospecha respecto de esto, porque él se casa con la madre de Dominguito, con la que noviaba o tenían relaciones mientras esta señora estaba con su pareja constituida.

P. O.: Es decir, ella queda embarazada de Sarmiento cuando su marido era Domingo Castro y Calvo, un señor anciano que además era su tío. Qué lío de parentescos.

J. G. H.: Benita Martínez Pastoriza, que así se llamaba la mujer, había sido amiga de Sarmiento en la infancia sanjuanina. Cuando Domingo va a Chile se reencuentra con ella, que en ese momento está casada con un hombre mayor y enfermo. De pronto, se anuncia que ella está embarazada y los comentarios afirman que el padre de la criatura podría ser Domingo. A los pocos años muere el marido y ella se casa con Sarmiento, que adopta al chico y le da su apellido. En mi libro incorporo una carta que demuestra que, durante el anterior matrimonio de ella, ya tenían relaciones. Por eso pudo haber sido también un hijo biológico y no solamente adoptivo.

P. O.: Pero el chico se queda muy enredado en las peleas de los padres, él tomó claramente partido por la madre. Él era quien airadamente le reclamaba dinero a Sarmiento, porque nuestro prócer no les pasaba la mensualidad.

F. P.: La "cuota alimentaria".

J. G. H.: Cuando Sarmiento estaba como gobernador en San Juan, su esposa le embargó el sueldo para asegurarse una suma por alimentos. Como Domingo Faustino administraba unos bienes que habían pertenecido al primer marido de Benita, su hijo Dominguito le envió una carta en la que le pedía que le devolviera la facultad de administración. "Usted nos está haciendo morir de hambre a mí y a mi madre, esa prostituida según usted, cuyo nombre lo deshonra, pero cuyo dinero lo mantiene." Algo muy triste.

P. O.: Muy fuerte.

F. P.: Durísimo.

P. O.: Vos me contaste, Felipe, sobre un Sarmiento nocturnal rondando la tumba de Dominguito.

F. P.: Como hemos visto en la película *Su mejor alumno*, Dominguito muere en la guerra del Paraguay, en Curupaytí; fue uno de los treinta mil argentinos que murieron allí.

P. O.: Murió como Aquiles, desangrado por una lesión en el talón.

J. G. H.: Efectivamente.

F. P.: Luego Sarmiento siente un profundo dolor, escribe la *Vida de Dominguito* y queda muy conmovido por su muerte. Aparentemente la tristeza nunca se le va.

J. G. H.: Posiblemente tenía cargo de conciencia, porque cuando ocurre este divorcio, esta separación tan dramática, tan tremenda entre Benita y Sarmiento, el hijo queda con la madre. Durante los cuatro años siguientes Sarmiento no lo ve, porque se va desde San Juan directamente a Chile, cuando lo designan como embajador. Renuncia a la gobernación, no termina su mandato, se siente fracasado como gobernador porque no ha impulsado la minería, porque no ha podido crear todas las escuelas que quería y porque, además, ha tenido este problema con su esposa. Se siente humillado porque su esposa tiene un amante. Entonces cruza la cordillera hacia Chile y no quiere volver a Buenos Aires para no ver a Benita. Le pide a Mitre, el presidente de la Nación, que la haga regresar a Chile, se va a Estados Unidos y no ve más a su hijo. Es curioso, pero una tradición familiar cuenta que varias décadas después, cuando llegó a Buenos Aires el cadáver de Sarmiento desde Asunción y lo llevaban desde el puerto hacia la Recoleta para enterrarlo, Benita, que estaba en una casa de la Calle Larga de la Recoleta (actual Quintana), pidió que la dejaran sola en un cuarto que daba a la calzada. El cortejo fúnebre pasó por allí, y cuando un indiscreto entró en la habitación, la encontró llorando.

P. O.: Sarmiento inaugura la serie de nuestros presidentes aprobados, alguno designado directamente como Levingston, por los Estados Unidos, porque es nombrado cuando está volviendo de Estados Unidos.

F. P.: Se entera en el viaje.

P. O.: Como anécdota es sugestiva. ¿Qué pasa con la amante de Sarmiento?

F. P.: Aurelia Vélez.

P. O.: Araceli Bellotta le ha dedicado un libro interesante. Aurelia era hija de Dalmacio Vélez Sarsfield, del que siempre se debe decir "el redactor de nuestro Código Civil". Vélez Sarsfield fue, además, ministro del Interior de Sarmiento, al que le reconoce los méritos de la extensión de la red telegráfica en su discurso de inauguración del cable transatlántico.

F. P.: Se dice que el atentado que sufre Sarmiento en agosto de 1873 se produjo cuando iba en su carroza a la casa de su amante. Iba en su carruaje y es interceptado por dos italianos, Francisco y Pedro Verri, hombres de López Jordán que atentan contra su vida. Sarmiento estaba un poco sordo, tanto que ni siquiera se entera del atentado; después le cuentan lo que ha sucedido.

P. O.: "Señor, acaba de explotar una bomba al lado suyo." Después le cuentan que las balas estaban envenenadas y que de sólo haberlo rozado le habrían causado la muerte. Dicen que cuando supo esto contestó: "Si me hubiesen sólo rasguñado, mis enemigos habrían dicho que me morí de miedo".

J. G. H.: Él iba casi todas las noches a cenar a la casa de Dalmacio Vélez Sarsfield, su amigo, su ministro del Interior, que vivía con su hija Aurelia. La relación con Aurelia era algo conocido. Si había alguien que despreciaba las convenciones, alguien poco victoriano, ése era Sarmiento.

F. P.: Había una notable diferencia de edad.

J. G. H.: Podía ser la hija. Cuando Sarmiento regresa de su exilio en Chile, vuelve sin su esposa y ahí comienza el romance con Aurelia, que acaba de separarse de su marido luego de un escándalo tremendo. El esposo había asesinado al amante de ella y había huido a Chile. Ella vivió hasta 1924 en la calle Libertad entre Juncal y Arenales, en una residencia que ella hizo construir y todavía existe. Esa relación fue la causa de la crisis matrimonial de Sarmiento, aunque su esposa también hizo lo suyo. Benita tuvo un "affaire" por el cual el sanjuanino se sintió humillado. Cuando volvió de Estados Unidos como presidente, él reinició su relación con Aurelia. Pero no vivieron juntos. Recordemos que no había divorcio ni siquiera matrimonio civil. Durante los años en que Domingo estuvo en Estados Unidos como embajador, Aurelia y Lucio V. Mansilla trabajaron en Buenos Aires a favor de su candidatura.

F. P.: Mansilla proclama la candidatura.

P. O.: Luego le reprochará que no le dio ningún cargo en el gobierno.

J. G. H.: Cuando Lucio V. va con la lista de un posible gabinete en la que se había incluido a sí mismo como ministro de Guerra, Sarmiento le respondió: "Usted y yo somos locos, Mansilla. Y juntos seríamos insoportables".

P. O.: Mansilla siempre cargó con la cruz de ser sobrino de Rosas. Vos, José, jamás le hubieras dado ningún cargo a don Lucio V. por ser pariente del "tirano sangriento".

J. G. H.: No creo que Sarmiento hubiese discriminado a Mansilla por razones de parentesco. Antes había restituido al padre de Benjamín Victorica, notorio rosista, su jubilación. Cuando Nicolás Avellaneda y otros hijos de fusilados por federales le recriminaron, les contestó: "Ustedes están puros porque aún no han servido para nada". Domingo era realmente extravagante, original. Durante su presidencia, fue a visitar el manicomio y vio que un grupo de internados conversaba en un patio. Uno de ellos, como si fuera un delegado, se acercó y le dio una singular bienvenida: "Por fin, señor Sarmiento, lo tenemos entre nosotros". Creían que lo habían internado.

P. O.: A mí me fastidia que el bello monumento a Sarmiento, obra nada menos que de Auguste Rodin, esté ubicado justo donde estaba la casa de Rosas, me parece que eso es una afrenta no sólo contra Rosas sino también contra Sarmiento, pues eso significa que lo que nuestra historia reivindica de él es su oposición al federalismo, que a mi criterio es lo más cuestionable del sanjuanino. Dicen, además, que hicieron un estudio para determinar en qué lugar exacto estaba la habitación de don Juan Manuel, y en ese punto pusieron el monumento.

F. P.: El monumento está muy perdido.

P. O.: Entre los matorrales de Palermo.

F. P.: Cerca del de Caperucita Roja.

P. O.: Podría haberse buscado un lugar que tuviera menos que ver con el rencor entre unitarios y federales, al frente de alguna escuela que él inaugurara o donde él hubiese expresado un discurso fundamental sobre el progreso argentino.

F. P.: Quizá lo hayan puesto allí por el parque Tres de Febrero, que él inaugura y que también es toda una venganza histórica. Le pone Tres de Febrero, la fecha de la batalla de Caseros.

P. O.: La gente sigue llamándolo Palermo, quizás sea una toma de partido. Además la avenida Sarmiento de hoy era la avenida de las Palmeras, sobre la que estaba la casa de Rosas, otra afrenta contra el sanjuanino. Encima, al monumento a Rosas inaugurado hace poco lo pusieron en diagonal, y ahora están los dos mirándose desde sus pedestales.

J. G. H.: Hablando de estatuas, la de Sarmiento esculpida por Rodin no se le parece mucho. Paul Groussac cuenta que visitó al escultor en París y se lo hizo notar. Pero Rodin le contestó: *"C'est ça comme je le vois"*, "Es así como yo lo veo".

P. O.: Algo así como: él tendrá que parecerse a mi estatua, para eso soy francés y él es apenas argentino.

J. G. H.: Le resultaría un personaje lejano, sin demasiado interés. A lo mejor ni miró bien los retratos que le dieron.

P. O.: Rodin había esculpido esa maravillosa estatua de Balzac y de ahí en más las hizo todas parecidas, de manera que Sarmiento parece mellizo de Balzac...

J. G. H.: No es el caso de la famosa estatua que Bourdelle hace del general Carlos de Alvear, que es una obra maestra. Cuando llega, los militares la ponen elevada en la plaza Francia.

P. O.: Está demasiado elevada, fuera de escala.

J. G. H.: Porque consideraron que era humillante para un militar tan distinguido estar al nivel del suelo. Pero Bourdelle la había hecho para estar prácticamente en una hondonada, como la tumba de Napoleón en Los Inválidos.

F. P.: Mirando para abajo.

P. O.: Además tiene que ver con que muchos querían que Alvear fuera el prócer nacional. Vos, José Ignacio, contribuiste con eso al opinar que San Martín era su hermanastro ilegítimo. Su nieto Torcuato de Alvear fue el primer intendente de Buenos Aires; su biznieto, Marcelo, presidente de la Nación, o sea que estaban todas las condiciones dadas para entronizar a don Carlos María. Pero fue Mitre quien propuso leer mejor nuestra historia y reconocer a don José, aunque hubiese sido el gran perdedor en los entremeses políticos de su época.

F. P.: Ésta es la estatua más linda que tiene Buenos Aires, independientemente de a quién represente.

P. O.: Además la más valiosa, varios millones de dólares. Hablemos del odio de Sarmiento hacia Rosas.

F. P.: Lo odiaba profundamente.

P. O.: Llega al punto de insistir que la Patagonia era chilena para crear un conflicto internacional que perjudicara a Rosas. En 1851, en el periódico *Sud América* escribe, y esto es textual: "¡Emigrado en boca de Rosas! ¡chochea aquel infeliz! ¡No parece sino que hubiera encontrado la horma de sus zapatos! La cuestión de Magallanes con tanta jactancia promovida, con tanta humildad retirada, fue el primer contraste que su altanera y querellosa diplomacia sufrió en América. Al Brasil le cuesta hoy diez millones de duros hacerse respetar, en las infinitas cuestiones semejantes promovidas y sostenidas con una insistencia cada vez más agresiva. A Chile no le costó el librarse de aquella majadería, ni cambiar una nota". Y termina el artículo diciendo que Rosas es ya "un toro completamente jugado. Faltará echarle los perros o ponerle banderillas de fuego, como a bicho vil y aplastado".

J. G. H.: Sarmiento está en el exilio en los tiempos de Rosas. No conozco a ningún exiliado que ame al dictador que lo ha llevado al destierro. Se le podría preguntar a todos los exiliados del '76 al '83 si aman a Videla, a Viola o a Galtieri.

P. O.: No conozco a ninguno de los que tuvimos que exiliarnos entonces que afirmara que el Brasil tenía derechos sobre las provincias del Litoral.

J. G. H.: No, pero cuál es la relación de un exiliado...

P. O.: No se justifica bajo ningún concepto que, por razones políticas, alguien hiciera campaña, como la hizo Sarmiento en *El Progreso* de Chile, para que un país extranjero se apropiase de la mitad de nuestro territorio. Aunque eso no era infrecuente entre los unitarios, ya que Florencio Varela propondrá a británicos y franceses la constitución de la República de la Mesopotamia con la fusión de Corrientes, Entre Ríos y lo que es hoy Misiones, además de una porción del Paraguay.

J. G. H.: Creo que ésa es otra falsedad sobre Sarmiento. Cuando está en Chile promueve desde el diario *El Progreso* que se funde una población sobre el estrecho de Magallanes para fomentar la navegación. Se fundó entonces Punta Arenas, que está sobre el Pacífico. Varios años después Rosas presentó una protesta por ello, invocando derechos argentinos sobre el estrecho de Magallanes. Cuando Domingo llega a presidente, Chile pretende derechos sobre la Patagonia, pero Sarmiento contesta que la existencia de Punta Arenas sobre el estrecho no le otorga primacía sobre las zonas patagónicas. La oposición, entonces, habla de un Sarmiento entregador de territorios...

P. O.: Las consecuencias fueron que el 21 de septiembre de 1843 la Armada chilena tomó formal posesión del estrecho de Magallanes. Don Domingo Faustino escribirá seis años después sin ningún arrepentimiento: "En 1842, llevando adelante una idea que creímos fecunda en bienes para Chile, insistimos para que colonizase aquel punto. Entonces, como ahora, tuvimos la convicción de que aquel territorio era útil a Chile e inútil a la Argentina". Esto lo publicó *La Crónica* de Santiago de Chile, el 29 de abril de 1849. El artículo continuaba: "Quedaría aún por saber si el título de erección del Virreinato de Buenos Aires expresa que las tierras del sud de Mendoza entraron en la demarcación del Virreinato, que a no hacerlo Chile pudiera reclamar todo el territorio que media entre Magallanes y las provincias de Cuyo". Nuestra historia oficial, tan arbitrariamente severa con algunos, nunca pidió cuentas sobre este gravísimo asunto.

J. G. H.: Sarmiento tiene otras cosas criticables, pero no ésa.

P. O.: Reconozcamos lo bueno, pero también lo malo.

F. P.: Para mí lo que está en debate es si se puede llegar para combatir una dictadura a asociarse con un país extranjero. Éste es un tema recurrente en nuestra historia, ¿hasta dónde uno, por una cuestión política local, puede aliarse con sectores políticos extranjeros?

P. O.: La voluntad de Sarmiento era crearle un conflicto internacional a Rosas.

J. G. H.: Yo no creo eso. Quería defender la navegación pues toda su vida promovió los transportes y las comunicaciones.

P. O.: Por otra parte, recordemos que Sarmiento había asumido entusiastamente la nacionalidad chilena, con declaraciones altisonantes en *El Progreso*, dirigidas a los argentinos que vivían del otro lado de los Andes: "Chile es nuestra patria querida. Para Chile debemos vivir. En esta nueva afección deben ahogarse todas las antiguas afecciones nacionales". ¿Son imaginables Dorrego, López, San Martín, Rosas, Artigas, escribiendo cosas semejantes?

J. G. H.: El conflicto lo crea Rosas, que también lo busca con Bolivia, con Uruguay, con Inglaterra y con Francia. Conozco pocos casos de dictadores del siglo XIX o del XX (uno puede ser Pinochet) que no hayan procurado conflictos con el extranjero, porque el dictador...

F. P.: El conflicto les convenía a los dos dictadores, tanto a Pinochet como a Videla, para exaltar el "espíritu patriótico" y convalidar el modelo represivo y de exclusión social que venían desarrollando en sus respectivos países.

J. G. H.: Pero no es Pinochet el responsable del conflicto. Igual lo tiene; en general todos los dictadores tienen que mantener movilizada a la población; primero la movilizan contra un enemigo interno, es decir, el sector opositor y en algún momento buscan un enemigo externo.

F. P.: Yo no estoy tan seguro. Quería comentar, además, que Sarmiento en 1869 concreta el primer censo nacional y los datos estadísticos que arroja son muy esclarecedores para ver qué país encuentra cuando llega a la presidencia. La Argentina tenía por entonces 1.800.000 habitantes de los cuales el 31 por ciento habitaba la provincia de Buenos Aires y el 71 por ciento era analfabeto. El 5 por ciento de la población estaba constituida por indígenas y el 8 por ciento por europeos, es decir que todavía no había llegado la gran oleada inmigratoria. El 75 por ciento de las familias vivía en la pobreza, en ranchos de barro y paja, y solamente el 1 por ciento de la población era profesional.

P. O.: Felipe, ¿qué es lo que tenía Sarmiento que te gustaría que en la actualidad tuvieran nuestros dirigentes, tanto públicos como privados?

F. P.: Creo que lo que suelen tener entre las piernas los varones.

P. O.: Pelotas.

F. P.: Sí, como para llevar adelante, hasta las últimas consecuencias, las ideas y un proyecto de país, bueno o malo, pero un proyecto de país en el que se sea consecuente con lo que se dice y promete hasta el final. Desde el gobierno, Sarmiento intentó concretar proyectos renovadores como la fundación de colonias de pequeños agricultores en Chivilcoy y Mercedes. La experiencia funcionó bien, pero cuando intentó extenderla se encontró con la cerrada oposición de los terratenientes porteños y dijo: "Quieren que el gobierno, quieren que nosotros que no tenemos una vaca, contribuyamos a duplicarles o triplicarles su fortuna a los Anchorena, a los Unzué, a los Pereyra, a los Luros, a los Duggans, a los Cano y los Leloir y a todos los millonarios que pasan su vida mirando cómo paren las vacas".

P. O.: Pelotas hasta para meter la pata bien metida.

F. P.: La honestidad, esa cualidad que escasea tanto entre los que hacen política profesional en la actualidad; la honestidad intelectual, la honestidad económica, no robar al Estado.

J. G. H.: Sarmiento no tuvo casa propia hasta después que fue presidente. A mí lo que me gusta de Sarmiento es su pasión por la educación, la creencia de que la educación regenera, que la educación mejora. Como escritor es admirable por la belleza de sus descripciones y la riqueza de su pensamiento. Su sintaxis era descuidada, acaso sus datos poco precisos porque solía citar de memoria, pero sus narraciones eran maravillosamente coloridas y su pensamiento original, creativo y contundente. Sus síntesis eran demoledoras y conservan actualidad: "civilización y barbarie", "educar al soberano". Fue un conspirador por la prensa, como él mismo se definió, un constante difusor de ideas, un abanderado de la ciencia, el progreso, el libre pensamiento y la innovación. Logró alfabetizar a la mayoría de la población, pero lamentablemente, a través de ese maravilloso instrumento de ascenso social que fue la educación pública, que él creó, en el siglo XX se empezaron a promover contenidos regresivos, xenófobos, militaristas. Cuando se intentó homogeneizar a los hijos de inmigrantes mediante una enseñanza legendaria, volvió el dogmatismo bajo la forma de un patriotismo mal entendido, que terminó con el disenso, fomentó las aventuras totalitarias y disminuyó el espíritu científico.

Bartolomé Mitre

EN LA ESTANCIA DE LOS ROSAS. MITRE-SARMIENTO. CEPEDA Y PAVÓN, MITRE-URQUIZA. LA MASACRE DE CURUPAYTÍ. LOS "CORONELES DE MITRE". LA CONSTRUCCIÓN DEL ESTADO NACIONAL. LA GUERRA DE LA TRIPLE ALIANZA. MITRE, HISTORIADOR Y PERIODISTA.

FELIPE PIGNA: Hoy vamos a hablar de don Bartolomé Mitre, un personaje multifacético: historiador, militar, político, periodista y presidente.

PACHO O'DONNELL: Y en todo se destacó. Veremos si se destacó bien o se destacó mal.

F. P.: En primera fila, protagónico absoluto. Nació en junio de 1821. A los catorce años le sucede algo curioso e interesante: su padre lo manda a trabajar a una de las estancias de Rosas, *El Rincón de López*, que en ese entonces estaba regenteada por Gervasio Rosas, uno de los hermanos del Restaurador. Parece que el joven Mitre no lograba adaptarse a la disciplina que imponía don Gervasio, y finalmente Juan Manuel de Rosas manda de vuelta a Bartolito con una carta donde le dice al padre: "Aquí le mando a este caballerito que no sirve ni servirá para nada, porque cuando encuentra una sombrilla se baja del caballo y se pone a leer".

JOSÉ IGNACIO GARCÍA HAMILTON: Hay otra anécdota interesante de esos tiempos, que Mitre, al parecer, contó en su vejez. Gervasio Rosas lo había enviado a efectuar unas tareas y, en el camino, el jovencito se encuentra con un río crecido. Está a punto de cruzarlo cuando un jinete bien montado, de buena presencia, le pregunta: "¿Qué estás por hacer, chiquilín?". "Voy a cruzar el río, señor." El hombre le dice que por ahí es peligroso y le indica que lo siga, mientras costea el río. Luego de varios metros, se detiene y le muestra un vado más favorable. Al despedirse, exclama: "Decile a Gervasio que no sea bárbaro, que dice su hermano Juan Manuel que no se manda a un chiquilín a cruzar el Salado de este modo". Es decir que Juan Manuel de Rosas le salvó la vida a Mitre, quien durante la tiranía marchó al exilio y luchó desde allí contra su régimen. En algún momento, Bartolomé dijo: "Odio a Rosas porque ha sido el verdugo de los argentinos y porque a causa de él he debido hacerme militar y dejar la literatura". Su vocación era la vida intelectual, las letras. Fue poeta, novelista, historiador, tradujo *La divina comedia*, de Dante Alighieri. Además fue legislador, artillero, general y presidente de la República. Una figura notable.

F. P.: Lucio V. Mansilla dijo, cuando se enteró de que Mitre estaba traduciendo *La divina comedia*, de Dante Alighieri: "Está muy bien, los gringos se merecen eso y mucho más".

P. O.: Empezó a escribir y a publicar a muy corta edad. Tenía dieciséis años cuando aparecieron en *El Diario de la Tarde* de Montevideo sus primeras poesías. Y, poco después, hasta se atrevió a entablar una polémica con Francisco Acuña de Figueroa, el autor del Himno Nacional uruguayo. El padre de Bartolomé no sabía cómo disculparse con Acuña de Figueroa, entonces le mandó una carta diciéndole que "no se rebaje hasta entrar en contestaciones con un imberbe que acaba de cumplir 16 años".

J. G. H.: Mientras era presidente de la Nación traducía a Longfellow; y además tenía tiempo para ser consejero sentimental por correspondencia de su amigo Domingo Faustino Sarmiento, quien era gobernador en San Juan y vivía una tremenda crisis conyugal porque había descubierto que su esposa le era infiel.

F. P.: Tenía un amante...

J. G. H.: Y estaba embarazada. Según las cartas que encontré en el Museo Mitre e incluí en mi libro *Cuyano alborotador*, Bartolomé le aconseja no condenar a su esposa por cosas que él también había hecho, le sugiere con serenidad y grandeza retornar al hogar "triste y frío" donde acaso ya no encuentre tibieza, pero donde podrá criar a su hijo Dominguito.

P. O.: Sarmiento envidiaba el matrimonio de Mitre. En una carta desde Yungay, Chile, le dice: "¡Cuán feliz debe ser su esposa! Yo no he dado a la mía, hasta hoy, sino penas que devorar". Después, sin embargo, Mitre con el tiempo se levantará en armas contra Sarmiento.

J. G. H.: Sí.

P. O.: Esas vueltas de la historia. Una de las últimas medidas que tomará Sarmiento como presidente será firmar la detención de Mitre en Luján. Es interesante también la polémica que bastantes años antes de eso ambos sostienen sobre la poesía. Como vos decís, José Ignacio, Mitre amaba la poesía, su autor favorito era Alfred de Musset, y se dice que aún en su ancianidad se le llenaban los ojos de lágrimas cuando leía "Souvenir". Sarmiento, siempre temperamental y práctico, acusaba a los poetas, y digo textual, de "malgastar sus fuerzas intelectuales en ornamentaciones inútiles y en monólogos sublimes pero estériles".

F. P.: Era un pragmático y tendrá un problema con Echeverría por subestimar el valor de la poesía, incluso usa el término "poeta" como un calificativo despectivo.

P. O.: Mitre le responde que se puede ser poeta y hombre de acción, o mejor, que la buena poesía siempre es acción. Trae a colación la historia o leyenda de cuando Esparta, en guerra con los mesenianos, pide ayuda a Atenas. Ésta envía un poeta, Tirteo, armado sólo con su lira. Sucede entonces que los versos del poeta, cito textual, "encendieron el entusiasmo en todos los corazones y templaron la fibra viril del pueblo abatido por la derrota, que voló con decisión a la batalla". Y sigue dando ejemplos, habla de la lira de Anfión, que movió las piedras para levantar los muros de Tebas, y de Orfeo, que durante la expedición de los argonautas domesticó a las amenazantes fieras con sus inspirados versos. Es curioso comprobar que dos personas tan ocupadas como Mitre y Sarmiento encontraban tiempo para polemizar sobre poesía. ¿Es eso imaginable en alguno de nuestros últimos presidentes o ministros? Mitre citará también a Napoleón, quien habría dicho que de vivir Corneille lo hubiese nombrado primer ministro.

F. P.: Mitre era un gran polemista, a punto tal que a su diario lo llama *Los Debates*. Tenía esa tendencia a discutir, y va a ser un hombre muy polémico durante su gestión en la presidencia.

P. O.: Le deja su lugar como presidente a Sarmiento, tanto es así que éste es nombrado como tal cuando está fuera del país; hay por lo menos una autorización de don Bartolomé para que lo sustituya.

F. P.: En 1868, cuando terminó su período presidencial, se declaró prescindente en cuanto a apoyar a un sucesor, dejándole de esta manera el campo libre a Sarmiento. Mitre, por su parte, fue elegido senador por Buenos Aires y en 1869 compró el diario *La Nación Argentina*, fundado por Juan María Gutiérrez en 1862 y lo convirtió en *La Nación*, cuyo primer número salió a la calle el 4 de enero de 1870, mientras se libraban los últimos combates de la guerra del Paraguay, con una tirada de mil ejemplares.

P. O.: Después Sarmiento lo va a traicionar. Nuestra historia de aquella época parece un drama de Shakespeare.

J. G. H.: Cuando Mitre está por finalizar su presidencia, los dos candidatos a sucederlo son Rufino de Elizalde y Sarmiento. Para mostrar su prescindencia, don Bartolo los nombra ministros a los dos, pero Domingo Faustino no quiere volver de los Estados Unidos, donde estaba como embajador. Sarmiento pensaba, acaso con cierta dosis de paranoia que lo caracterizaba, que el verdadero candidato del presidente era Elizalde. Como además era muy temperamental, muy fogoso, muy personalista y egocéntrico, cuando es elegido y asume el mando se pelea con Mitre. En realidad, Sarmiento se peleaba con casi todas sus relaciones. Cuando era joven y todavía vivía en San Juan, Domingo Faustino le había enviado uno de sus versos a Alberdi para que lo criticara y a éste no le gustó mucho. No se lo perdonará jamás. Volviendo al Mitre poeta, incluyó en su libro *Rimas* un poema sobre un viejo guerrero de la independencia titulado "El inválido":

> *¿Dónde están mis camaradas*
> *del Cerrito y Ayacucho*
> *que mordían el cartucho*
> *con indomable valor?*

¿Dónde están? Tal vez ahora
duermen en la tumba helada,
o piden con voz quebrada
"Una limosna, por Dios".

P. O.: Humm... esa rima de Ayacucho y cartucho...

F. P.: Hizo bien en seguir como político, ¿no?

J. G. H.: Ustedes son muy severos como historiadores, pero como críticos literarios son todavía más exigentes.

F. P.: Lapidarios, lapidarios.

P. O.: Mitre fue el autor de la que se considera la primera novela boliviana, escrita cuando estaba exiliado en Bolivia, titulada *Soledad*. La escribe en la hacienda de Cebollullo, con doble elle...

J. G. H.: No digas malas palabras, Pacho.

P. O.: Es la hacienda del entonces presidente de Bolivia, Ballivián, seguimos con la elle, con quien establece una sólida amistad. La tradición dice que el argumento de la novela está basado en un asunto amoroso de don Bartolomé con una de las hermanas de Ballivián. En unas de sus poesías parece referirse al mismo tema cuando se despide: "Adiós, sueño querido que me halagó un instante / Cuando soñé despierto que un corazón amante / Vibraba a la par del mío su armónico compás", y sigue en ese tono romántico, casi barroco. En lo militar, Mitre alcanza el grado de teniente coronel del ejército boliviano y es nombrado primer director del Colegio Militar. Entra también en acción en octubre de 1847 para conjurar una sublevación en contra de su amigo Ballivián. Es decir, don Bartolomé era alguien signado para destacarse siempre, en cualquier actividad, en cualquier lugar.

F. P.: Acá hemos dicho varias veces que Belgrano no fue un buen militar, pero qué le queda a Mitre, quien prácticamente no ganó una batalla en su vida. Como militar fue bastante desastroso.

P. O.: Estás hablando de la guerra de la Triple Alianza.

F. P.: Y también de Cepeda y de Pavón, en Cepeda una derrota y en Pavón gana porque Urquiza se retira. De su intento de campaña al desierto vuelve prácticamente desnudo y sin la tropa, caminando y sin los caballos. Se insiste en calificarlo de general Mitre, como si fuera una gloria militar, que no es. Yo creo que se destaca por otros aspectos de su personalidad pero no justamente por lo militar.

P. O.: Lo de Pavón fue el 17 de septiembre de 1861. La caballería porteña formaba en dos alas: la derecha, al mando del uruguayo Venancio Flores, y la izquierda conducida por Hornos. La urquicista también se desplegaba en dos alas comandadas por Galarza y por Saá. Ésta ataca y provoca el desbande de la caballería mitrista. La infantería porteña, en cambio, a cuyo frente va Paunero, obtiene mejores resultados pero es finalmente contenida por la infantería del urquicista Francia. La batalla está definida, pues bastará con que la caballería de Urquiza, que regresa de perseguir al enemigo, ataque a la infantería rodeada para lograr la inevitable rendición de don Bartolomé. Pero de pronto, sorprendentemente, don Justo José da orden de retirada y, dirá José María Rosa, el entrerriano se alejará, cito textual, "indiferente, tranquilo, glacial, como un personaje ajeno a lo que acaba de producirse".

J. G. H.: Se va al trotecito hasta el Rosario, como dicen algunas crónicas que coinciden con esa interpretación. La de que el verdadero triunfador podría haber sido Urquiza, pero que habría optado por retirarse.

P. O.: ¿Qué hipótesis tenés, José Ignacio? Hay quienes dicen que intervino la masonería, a la que ambos jefes pertenecían, para decidir el triunfo de Mitre.

J. G. H.: Yo no le quito mérito a Mitre en su aspecto de general. Para poder llegar a gobernar Buenos Aires en ese momento había que tener fuerza política y prestigio militar. Mitre no venía de una familia tradicional, no tenía riqueza heredada ni prosapia prestada, sino que era un joven estudioso, trabajador y perseverante, que se había distinguido como artillero y por sus méritos en el exilio. Era partidario de las nuevas ideas liberales, amigo de las luces, un intelectual y político que se había destacado en Buenos Aires, que era una capital bastante cosmopolita y animada. Si llegó a ser el jefe militar de Buenos Aires, debo suponer que en ese aspecto sus condiciones no podían ser desdeñables...

F. P.: Yo hablaba de los resultados concretos. Más allá de las especulaciones me parece que su actuación militar deja mucho que desear. Volviendo a Pavón, hay algo con lo que se especuló mucho, el supuesto soborno a Urquiza para que abandonara el campo de batalla. No sé si esto es así, no hay de hecho ninguna confirmación, pero está claro que a Urquiza le conviene ese resultado porque conserva la provincia de Entre Ríos y queda en buenas relaciones con Buenos Aires. Esto le va a permitir hacer buenos negocios; por ejemplo, durante la guerra del Paraguay se transforma en uno de los principales proveedores del Ejército Nacional. Gracias a su buena relación con Mitre es uno de los grandes proveedores del Estado y esto le posibilita acrecentar aún más su fortuna y mantener su feudo de Entre Ríos por bastantes años.

P. O.: Cualquiera que va a Entre Ríos y conoce el Palacio de San José y las demás propiedades de Urquiza, se da cuenta de que gozó de una extraordinaria bonanza económica.

J. G. H.: La estancia y saladero de Santa Cándida, muy cerca de Concepción del Uruguay, que hoy funciona como hotel de turismo histórico, muestra también la potencia empresarial y creativa que tenía Urquiza, un hombre muy rico y muy emprendedor. Hasta tuvo un ingenio azucarero en Tucumán en sociedad con Baltasar Aguirre.

P. O.: Una de sus tantas empresas.

F. P.: Si hubiera ganado en Pavón habría perdido todo al poco tiempo, porque lo habrían tenido que derrocar. Seguramente se habría quedado sin nada.

J. G. H.: Ahí podemos ver también la serenidad, la grandeza de Mitre. A su lado, como ministro, estaba el impulsivo, el fogoso Sarmiento, que le manda la carta donde le pide, para Urquiza, "Southampton o la horca". Le está sugiriendo que lo mande al exilio o lo fusile.

P. O.: Southampton es donde está exiliado Rosas. Al vencedor de Caseros se lo compara con su derrotado. El problema de ambos es que no aceptaron la hegemonía de los doctores liberales de Buenos Aires, ambos eran gauchos díscolos. No en vano Urquiza se manifestará arrepentido de haberlo derrocado a don Juan Manuel y será el único

171

que le enviará una suma de dinero considerable para paliar las penurias de un exilio miserable.

J. G. H.: Domingo Faustino decía que Urquiza venía de la tradición federal, que era un caudillo autoritario que se iba a constituir en el nuevo tirano.

F. P.: Y "gaucho", que era una mala palabra.

J. G. H.: Mitre adopta una actitud muy madura, muy serena. Lo deja a Urquiza tranquilo en Entre Ríos, le permite que desarrolle su actividad empresarial y que ejerza el poder político provincial; en los hechos sigue como gobernador hasta que es asesinado.

F. P.: Es la garantía de la pacificación del interior, por lo menos ésa era la función que le asigna Mitre después de Pavón, dejar a Urquiza como vínculo con el resto de las provincias, con las que el entrerriano conservaba una buena relación desde la Confederación, y así mantenerlas en paz y obedientes al poder porteño.

P. O.: La consecuencia de eso, a la larga, es el asesinato.

F. P.: Efectivamente, porque era una misión imposible. El descontento en el interior era muy grande y se van a multiplicar las rebeliones como la del Chacho Peñaloza y la de Felipe Varela. Todo esto le complica la vida a Urquiza y lo lleva derecho a la muerte.

F. P.: El abrazo del oso es cuando Sarmiento va a visitarlo a Entre Ríos.

P. O.: La gente de Urquiza se siente traicionada, piensa que se ha vendido a Buenos Aires.

J. G. H.: Después de Pavón, Mitre manda las fuerzas nacionales al interior para "arreglar las situaciones provinciales", como se decía eufemísticamente en la época. Es entonces cuando Sarmiento va con las tropas de Paunero y es elegido gobernador de San Juan. Tengo la impresión de que también en lo militar don Bartolo era un jefe como quería Sarmiento, es decir un oficial que aplicaba los conocimientos científicos, los instrumentos modernos, los largavistas...

P. O.: Lo que los textos militares le reconocen a Mitre es su condición de organizador. Por ejemplo, la logística de la guerra de la Triple Alianza era de una complejidad extraordinaria, mover esos enormes ejércitos y garantizar sus suministros bélicos, sus alimentos, su transporte. Eran los tiempos en que el número de combatientes era decisivo, como en la Guerra de Secesión norteamericana o en el proceso de la unificación alemana.

F. P.: Procesos contemporáneos.

J. G. H.: En el desastre de Curupaytí, en la guerra del Paraguay, que es una de las críticas que se le hacen a Mitre, hay autores que lo defienden y explican que lo que fracasa allí es el ataque frontal contra la fortaleza.

P. O.: Mitre le echará la culpa al almirante brasileño Tamandaré, jefe de la escuadra aliada, quien debía bombardear la fortaleza para debilitar la defensa y abrir brechas en sus murallas. La operación fue un sospechoso fracaso que provocará el relevo del derecho argentino a comandar las fuerzas aliadas. Las fuerzas de la Triple Alianza contaban con 17.000 hombres, 9000 argentinos y 8000 brasileños, de los que 10.000 perdieron la vida en esa masacre. Los defensores sólo perdieron 92. Los brasileños tendrán menos problemas para reemplazar las pérdidas pues el emperador Pedro II ordenará al vizconde de Paranaguá comprar esclavos en gran escala. Para Mitre, en cambio, el asunto traerá serias complicaciones y deberá soportar algunas sublevaciones provinciales en contra de la guerra.

J. G. H.: 4000 muertos aliados y 92 paraguayos es la cifra que da Miguel Ángel De Marco. Fue una tragedia, una masacre. Pero hay quienes dicen que Mitre había pensado hacer un ataque por los flancos, y contaba con el asedio naval de Tamandaré. Como dice Nicholas Shumway, lo notable en Mitre es la diversidad de facetas de su personalidad. Es posible que no fuera el mejor en todo, pero...

F. P.: Antes hablabas, José Ignacio, de los instrumentos que usaba Mitre durante la guerra, uno de los cuales era la tortura. Tenía bajo su mando a esos famosos coroneles como Paunero, por ejemplo, que tiene una calle en un lugar muy elegante de Buenos Aires y Paunero era un gran torturador. Estos coroneles de Mitre que llevaron adelante las campañas represivas contra Peñaloza y Varela desarrollaban verdaderas *razzias* contra las poblaciones civiles usando métodos de tortura como el chaleco, que era aplicarle a la víctima un poncho de cuero crudo sin curtir, tipo matambre, y cuando se iba secando desgarraba al pobre desgraciado. Había cantidad de métodos muy brutales contra los opositores políticos. No sé si José Ignacio se refería a estos instrumentos; creo que no, él se refería a los astrolabios. Lo cierto es que liquidaron a la última resistencia del interior al modelo del puerto, al modelo vinculado al mercado externo, una resistencia casi romántica, podemos decir, porque no tenía ninguna posibilidad de éxito. Primero Peñaloza y luego Varela terminan derrotados.

P. O.: Eran los llamados "coroneles de Mitre", todos uruguayos: Paunero, Venancio Flores, Rivas y Sandes. Se trataba de imponer lo que algunos consideraban "civilización" por métodos muy poco civilizados.

F. P.: A sangre y fuego. Alberdi le critica este concepto —que de alguna manera lo compartía toda la clase dirigente— a Sarmiento, que era el tema de cómo se civiliza.

P. O.: Es el problema universal de quienes se consideran dueños absolutos de la verdad; los que se oponen son catalogados de herejes, de traidores a la patria, de bárbaros y deben ser eliminados por el bien de la humanidad...

J. G. H.: Tengo otra visión. Se había dictado una Constitución Nacional y el país se había unificado. Había que cumplir con los principios de la Carta Magna: la división de poderes, la libertad de cultos, el fomento de la inmigración, la periodicidad en los cargos públicos. Cuando el presidente o el gobernador terminaba su mandato debía retirarse del mando. Cuando un oficial de las fuerzas nacionales le corta la cabeza al Chacho Peñaloza en Olta, Sarmiento aprueba el asesinato pero Mitre, que es el presidente de la Nación...

P. O.: Sarmiento no aprueba, festeja.

J. G. H.: No. Mitre rechaza y Sarmiento aprueba.

P. O.: Festeja el degüello, le escribe a Mitre en carta del 18 de noviembre de 1863: "Acabé con el Chacho. He aplaudido la medida precisamente por la forma. Sin cortarle la cabeza a ese pícaro las chusmas no se habrían aquietado".

J. G. H.: Sarmiento, gobernador de San Juan, que había sido sitiado por las fuerzas del Chacho, aplaude que le hayan cortado la cabeza. Pero Mitre desaprueba el procedimiento y dice que su partido "ha hecho siempre ostentación de su respeto a las leyes y a las formas que ellas prescriben, y no hay a mi juicio un solo caso en que nos sea permitido faltar a ellas sin claudicar de nuestros principios". No creo, por tanto, que Mitre hubiera aprobado el uso de torturas...

F. P.: Yo creo que el jefe militar y político del ejército, en este caso Mitre, siempre está al tanto de los métodos de sus subordinados y por acción u omisión los avala.

J. G. H.: Es posible que durante la transición... Se trataba de imponer el orden jurídico, el imperio o la regla de la ley, como dicen los británicos. Hasta que se dicta la Constitución el poder político derivaba de la fuerza militar; eran los antiguos guerreros de la Independencia los que se constituían en caudillos de las provincias; decían ser elegidos por una especie de voluntad popular.

F. P.: Qué fraude escandaloso. La legitimidad de Mitre, como la de Sarmiento, Avellaneda, etcétera, es absolutamente discutible porque surgían todas ellas de un fraude escandaloso. Fijate lo que dice el propio Sarmiento sobre las elecciones: "Nuestra base de operaciones ha sido la audacia y el terror que usados hábilmente han dado este resultado admirable e inesperado, establecimos en cada parroquia gente armada, encarcelamos a unos veinte extranjeros, en fin fue tal el terror que sembramos que el día 29 triunfamos sin oposición".

J. G. H.: No había pureza del sufragio, sin duda; pero había sufragio.

P. O.: Cuando se levanta Mitre contra Sarmiento es por acusación de fraude.

J. G. H.: Es posible.

P. O.: Mientras se reúne el Colegio Electoral que terminará dándole el triunfo a Avellaneda, cuando el resultado es aún incierto, don Bartolomé les dirá a sus partidarios desde la azotea de su casa: "La peor de las votaciones legales vale más que la mejor de las revoluciones". Sin embargo, días después sus amigos lo convencerán de levantarse en armas, pero él propondrá que la asonada se produzca, para darle visos de alguna legalidad, después de que el presidente constitucional Sarmiento deje el poder a Avellaneda, quien será catalogado de "presidente de facto" por lo irregular de su triunfo. La revolución será conjurada y significará la aparición en escena de un joven y talentoso oficial, Julio Argentino Roca.

J. G. H.: Había ya un orden distinto del colonial, donde imperaba el régimen de encomiendas, que consistía en la opresión de los indios por los españoles; diferente también del sistema que rigió durante la guerra de la Independencia y el tiempo del caudillismo, donde el saqueo, la confiscación de bienes eran comunes; como no había elección popular la usurpación del poder era lo común.

P. O.: Lo admirable de Mitre, de Sarmiento, de Alsina, de Avellaneda, de Roca y de otros como ellos, es que tienen un proyecto de país, aquello de lo que carece nuestra dirigencia de hoy sólo preocupada en intereses sectoriales. Ellos se empeñaron en llevar adelante sus ideas sea como fuese, si hay que hacer fraude se hace, si hay que matar a alguien se lo mata, si hay que intervenir una provincia se la interviene, si hay que mandar jefes crueles al frente de ejércitos para imponer el orden del terror se los manda. Organizan un país a su imagen y semejanza, y ése es el país que hoy tenemos, si es o no el mejor posible es tema de otra discusión.

J. G. H.: No estoy de acuerdo. No todo proyecto es bueno. La Argentina venía de un proyecto colonial que estaba basado en la explotación de los indígenas; de una guerra de la Independencia y el subsiguiente caudillismo basado en el poder de las armas y el derecho al salteamiento como retribución para las montoneras. En cambio, el proyecto de la Constitución Nacional de 1853 es el orden de la ley, del fomento de la inmigración, del principio de igualdad y defensa de la juridicidad, de la seguridad de la persona y sus derechos, de la libertad de cultos.

P. O.: No es un orden "natural" sino un orden político, ideologizado, con claros criterios de poder.

F. P.: Es el armado de un Estado. Mitre es el organizador de este Estado nacional centralizado.

J. G. H.: Es un orden determinado; en cambio, el orden que tuvimos después... A algunos les puede gustar ese orden y a otros no. Pero el sistema que va a venir después de 1930, cuando empiezan el clientelismo político y el despilfarro, es un sistema que parece muy benevolente, muy justo, pero en realidad es parecido al régimen de opresión de la Colonia; es patológico, porque está basado en la dádiva, en la limosna que degrada al que la recibe y corrompe al que la da. Así que no todo orden es bueno, depende de los principios que lo constituyen. En el fondo...

P. O.: Cómo llegamos al peronismo desde Curupaytí no sé, pero José Ignacio siempre termina llegando.

F. P.: Será porque Perón les devolvió los cañones a los paraguayos.

P. O.: Ah, debe ser por eso.

J. G. H.: ...hay sistemas y proyectos que son mejores que otros...

F. P.: Yo creo que Mitre es el gran constructor del Estado nacional, del Estado nación. Se va construyendo desde el aparato, Mitre es el que inventa el sistema recaudador nacional, unifica la moneda. El ejército, que entre otras cosas tenía casi el cincuenta por ciento del presupuesto nacional —lo cual hablaba de un sistema que debía imponerse por las armas, o sea, que no era aceptado de buen grado por las mayorías—, es obra de Mitre; para bien o para mal creo que fue el hombre que se puso al frente de la misión de organizar un Estado nación que no existía antes. Ésa es la tarea que pone en marcha don Bartolomé, que luego complementan Sarmiento y Avellaneda para llegar al '80 con un Estado oligárquico, concentrado en manos de unos pocos, pero un Estado al fin.

P. O.: Es cierto que quienes gobernaban en aquella época no podían ser prescindentes de la fuerza de las armas, se gobernaba a través de las armas, se imponía orden a través de las armas. Eso es lo que explica ese hecho tan controvertido en nuestra historia que fue la guerra de la Triple Alianza. El tema empieza en Montevideo en la pelea de los "Colorados" y los "Blancos". Sus jefes son Berro por los "blancos", y Venancio Flores por los "colorados". Éstos siempre han tenido una relación más estrecha con los liberales de Buenos Aires, ya hemos dicho que Flores fue uno de los "coroneles pacificadores" de Mitre, y efectivamente recibe el apoyo del gobierno argentino, lo cual genera un gran enojo de Berro, quien simpatiza con Urquiza y los federales. Berro, entonces, busca el apoyo paraguayo. Finalmente se llega a un acuerdo, a un protocolo entre los sectores en pugna y se establece que en caso de que éste se rompiera, Gran Bretaña sería el árbitro.

F. P.: Como siempre, la Argentina como buena semicolonia elegía a su metrópoli como árbitro.

P. O.: Carlos Solano López, el dictador paraguayo, se había ofrecido como mediador y se siente desairado porque no se acepta su intervención. López ha hecho una alianza secreta con los Blancos en contra de los Colorados y sus aliados porteños. Es un hombre ambicioso, preside un país que ha progresado mucho, manejado con un criterio autónomo por fuera de las presiones e influencias extranjeras, tiene el primer ferrocarril del Plata que une Asunción con Humaitá, una fundición de hierro, fábricas, saladeros, telégrafos, etcétera, y el mejor ejército de América del Sur. Contando con esos recursos el mariscal paraguayo, que ha sido educado en Europa para reinar y no para gobernar, casado con una aristócrata irlandesa, decide que ha llegado la hora de sentar presencia en la política internacional. Confía en el apoyo de Urquiza, porque es indudable que la guerra de la Triple Alianza es la continuidad de Pavón y Cepeda, del enfrentamiento entre Buenos Aires y el interior. Es evidente que algún guiño le ha hecho don Justo José al paraguayo para que éste confíe en el apoyo de las provincias del Litoral. Sólo así se explica que Solano López se comprometa en una guerra tan desigual. Pero Urquiza se queda quieto por un sentimiento patriótico que no tuvo cuando se alió con el ejército brasileño para derrocar a Rosas, o quizá, como vos decías, Felipe, porque el astuto Mitre le ofrece comprarle las vacas y los caballos que necesitará el inmenso ejército movilizado. Para peor, una maniobra de Itamaratí deja a Solano López completamente solo porque los brasileños prefieren llegar a un acuerdo con los argentinos y terminar su coqueteo con los paraguayos. Si quieren interrumpirme pueden hacerlo, me da miedo cuando me escuchan tan callados, me da la impresión de que están tramando algo en mi contra...

F. P.: Continúe, caballero.

P. O.: La jugada diplomática del Brasil es perfecta porque los paraguayos son un rival más débil que argentinos y uruguayos juntos. Ahora contarán con éstos de aliados en la guerra que ya están decididos a declarar. Porque los términos de la Alianza obligarán a Mitre a comprometerse en un conflicto cuyo principal y quizás único motivo es el afán expansivo del Imperio portugués radicado en Brasil, que da por absolutamente lógico que Paraguay entre en su sistema. La chispa desencadenante será el ingenuo pedido de Solano López a Buenos Aires para pasar sus tropas a través de territorio argentino para atacar Río Grande. Mitre le dice que no porque eso lo obligaría a permitir también el tránsito de los brasileños, lo que hubiese convertido a nuestro territorio en un campo de batalla. El paraguayo, entonces, declara aquella guerra absurda, en la que no tenía posibilidad alguna de victoria, a pesar de lo cual se extendió mucho más tiempo del imaginable, de 1865 a 1870, y cobró muchas más víctimas aliadas que las calculadas.

F. P.: Berro es derrocado por un golpe de Estado apoyado por la Argentina de Mitre y el Brasil. Y allí, entre bambalinas, estaría Inglaterra.

J. G. H.: Se han hecho investigaciones en Inglaterra que no han encontrado ningún elemento que demuestre que el interés principal de Gran Bretaña hubiera estado en ese momento concentrado en un área secundaria del Río de la Plata. Ricardo Salles, en su libro *Guerra do Paraguay*, señala que esa pretensión desconoce la fuerza del nacionalismo paraguayo y subestima los intereses del Brasil y la Argentina durante el conflicto.

F. P.: Fíjense en lo que decía Alberdi sobre el progreso paraguayo anterior a la guerra: "Si es verdad que la civilización de este siglo tiene por emblemas las líneas de navegación por vapor, los telégrafos eléctricos, las fundiciones de metales, los astilleros y arsenales, los ferrocarriles, etc., los nuevos misioneros de civilización salidos de Santiago del Estero, Catamarca, La Rioja, San Juan, etcétera, no sólo no tienen en su hogar esas piezas de civilización para llevar al Paraguay, sino que irían a conocerlas de vista por la primera vez en su vida en el 'país salvaje' de su cruzada civilizadora".

P. O.: Alberdi lo dice en *El crimen de la guerra*, que escribe para condenar la guerra contra el Paraguay, en la que es durísimo con Mitre.

J. G. H.: Carlos Solano López era un dictador que estaba enfebrecido por el poder absoluto, como suele sucederles a los tiranos. Entonces, con cierta ingenuidad, pensó que Urquiza podía apoyarlo por afinidad ideológica de los antiguos federales con su estilo de gobierno. Pero Urquiza era un general de la Confederación Argentina, era el verdadero jefe político de Entre Ríos, aunque no ejerciera a veces el cargo de gobernador. ¿Cómo entonces iba a ponerse en contra del presidente Mitre, del comandante en jefe de las fuerzas constitucionales de su país, para apoyar al Paraguay? Había mucho de ingenuidad en López, había exceso de ese anhelo propio de casi todos los dictadores de entrar en conflicto con un país externo cuando se les acabó el enemigo interno. La guerra del Paraguay fue una desgracia, un punto negro...

F. P.: Un genocidio.

J. G. H.: Sí. Un genocidio de paraguayos, argentinos, brasileños y uruguayos.

P. O.: El Paraguay jamás se repuso de esa guerra, y el beneficio territorial de la Argentina fue mínimo.

F. P.: Lo único que se obtuvo fue Formosa, el actual territorio de Formosa, y en cambio provocó reacciones como la del caudillo catamarqueño Felipe Varela, que lanzó una proclama llamando a la rebelión y a no participar en una guerra fratricida diciendo: "Ser porteño es ser ciudadano exclusivista y ser provinciano es ser mendigo sin patria, sin libertad, sin derechos. Ésta es la política del gobierno de Mitre. Soldados Federales, nuestro programa es la práctica estricta de la Constitución jurada, el orden común, la amistad con el Paraguay, y la unión con las demás repúblicas americanas". A pesar de contar con un importante apoyo popular, Varela es derrotado por las fuerzas nacionales en 1867. Como decía la "Zamba de Vargas", nada podían hacer las lanzas contra los modernos fusiles de Buenos Aires.

P. O.: El gobierno que asume en Asunción luego de que Carlos Solano López es lanceado por los soldados brasileños en Cerro Corá, es un gobierno títere del Imperio y velozmente se establece un acuerdo bilateral entre ambos países, excluyendo a la Argentina, donde se reconocen los derechos de Paraguay y Bolivia en la región del Chaco, que era el espacio que le correspondía reivindicar a nuestro país como precio de la victoria de acuerdo con el tratado inicial firmado por los integrantes de la Alianza. De todas maneras, hay que reconocer que el peso de la guerra, sobre todo al final, lo lleva Brasil.

F. P.: El ministro de Relaciones Exteriores de Sarmiento, Mariano Varela, expresó, digna o ingenuamente: "La victoria no da a las naciones aliadas derecho para que declaren, entre sí, como límites suyos los que el tratado determina. Esos límites deben ser discutidos con el gobierno que exista en el Paraguay y su fijación será hecha en los tratados que se celebren, después de exhibidos, por las partes contratantes, los títulos en que cada una apoya sus derechos". Lo cierto es que Brasil sí pensaba que la victoria daba derechos: saqueó Asunción, instaló un gobierno adicto y se quedó con importantes porciones del territorio paraguayo. Un dato de color es que el regreso de las tropas trajo a Buenos Aires, en 1871, una terrible epidemia de fiebre amarilla contraída por los soldados en la guerra. La peste dejó un saldo de trece mil muertos e hizo emigrar a las familias pudientes hacia el norte de la ciudad abandonando sus amplias casonas de la zona sur, que fueron transformadas en conventillos.

J. G. H.: En *Historia confidencial* no podemos olvidarnos de hablar del historiador Bartolomé Mitre.

P. O.: Es el gran historiador argentino, el constructor del imaginario nacional.

J. G. H.: Un gran historiador, sin duda.

P. O.: Es él quien "inventa" la Argentina y lo hace sobre dos pilares, a quienes dedica sendos maravillosos libros: San Martín, el campeón, y Belgrano, el subcampeón.

F. P.: Cuando es derrotado el golpe de Estado que encabeza Mitre contra Avellaneda, llamado por la historia oficial "la revolución de 1874", *La Nación* es clausurada y a Mitre se le da de baja en el ejército. Marcha a Uruguay, pero regresa y es derrotado por Roca, y confinado a prisión en Luján, donde treinta años antes estuvo preso el general José María Paz, en la celda del Cabildo. Allí Mitre escribe nada menos que el prólogo a *La historia de San Martín y de la emancipación sudamericana.*

P. O.: Además es muy ameno de leer, más que muchos colegas actuales que escriben para iniciados.

F. P.: Y un tipo empírico, porque para escribir la historia de San Martín, por ejemplo, cruza los Andes. Hacía estas cosas para ver en el terreno, investigar con criterios bastante modernos.

P. O.: Inauguró en la Argentina la escritura de la historia basada en documentos. Recomiendo a quienes nos escuchan que visiten el Museo Mitre y que vean ahí lo que era la biblioteca de Mitre, lo que escribía y leía, eso da una dimensión del formidable intelectual que fue.

F. P.: Lo bueno de estos personajes es que para criticarlos se debe tener en cuenta el volumen que tienen, su importancia, porque a veces se los critica desde el eslogan simplemente y creo que hay que respetar la entidad intelectual, más allá de que no nos gusten algunas cosas que hicieron.

J. G. H.: *La Historia de Belgrano y de la Independencia Argentina* y la *Historia de San Martín y de la emancipación sudamericana* son dos libros impresionantes. La documentación que maneja es colosal; su prosa resulta hoy algo pesada, pero las investigaciones son sólidas y consistentes. Se dice que él glorifica a San Martín y a Belgrano y que no hace una historia crítica, pero no es así. Don Bartolo era positivista. Decía que la historia debía destruir la admiración supersticiosa o ciega que diviniza a los hombres y los adorna con falsos oropeles; que había que humanizar a los libertadores, introduciendo a todos en la intimidad, haciéndoles hablar y obrar como hablaron y obraron cuando la vida los animaba.

P. O.: Vos y yo hemos divulgado ese capitulito que don Bartolomé llamó "El punto negro" en su historia de San Martín, donde revela la cuenta secreta que tenía nuestro Libertador en un banco de Londres supuestamente por los "retornos", como se dice hoy, de la compra de armamentos para la campaña del Perú.

J. G. H.: También escribe que San Martín, al asumir el gobierno del Perú y declararse Protector, "abdicó de su papel de gran libertador americano" y que entró en "un principio de descomposición". Afirma que "el malhadado plan de monarquizar al Perú le enajenó la opinión del país" y hasta menciona la "ambición insensata de coronarse rey" y las designaciones burlescas de sus oficiales acerca del "rey José".

F. P.: Lo poco que sabemos de personajes como Warnes, de los guerrilleros altoperuanos, se lo debemos también a Mitre, porque fue el primero que escribió sobre el tema.

P. O.: Es cierto, una reivindicación que nuestra historia oficial dejará de lado, como si la circunstancia de que el territorio del Alto Perú se hubiera independizado y devenido Bolivia hubiese arrojado fuera de los límites de nuestra memoria a protagonistas esenciales de nuestras batallas independentistas que se dieron, en su mayoría, en esas tierras.

J. G. H.: Las republiquetas.

P. O.: Se llamó "republiquetas" a las tierras que dominaban aquellos guerrilleros. Para tener una idea de su inmolación patriótica cabe recordar que don Bartolomé contó ciento tres caudillos al principio de la gesta independentista, y al final habían sobrevivido sólo nueve. Y el "culpable" en alguna medida fue San Martín, porque al decidir que atacaría Lima por mar y no por tierra y retirar el ejército del Noroeste, abandonó a las guerrillas altoperuanas a la sangrienta represión de los *godos*.

F. P.: Ahí empezamos a conocer a personajes tan notables como Warnes, que hoy en día es la calle de los repuestos de autos de Buenos Aires, pero que en realidad era un tipo extraordinario.

P. O.: Arenales, Juana Azurduy, Manuel Padilla, el cura Muñecas...

F. P.: Grandes olvidados de la historia argentina.

J. G. H.: Warnes era de origen inglés. Acaso no sea "nacional" elogiarlo acá...

F. P.: Yo no tengo ningún problema con los ingleses, me encantan los Beatles, los Stones, Ken Loach, no tengo ese tipo de cuestiones.

J. G. H.: Mitre hacía mucho trabajo intelectual por las noches y, en los últimos años de vida de su esposa Delfina de Vedia, dormía en otro cuarto para no arruinarle el sueño...

F. P.: El amor de su vida, una bella uruguayita que se convertirá en su esposa y compañera. La conoció a los diecisiete años y escribió: "Delfina se presentó a mis ojos como un ángel descendido de los cielos". Se casaron el 11 de enero de 1841 y tuvieron cuatro hijos: Delfina, Josefina, Bartolomé y Emilio.

J. G. H.: Él la va a sobrevivir muchos años. Miguel Ángel De Marco, que ha escrito una excelente biografía de Mitre, cuenta que en sus últimos años, ya viudo, solía frecuentar los prostíbulos.

F. P.: Así fue como terminó, porque las malas lenguas dicen que murió en un prostíbulo.

J. G. H.: En los enfrentamientos entre Buenos Aires y la Confederación de 1853, una bala le había sacado un pedazo de cráneo...

F. P.: Fue uno de los líderes de la revolución del '90 que dio origen a la Unión Cívica.

P. O.: Otra faceta de Mitre fue la de periodista, no sé si lo hablamos.

F. P.: Claro, periodista, fundador de diarios.

J. G. H.: Alguna vez, cuando le preguntaron la profesión, dijo "tipógrafo".

P. O.: Un gran periodista que funda un diario que hasta hoy sigue con la vitalidad y el espíritu democrático que le infundiera don Bartolomé.

J. G. H.: Y fundador de esta radio, Radio Mitre, a través de sus descendientes. Fue fundada por el diario *La Nación*, por eso se llama Mitre.

Hipólito Yrigoyen

La filiación controversial. La UCR. Yrigoyen-Alem. La paternidad clandestina. El primer gabinete. Las medidas obreristas. El personalismo. La Semana Trágica. Los fusilamientos de la Patagonia. El germen golpista. El clientelismo. El comité. La política internacional independiente. El retorno al sistema hispánico. Yrigoyen-Alvear. La caída y el abandono popular.

José Ignacio García Hamilton: Hoy vamos a hablar de Hipólito Yrigoyen, un personaje contradictorio...

Pacho O'Donnell: El "Peludo", porque decían que Yrigoyen era también un animal al que era difícil acercarse y que vivía en las tinieblas.

J. G. H.: ...en cuya vida está simbolizado el drama argentino que todavía vivimos: la lucha por tener democracia y la incapacidad para gobernarnos por nosotros mismos. Durante veintiséis años, desde 1890 hasta 1916, Yrigoyen luchó desde la abstención electoral para que hubiera pureza en el sufragio. Sin embargo, al llegar a la presidencia demostró una notoria ineficacia como administrador: triplicó la burocracia, inauguró la práctica de designar empleados públicos con tareas inexistentes, introdujo los comités en la función gubernativa y aumentó la deuda interna del Estado.

Felipe Pigna: Habría que hablar de los orígenes, de Yrigoyen niño. Nos lo imaginamos siempre grande, como a todos los personajes históricos a los que ya vemos adultos, pero hay algunos problemas con la filiación de Yrigoyen; algunos decían que Yrigoyen era hijo de Rosas.

P. O.: Eso es improbable.

F. P.: La madre de Hipólito, Marcelina Alen, con "n", frecuentaba la casa de Rosas, era amiga del Restaurador y corrían rumores sobre una relación amorosa entre ellos. También se decía que era hijo de un amigo del padre, un tal Juan Martín Núñez, que se dedicaba a la cría de caballos. Todo esto le terminó complicando la vida a Hipólito niño, y a principios de la adolescencia se va de su casa a vivir con su abuela Tomasa y comienza una etapa nueva en su vida, porque ahí vive justamente su tío Leandro.

P. O.: Su abuelo y padre de Leandro, Leandro Alen, había formado parte de la Mazorca, a las órdenes de Cuitiño. Por esa razón después de Caseros, cuando Hipólito tenía poco más de un año, lo condenaron por un crimen que, después se supo, no había cometido. Lo fusilaron y lo colgaron en la que hoy es la plaza Independencia. En cuanto a Juan Núñez, era el padrino de Yrigoyen, por lo menos eso dice su partida de bautismo de la parroquia de La Piedad, donde también figura su nombre completo: Juan Hipólito del Sagrado Corazón de Jesús. Durante su infancia Yrigoyen pasaba largas temporadas en la casa de su padrino, en Barracas. Pero, sin dudas, el parentesco que lo marca es el de Leandro N. Alem, apenas diez años mayor.

F. P.: Exactamente, su mentor.

P. O.: Su mentor, su maestro y su compañero de infortunios. No debe de haber sido fácil soportar las murmuraciones del barrio: ahí van el hijo y el nieto del ahorcado...

F. P.: Alem lo introduce en dos cuestiones: la masonería, por un lado, y por otro, la política en el Partido Autonomista de Alsina. Los dos van a entrar a militar en un principio en este partido para después crear uno propio, el Partido Republicano. Se puede decir que es el primer partido moderno de la Argentina, un antecedente de la Unión Cívica Radical, que trató de purificar los males que tenía en aquel momento el comicio, sobre todo el fraude, típico de aquellos años previos a la sanción de la Ley Sáenz Peña.

J. G. H.: Es un partido que va a coincidir con Sarmiento, va a postular su candidatura. Es muy significativo que el Sarmiento ya anciano tenga relación con Leandro Alem y el grupo de jóvenes que luego van a dar origen a la Unión Cívica Radical.

P. O.: Qué será lo que pasó desde ahí hasta De la Rúa, ¿no?

J. G. H.: El mérito de Yrigoyen es la lucha desde el llano por la moralidad administrativa, la pureza del sufragio y el federalismo. Creó una mística en favor de esos valores, que estaban faltando y eran muy necesarios.

F. P.: Y su debilidad es la falta de un programa claro, en torno a temas clave como la economía y la sociedad, algo endeble quizá por su carácter policlasista, por incluir a distintos sectores sociales. A la ideología radical le falta claramente una definición categórica de qué modelo de país quiere. Como decía Yrigoyen: "Nuestro programa es el programa del sufragio universal", es decir, una definición lo suficientemente amplia como para no incomodar a nadie.

J. G. H.: El senador Pedro Molina le exigía que definiera si iba a ejecutar una política económica estatista o liberal; y él contestaba: "Mi programa es la Constitución Nacional". En ese sentido principista acaso está el mérito de Yrigoyen, pero también está su limitación. Él no se preparó para administrar, tenía una subestimación por lo material, un desprecio por lo utilitario. Pretendía terminar con las desigualdades, pero algunas de sus medidas intervencionistas crearon nuevos privilegios.

P. O.: Le interesaba más la lucha por el poder que el poder. Así lo demostró en la Revolución del Parque, cuando pidió que no le dieran ningún cargo y se enojó porque lo designaron comisario. En este punto le dio la razón a Pellegrini cuando dijo que el Partido Radical no podía gobernar porque "es más bien un temperamento que un principio político".

J. G. H.: Él creía en las grandes ideas, en las abstracciones, pero carecía de sentido práctico; pensaba que bastaba con la pureza del sufragio para resolver los problemas del país; que con decretos generosos podía solucionar las necesidades de la población y los temas económicos nacionales.

F. P.: Además tenía una personalidad muy clandestina, algunos lo atribuyen a su etapa de comisario en Balvanera. Él fue comisario siendo muy joven.

P. O.: Lo fue por influencia de su tío Leandro. Después lo echan por haber intervenido a favor del Partido Autonomista en las elecciones de 1874, que tuvo que custodiar como comisario.

F. P.: A los veinte años. Fijate que a los seis meses de ser comisario le levantan un sumario por acoso sexual, tipificado muy graciosamente en términos jurídicos como "declaración amorosa con exigencias ofensivas al decoro de una dama respetable".

P. O.: Según parece le habría mandado una carta amorosa a la esposa de un hombre que estaba preso en su comisaría. Después la mujer retiró los cargos. Pero su vida afectiva, su vida sexual...

F. P.: Clandestina.

P. O.: Un misterio bien guardado, digamos.

F. P.: Tuvo amores generalmente secretos e hijos que no reconocía, a pesar de que les pasaba dinero. Quizá su hija preferida fue Elena, que estuvo con él incluso después de su derrocamiento en Martín García, acompañándolo, pero a quien jamás reconoció legalmente.

P. O.: Psicoanalíticamente estaría ahí ese elemento repetitivo de todo inconsciente. Vos hablás de esa filiación oscura y él reproduce una paternidad oscura.

J. G. H.: Desarrolló un temperamento paternalista y era muy egocéntrico. Creía que su persona tenía una vaga sensación de divinidad.

P. O.: Para seguir freudianamente, un padre como el suyo, que no habla, un padre ausente. "El caudillaje del silencio", le decían. Nunca pronunció un discurso salvo cuando fue diputado, al comienzo de su carrera política. Y cuando presidente no asistía a la apertura de la Asamblea Legislativa, como era su obligación. Enviaba el discurso para que lo leyera el vicepresidente.

F. P.: La primera mujer es Antonia Pavón, con la que tiene a Elena.

J. G. H.: Hay una mujer con la cual llega a tener cinco hijos.

F. P.: Ésa es otra, Dominga Campos.

J. G. H.: Llega a tener cinco hijos a los que visita, pero no hay un reconocimiento pleno. Y su carácter de seductor se mantiene hasta sus últimos años. En la segunda presidencia ésa es una de las causas por las cuales se piensa que está senil, porque le interesan las mujeres jóvenes. Se formaban grandes "amansadoras" para esperarlo en el antedespacho presidencial y, a eso de las tres de la tarde, los secretarios salían y se encontraban con que había gente que venía del interior para verlo y hacía meses que aguardaba ser recibida. Se cuenta que hasta se celebraba el "cumpleaños" de la amansadora.

P. O.: Además, cuando finalmente recibía después de esas larguísimas esperas la audiencia podía irse conversando sobre temas que nada tenían que ver con el interés del visitante. Era difícil para todos, aun para sus colaboradores más cercanos, dialogar sobre las urgencias nacionales. Don Hipólito confiaba en que el transcurso del tiempo era el mejor solucionador de problemas, tesis que también haría suya otro presidente radical, Arturo Illia, lo que le ganaría el apodo golpista de "tortuga". De lo que sí se ocupaba Yrigoyen era de ubicar a su gente en puestos de la administración pública; en algunos casos lo hacía como premio a la lealtad o por algún servicio y en otros para cooptar nuevos adherentes. Ello fue imitado por gobiernos posteriores, lo que llevó inevitablemente a la situación actual de una administración pública ineficiente cuyos integrantes, en su inmensa mayoría, no ingresaron en ella por méritos administrativos o profesionales sino por favores políticos. Soy un convencido de que el principal problema no son solamente los "ñoquis", es decir la deleznable persona que cobra y no trabaja, sino la muchedumbre de empleados y jefes que fichan todos los días y cumplen con sus horarios pero son absolutamente ineptos para la tarea que deben desempeñar. Hasta que no tengamos el coraje de resolver eso no seremos un país serio.

J. G. H.: Hasta los ministros hacían antesala mientras pasaban funcionarios subalternos. Y, a eso de las tres de la tarde, los secretarios anunciaban que el presidente no iba a recibir más, pero siempre quedaba alguna muchacha joven a la que se la hacía ingresar furtivamente, lo que generaba la convicción de que el mandatario estaba decrépito, que había perdido el sentido de la realidad y que descuidaba los asuntos públicos.

P. O.: Recibía, sobre todo, a las maestras, muchas de ellas ex alumnas suyas de la Escuela Normal, la que está en la avenida Córdoba y Uriburu, donde había sido profesor de Instrucción Cívica, Historia y Filosofía. Alicia Moreau fue una de ellas.

F. P.: Con Alem mantiene una relación contradictoria, porque si bien evidentemente don Leandro fue su maestro, van a tener un trato conflictivo. Poco antes de suicidarse Alem deja una carta muy poco gratificante para su sobrino Yrigoyen donde dice: "Los radicales conservadores se irán con don Bernardo de Irigoyen; otros radicales se harán socialistas o anarquistas; la canalla de Buenos Aires, dirigida por el pérfido traidor de mi sobrino Hipólito Yrigoyen, se irá con Roque Sáenz Peña y los radicales intransigentes nos iremos a la mismísima mierda". Es evidente que de ninguna manera lo considera su heredero sino que deja en claro que no está de acuerdo con que se haga cargo de la conducción partidaria.

P. O.: Recordemos que Alem se suicida, una tragedia muy histriónica porque convoca a sus amigos en su casa y cuando están todos reunidos toma su sombrero y les dice que regresará en pocos minutos. Ya en la calle chista un coche a caballo y da la dirección del Club del Progreso, que era donde en sus elegantes almuerzos se decidían presidencias y ministerios. Se pega un balazo en el trayecto y entonces cuando llegan a destino y el cochero abre la puerta encuentra a su pasajero agonizando. Lo entran al Club y lo tienden sobre una mesa, que todavía está en la que es hoy la sede del Club del Progreso. Sobre esa mesa terminó su vida Alem, en una muerte teatral, con la que se propuso inundar de culpa a amigos y a enemigos, en especial a su sobrino don Hipólito.

J. G. H.: El Club del Progreso está cumpliendo en estos días ciento cincuenta años. Acaso el símbolo del suicidio de Alem sea que el tribuno no pudo llegar al progreso, es decir al desarrollo material. El radicalismo contribuyó a la democracia, a la vigencia de la soberanía popular, pero también promovió un sentimiento nacionalista de rechazo a la modernidad.

P. O.: La muerte de Alem puede interpretarse como una filípica a la clase política de esa época.

F. P.: Sí, fue una muerte heroica, una señal hacia la clase política de su tiempo que tardaría bastante tiempo en ser valorada.

P. O.: Recién ustedes hablaban del pluralismo. Es interesante revisar los nombres de quienes integraron el primer gabinete de Yrigoyen cuando asume la presidencia en 1916, una curiosa mezcla de clase media y aristocracia. Los ministros fueron Ramón Gómez en Interior, Carlos Becú en Relaciones Exteriores, Domingo Salaberry en Hacienda, Pablo Torello en Obras Públicas, Honorio Pueyrredón en Agricultura, Elpidio González en Guerra.

F. P.: Mezcla interesante de hijos de inmigrantes, apellidos nuevos, como se decía entonces, y familias oligárquicas.

P. O.: A Yrigoyen históricamente se le adjudica una vocación populista, pero en realidad nunca tomó medidas que elevaran decisivamente la situación social o económica de los sectores populares, a los que tuvo en cuenta sólo en lo retórico. Es más, el gobierno de Yrigoyen tuvo momentos fuertemente represivos.

J. G. H.: Esa contradicción existió. Establece salarios mínimos, jubilaciones para los ferroviarios, amplía y hace cumplir las leyes laborales sobre descanso dominical y jornada de ocho horas. Pero también fomenta una paranoia contra el anarquismo y la izquierda y reprime en la Patagonia y durante la Semana Trágica.

P. O.: Busca el apoyo de la oligarquía identificándose con su sentimiento, con sus intereses.

J. G. H.: El radicalismo reúne a los hijos de inmigrantes, pero también a los nietos de próceres como los Alvear, los Álzaga, los Pueyrredón. Yrigoyen designa algunos ministros que son calificados de hombres desconocidos, mediocres. Él contestaba: "El gobierno soy yo; no quiero que me hagan sombra". Era enigmático, reservado, de expresión confusa; armaba frases con plurales incomprensibles; ha-

191

blaba de las "patéticas miserabilidades" y de las "efectividades conducentes", esto último para significar el dinero.

P. O.: Yo soy el gobierno, yo también soy los ministros. Llama mucho la atención un párrafo que él escribe desde su prisión en Martín García, en el cuarto escrito de su defensa. Dice respecto de sus ministros: "Nunca he necesitado sabidurías a mi lado, pues siempre me he creído poseyéndolas por mí mismo, de tal manera que jamás he tenido que consultar a nadie en el desempeño de todas mis labores públicas, pero sí he requerido honorabilidades ante todo y sobre todo".

F. P.: Hay, además, anécdotas curiosas, como por ejemplo que él se encargaba tan personalmente de la administración que llegaba a ocuparse de cosas nimias, como prohibir por decreto que Josephine Baker cante semidesnuda sobre un escenario porteño y emite un decreto presidencial diciendo que debe ponerse una ropa adecuada para cantar.

P. O.: Actúa al revés de su opositor interno, Marcelo T. de Alvear, al cual se lo considera un hombre no demasiado brillante pero que se supo rodear de grandes ministros. Se decía que tenía un gabinete de presidenciables.

J. G. H.: Alvear fue mejor administrador, más republicano, más liberal, más tolerante.

F. P.: Antipersonalista.

P. O.: Hablemos de esos momentos en que Yrigoyen, por su interpretación de las circunstancias o por propia convicción, instala una actitud represiva. Por ejemplo, en 1917, cuando los obreros de la Federación Obrera Regional Argentina, la FORA, lideran una protesta por los despidos en los frigoríficos norteamericanos Armour y Swift, y hay una lucha por obtener la jornada de ocho horas, el pago de horas extras, los aumentos de sueldo, el feriado del 1º de Mayo, todas reivindicaciones hoy lamentablemente en retroceso. La represión fue feroz. Luego está la "Semana Trágica" de 1919, con centenares de muertos y heridos y, después, como si fuera poco, la tragedia de la Patagonia, que Osvaldo Bayer relató admirablemente. Además, el fomento o por lo menos la tolerancia de instituciones parapoliciales como la famosa Liga Patriótica, una organización fascista que se ensañó sangrientamente con los movimientos populares.

F. P.: La Liga preanuncia lo que serán los elementos fundamentales del nacionalismo elitista argentino: autoritarismo, rechazo a la inmigración extranjera, antisemitismo, admiración por las fuerzas armadas, patriotismo fanatizado, anticomunismo. Se hará famosa por sus actividades paramilitares, especialmente por sus ataques a barrios obreros, la quema de bibliotecas populares, sindicatos e imprentas. En la Liga convivían católicos, conservadores, liberales, nacionalistas antiliberales y hasta radicales, empresarios nacionales y extranjeros. La mantenían estancieros y empresarios con importantes donaciones y la integraban jóvenes de "las mejores familias" en grupos de choque realizando "heroicas hazañas" muchas veces contra mujeres y niños. El entrenamiento lo daban militares de alta graduación y el auxilio espiritual, miembros de la jerarquía eclesiástica.

P. O.: Fue una época de efervescencia ideológica, con el despliegue planetario del anarquismo, el nacionalsocialismo, el fascismo, el comunismo, las distintas versiones del capitalismo, un momento antitético al actual que da pie a que se hable del fin de las ideologías o de la historia, con un pensamiento único, neoliberal, hegemonizando el mundo.

F. P.: Creo que esto hay que enmarcarlo dentro del clima mundial de efervescencia obrera que es la Revolución Rusa. A Yrigoyen le toca gobernar en este contexto internacional de 1917, el triunfo bolchevique en Rusia que llevará a todo el mundo un estímulo para la protesta y organización obrera. En la Argentina había un movimiento obrero que había arrancado a fin de la década del 90 con anarquistas y socialistas, muy combativo, y se va a expresar en esos momentos con toda contundencia en lo que fue la Semana Trágica, con obreros con un compromiso gremial extraordinario. Cuenta Sabato en uno de sus libros que en esos episodios de la Semana Trágica capturan a un anarquista, un hombre que estaba prácticamente muerto de hambre al que le encuentran 100 pesos en el bolsillo, que para la época era mucho dinero. Los policías le preguntan "¿Cómo puede ser que tenga hambre con 100 pesos en el bolsillo?", y él contesta: "No, esta plata es del sindicato, esta plata no se toca".

P. O.: Igual que ahora.

F. P.: Claro, era gente muy principista, muy idealista, que va a ser duramente reprimida. El origen de la Semana Trágica es un hecho muy menor: una huelga en los talleres Vasena donde los obreros piden cosas tan elementales como protección para trabajar con metal, jornada de ocho horas y salarios dignos, y Vasena se niega a conceder estas reivindicaciones, provoca una represión inicial y los trabajadores de la Capital decretan el paro general. La Semana Trágica termina, como decía Pacho, con centenares de muertos, 50.000 detenidos, una cifra increíble.

P. O.: 50.000 detenidos y prontuariados.

J. G. H.: Hay huelguistas, en algún momento, disparando con armas contra las comisarías.

F. P.: Impresionante, las bodegas de los barcos llenas de presos, se improvisa un campo de concentración en la Chacarita, algo nunca visto en la Argentina.

P. O.: No sé si ustedes estarán de acuerdo, pero en mi criterio eso marca un momento siniestramente fundamental porque, tal vez ingenuamente, Yrigoyen les abre el camino a las Fuerzas Armadas para irrumpir en los asuntos públicos, hasta entonces reservados a los civiles. También con las múltiples intervenciones a las provincias, para las que echa mano de las Fuerzas Armadas inmiscuyéndolas en avatares políticos.

F. P.: Totalmente. Es un hecho de una enorme gravedad y él parece no advertir que está preparando las condiciones para su final.

J. G. H.: Seguramente.

P. O.: Luego pagará el costo en el '30, cuando es derrocado por el general Uriburu.

F. P.: Él hace marchar las tropas de Campo de Mayo a Buenos Aires por primera vez cuando los invita a reprimir esa Semana Trágica. A esto hay que sumarle la inacción ante la represión ilegal de la Liga

Patriótica, de la que valdría la pena ocuparse en cuanto a la ideología de su jefe, Manuel Carlés, un fanático derechista que había pasado por el radicalismo. Y será esta Liga Patriótica la que luego de los hechos de 1919, junto a sectores de la jerarquía eclesiástica, organizó la llamada "Gran Colecta Nacional" con el propósito de mejorar las condiciones de vida de la clase trabajadora. La idea detrás de la gran colecta era que un mejor nivel de vida alejaría a los trabajadores de las tentaciones del anarquismo o del socialismo. El manifiesto difundido por los organizadores de la Gran Colecta terminaba diciendo: "Dime: ¿qué menos podrías hacer si te vieras acosado o acosada por una manada de fieras hambrientas, que echarles pedazos de carne para aplacar el furor y taparles la boca? Los bárbaros ya están a las puertas de Roma".

J. G. H.: Hay un aspecto de la vida personal de Yrigoyen que tiene que ver con la ideología que vos estás señalando, Felipe, y con el militarismo que lo inspira, como destaca Pacho. Él había sido comisario de policía y después, en la acción política, hace espionaje político sobre sus propios correligionarios. Durante veintiséis años está conspirando desde la oposición para lograr que se dicten leyes que garanticen la pureza del sufragio. Y cuando llega a la presidencia alguien dijo que, desde allí, siguió conspirando; es decir, no se dedicó a gobernar sino a tramar. Por eso Bartolomé Mitre dijo que el radicalismo era una fuerza intrínsecamente contraria a la idea de gobernar. Para ser justo, debo aclarar que presidentes radicales como Alvear, Ortiz, Frondizi o Illia demostraron también que podían ser dignos administradores.

F. P.: Llena el país de espías.

J. G. H.: Hacía la venia a la bandera en los desfiles, o cuando revistaba las tropas militares. Acentúa una ideología nacionalista con aristas autoritarias que había empezado unos años antes.

P. O.: Suele decirse que el radicalismo es mejor como oposición que como gobierno. El mismo Yrigoyen lo sostuvo, cito textual: "la UCR es una fuerza de opinión tan robusta en sus conceptos y eficiencias, que en la adversidad es siempre más poderosa que en el Gobierno mismo". En realidad, el proyecto de don Hipólito a lo largo de los años de abstención era llegar al gobierno por un golpe de Estado y parecería que le costó adaptarse al cambio de viento que impuso Sáenz Peña con su ley del sufragio universal y secreto.

F. P.: Yo creo que hay un punto fundamental: el tema de que en realidad él no viene a solucionar problemas obreros sino a restaurar. Él llama a su gobierno "la reparación". Reparar no es cambiar, es arreglar. Evidentemente el país mejora con Yrigoyen, hay un avance importante en la democratización, hay una mejor distribución del ingreso, aumenta el poder adquisitivo de los salarios, pero también hay símbolos claros de lo que no es más que pálido reformismo. Por ejemplo, el decreto de Yrigoyen que impone la obligatoriedad del uso del guardapolvo blanco en todas las escuelas primarias del país es una medida aparentemente democratizadora pero que en realidad está encubriendo las diferencias sociales, no las está solucionando. Los chicos se van a ver todos iguales pero no son todos iguales, el guardapolvo simboliza esa cuestión de reparar y no de corregir. ¿Debajo del guardapolvo qué hay? La miseria o la opulencia disfrazadas.

P. O.: No había verdaderas acciones de gobierno...

F. P.: Mucha retórica.

P. O.: Retórica principista.

F. P.: Hay retórica y hay logros, es innegable. La reforma universitaria me parece que es un logro extraordinario. Es la contradicción que tiene Yrigoyen. Por un lado, recibir a los trabajadores por primera vez en la Casa Rosada, cosa que no había ocurrido nunca, también el libre ejercicio de la prensa durante todo su gobierno; por otra parte, una represión feroz como en la Semana Trágica y la Patagonia.

J. G. H.: Creo que hubo una política favorable al obrero, hubo mejoras para la clase trabajadora. Fue un ferviente demócrata, pero su narcisismo y su incapacidad para el manejo de la economía contribuyeron a crear un ambiente que posibilitó un golpe de Estado. Su ineficacia para las cosas prácticas, ese hecho de dictar medidas que pretendían terminar con las injusticias y las desigualdades, pero que creaban nuevos privilegios (por ejemplo, la designación de "ñoquis"), fue creando un clima desfavorable al republicanismo. Este sentimiento se combinó con un retroceso del laicismo, un retorno al clericalismo (nombró catorce obispos y decía que el roquismo, que había sancionado la ley de enseñanza laica, era un "régimen falaz y descreído") y un hálito de añoranza por las tradiciones coloniales, que estuvieron signadas por el fanatismo religioso. Estableció la celebración el 12 de octubre del "Día de la Raza" o de la Hispanidad, como si en la estirpe española hubiera habido una superioridad espiritual o física, un concepto anticientífico y culturalmente siniestro que el nazismo alemán estaba desarrollando a favor de los arios en la misma época.

P. O.: Y su oposición al divorcio defendiendo a la familia. Octavio Amadeo llamó al radicalismo la fracción española de la política argentina.

J. G. H.: Yrigoyen diferenciaba tajantemente al "régimen", en que todo era negativo, de "la causa", es decir la "causa radical", en la que todo era bueno. Sin embargo, cuando llegó a la presidencia incurrió en muchos de los defectos que criticaba: se practicó el culto a la personalidad, hubo sumisión y servilismo hacia el caudillo máximo, en algunas provincias se cometieron fraudes (el caso de la famosa urna de Andalgalá, en Catamarca, que decidió una elección para gobernador) y se ejerció violencia contra opositores; hasta en los propios comités radicales hubo actos fraudulentos. Había en Yrigoyen un sentido mesiánico de que sólo el líder salvaría al pueblo y que unirse a otro partido era un contubernio. Esa intransigencia contra la oposición, el paternalismo dentro del partido que lo llevaba a vetar candidaturas, el deseo de controlar el Congreso, fue otra forma de vicio de las prácticas políticas que llegó hasta hoy.

F. P.: Sí, y una costumbre muy peligrosa para el futuro que es esto de identificar el partido con la Nación. El que no está conmigo es un apátrida, un antinacional. Ese calificativo se usó mucho contra los trabajadores durante la represión, eran apátridas, maximalistas, extranjeros, trapo rojo, cosas que nos traen a la memoria épocas más recientes y trágicas, cuando nos calificaban de antinacionales por estar en contra de la dictadura.

197

P. O.: En su prisión de Martín García escribe, y cito textual: "la Unión Cívica Radical será así por sus majestuosas enseñanzas la religión cívica de la Nación", y más adelante, "su desaparición produce consecuencias perturbadoras y hasta desastrosas por el vacío desorientador que deja en los escenarios públicos por la ausencia de sus enseñanzas y fiscalizaciones".

J. G. H.: Ahí empieza a usarse el término "elemento disolvente", calificativo que en nuestra generación fue muy utilizado.

F. P.: Ellos y nosotros.

P. O.: Yrigoyen intervino nada menos que veinte provincias, quince por decreto presidencial y solamente cinco con la anuencia del Legislativo. Pero vamos a reconocer algunos aspectos positivos de don Hipólito, uno de ellos es la creación del comité, que luego lamentablemente fue degradándose hasta esa fábrica de prebendas que es hoy. Pero entonces el comité aparece como una contrapartida del club oligárquico, del Club del Progreso, del Jockey, o de esos círculos donde se reunían los poderosos y lo decidían todo, siempre a favor de sus intereses y canonjías. Es interesante entrar hoy en uno de esos clubes y ver en las paredes el recordatorio de los socios y los cargos que ocuparon, y entonces se constata que era ahí, alrededor de una mesa bien servida o tomando whisky escocés, donde se decidía la historia. El comité significó la agrupación de los sectores menos privilegiados, una creación genial, porque en aquellos momentos en que no había asistencialismo estatal, la famosa tarjetita de recomendación para los afiliados resolvía los problemas. Si tenías un problema legal con tus patrones te daban la tarjeta de recomendación para el doctor Fulano, un abogado afiliado al radicalismo que te defendía gratuitamente, o te daban una tarjeta para el doctor Zutano que se ocupaba de tu enfermedad sin cobrarte. Es decir que los comités constituyeron una red de asistencia social que asistió a los humildes y además fueron lugares de reunión y convocatoria para reclamar y defender los derechos. Otra faceta positiva del comité podría ser que facilitó la movilidad social, ya que los cargos públicos dejaron de estar reservados sólo para "la gente bien". Hay que recordar algo que viene al caso: los dos partidos mayoritarios, el peronismo y el radicalismo, fueron organizados desde el poder. Durante su primer gobierno Yrigoyen se ocupó de organizar la red de comités y el entramado de cargos públicos y beneficios varios. Lo mismo hizo Perón después con las unidades básicas. Esto explica la impotencia de tantos partidos que surgieron con mucha fuerza, recientemente el Frepaso, el PI de Alende, la Ucedé de Alsogaray, pero que luego se extinguen porque es difícil, casi imposible, organizar una estructura partidaria desde el llano.

J. G. H.: El comité fue un avance en relación con el régimen, porque significaba que cada hombre era un voto, independientemente de su fortuna o lugar en la sociedad. Ése es el gran principio radical: en la opulenta economía del Tucumán azucarero el voto de los propietarios de ingenios (es el caso de los grandes dirigentes radicales Ramón Paz Posse o Manuel García Fernández) valía lo mismo que el del obrero. Ése es el espíritu y pensamiento del Yrigoyen que yo admiro. Cuando el presidente Pellegrini los llama a Alem e Yrigoyen para que en una reunión de dirigentes políticos de las grandes fuerzas arreglaran el nombre del futuro presidente, los radicales le contestaron: "Nosotros queremos comicios, no conciliábulos". El comité significó la participación igualitaria del pueblo en los negocios públicos, pero también es cierto que, al llegar el radicalismo al gobierno, éste pasó a ser un instrumento de clientelismo. Yrigoyen dejaba en los comités decretos firmados en blanco, para que los caudillos barriales designaran empleados públicos en pago por favores políticos. Esto inició el desquicio de la administración. Aun los biógrafos más favorables a Yrigoyen, como Manuel Gálvez, cuentan que, en ciertos casos, se presentaban en las oficinas públicas personas que decían "a mí me nombró don Hipólito". El titular de la repartición llamaba a la presidencia y el secretario le confirmaba que, efectivamente, el "Peludo" lo había designado de palabra y entonces se cumplía con las formalidades administrativas.

F. P.: Otro aspecto positivo fue una política internacional independiente. Hay algunos episodios notables, como por ejemplo cuando los alemanes hunden los barcos *Monte Protegido y Toro*, Yrigoyen exige y consigue una disculpa y una reparación económica por parte del gobierno alemán que contrasta con la actitud de su antecesor,

Victorino de la Plaza, que no reacciona cuando los alemanes fusilan a un cónsul argentino en Bruselas. Don Hipólito tiene otra actitud también ante la invasión norteamericana a Santo Domingo: el buque argentino *Nueve de Julio* pasa frente a la costa y recibe orden del presidente de no saludar la bandera yanqui en repudio a la violación de la soberanía dominicana.

P. O.: La neutralidad de la Argentina durante la Primera Guerra Mundial fue sostenida a pesar de las enormes presiones de Estados Unidos y de otros países de la Alianza, lo que contrasta con nuestro actual sometimiento a los funcionarios de las finanzas internacionales. Hay un largo trayecto desde aquella posición principista de gran vigor hasta la Argentina genuflexa de hoy.

F. P.: Era notable la energía de la delegación argentina en la Sociedad de las Naciones discutiendo de igual a igual con las principales potencias mundiales.

P. O.: El delegado era Honorio Pueyrredón.

J. G. H.: Respecto de lo que están diciendo en el sentido de elogiar esa política neutralista...

P. O.: Cuando José Ignacio empieza así, es porque después viene el ataque.

J. G. H.: ...y su antiimperialismo, me merece dos observaciones. Cuando Yrigoyen recibe a Herbert C. Hoover, que viene como presidente electo de los Estados Unidos, se niega a prestarle la guardia de Infantería porque todavía no asumió el cargo...

F. P.: Lo deja empapar en Campo de Mayo viendo un desfile bajo la lluvia.

J. G. H.: ...se trata de una actitud retórica, sin mayor sentido. Posteriormente, habla por teléfono con Hoover para dejar inaugurada la línea de comunicación entre ambos países. El norteamericano elogia el progreso tecnológico y los contactos que unen a ambos pueblos e Yrigoyen le responde con una monserga espiritualista. Le dice que "el sentir humano y la uniformidad no se basan en el desarrollo de las ciencias exactas y positivas sino en los conceptos que, como inspiraciones celestiales, constituyen la realidad de la vida". Esta pretensión de superioridad moral implicaba también una subestimación por lo utilitario, que nos fue, a la larga, funesta: al advenimiento de Yrigoyen nuestro producto bruto por habitante y el nivel de los salarios eran superiores a los de Francia; y hoy nos hemos convertido en un país pobre y endeudado. Otro aspecto negativo del antiimperialismo de Yrigoyen es que generó la creencia de que la verdadera fuente de poder está en el extranjero y, por lo tanto, los argentinos somos impotentes. Lo único que tenemos que hacer es unirnos para enfrentar a estas fuerzas del demonio, estar en una actitud de defensa, no tiene sentido trabajar, producir, porque es inútil lo que hagamos. Es decir, el demonio imperialista, llámese con el nombre que quieran ponerle...

P. O.: Hoy se llama globalización.

F. P.: O Fondo Monetario Internacional.

J. G. H.: ...está afuera; no podemos hacer nada; ellos son ricos, nosotros somos agredidos o dominados y estamos condenados a ser pobres. El mito de la víctima comenzó a elaborarse en esa época (si estamos mal es culpa de los ingleses) y convirtió al fracaso en virtud y cosa inexorable, a la mendicidad en un derecho, y al no hacer o al hacer las cosas mal en un recurso válido contra el supuesto orden injusto. Viene del catolicismo ("bienaventurados los pobres de espíritu") y se alimentó tanto de la derecha nacionalista y clerical como del marxismo ("el trabajo enajena, es explotación" y "la violencia es la partera de la historia"). Una mezcla explosiva que nos llevó hasta las frustraciones y la pobreza del presente.

P. O.: Reconozcamos que hay intereses nacionales y hay intereses ajenos a esos intereses nacionales, que pueden ser contrarios, y que siempre la política exterior, y por carácter transitivo en este mundo interconectado también la política interior, consiste en la resolución favorable o desfavorable del conflicto entre estos intereses. Estoy de acuerdo con vos en que no hay que justificar los propios pecados por los ajenos, pero que los intereses antagónicos existen, existen.

J. G. H.: Con Yrigoyen retorna el sentimiento de rechazo al extranjero propio del sistema colonial, en el que estaba prohibido el ingreso de judíos, moros y herejes. Es claro que existen los intereses extranjeros y el imperialismo, pero la Constitución Nacional de 1853 estableció el fomento de la inmigración europea y con ella empieza un crecimiento extraordinario. Hasta 1853 éramos un país pobre y despoblado que importaba trigo. En 1916, a la llegada de Yrigoyen, el país tenía más de ocho millones de habitantes, un ochenta por ciento de alfabetización y éramos los primeros productores de granos y carnes del mundo. Y desde entonces hemos declinado sin cesar.

P. O.: ¿Cuál es el motivo por el cual Hipólito Yrigoyen elige a un aristócrata como Alvear como sucesor?

F. P.: Hay versiones interesantes: una de ellas dice que lo consideraba un tipo absolutamente inepto y dedicado a la vida palaciega.

P. O.: Supone que va a poder instrumentarlo a su antojo. Según Luna, habría dicho que don Marcelo era "seguro, ornamental y manejable". Hay que recordar que Alvear hace cinco años que es diplomático en París y parece ajeno a los sucesos nacionales.

F. P.: Le impone como vicepresidente a un cuadro del radicalismo personalista, Elpidio González, su referente político. Entonces supone que lo va a manejar, pero después resulta que no es tan así. Es una versión que puede entenderse desde los manejos de hoy: Yrigoyen quiere que Alvear ocupe la presidencia mientras se cumplen los seis años para volver a scr él presidente. Que le cuide el puesto.

P. O.: Un artilugio semejante ya le había fallado a Roca con su cuñado Juárez Celman. Y fallará siempre que se intente algo semejante pues la condición humana tiene sus reglas inamovibles.

F. P.: Alvear se va a revelar como un gran político con independencia de criterio y va a hacer una administración bastante diferente de la de Yrigoyen.

P. O.: Floria y García Belsunce escribirán que se pasa del paternalismo populista al aristocratismo popular. Don Marcelo buscará ampliar su base de apoyo mezclando la sangre azul con la roja.

J. G. H.: Coincido con algunos matices. Había una serie de posibles candidatos radicales que le podían hacer sombra a Yrigoyen, quien siempre manejó verticalmente a su partido, fue un caudillo que buscaba la adulación. A sus diputados genuflexos se los llamaba "los lustrabotas". Para evitar un candidato con personalidad, Hipólito lo elige a Marcelo T. de Alvear, que era un aristócrata muy rico, acaso algo frívolo, que vivía en París en los tiempos en que en Francia, para indicar que alguien era millonario, se decía que "era más rico que un argentino".

F. P.: Tirar manteca al techo.

J. G. H.: Era dueño de un castillo cerca de París que se llamaba *Coeur Volant*. Yrigoyen tenía una relación contradictoria con Alvear: lo consideraba algo elitista y a la vez lo admiraba, tenía una cierta debilidad por este aristócrata comprometido con el ideario radical, que en su juventud había participado de las revoluciones a favor del sufragio libre y hasta había estado preso. Pensaba que este hombre que estaba por encima de los comités no le iba a hacer sombra y lo eligió como candidato. Cuando Alvear es elegido presidente no designa ministros mediocres como había hecho "el Peludo".

P. O.: Nombra civiles en la cartera militar.

J. G. H.: Efectivamente.

P. O.: Eso también lo pagará caro.

J. G. H.: Alvear no consulta a Yrigoyen los nombres de sus ministros, designa personalidades muy prestigiosas y hace un gobierno muy eficaz en lo económico.

P. O.: Te gusta más Alvear que Yrigoyen.

J. G. H.: Sí, mucho más, porque Alvear...

P. O.: Sin embargo, la historia simpatiza más con Yrigoyen que con Alvear.

J. G. H.: Por razones ideológicas y por haber sido mejor administrador, me gusta Alvear. La concepción de Yrigoyen, de identificar al partido con la patria, según lo expone en su último documento titulado "Mi defensa", lo aproxima al fascismo. Alvear, en cambio, fue más republicano, más democrático, y cuando el nazismo aparece en Alemania lo condena claramente.

P. O.: A vos, Felipe, ¿quién te gusta más?

F. P.: La verdad es que no me gusta ninguno de los dos, pero si tengo que elegir, prefiero a Yrigoyen destacando que me disgusta muchísimo, y considero que es una mancha negra, su política obrera con esas matanzas terroríficas de la Patagonia y la Semana Trágica. Eso pone fuertes signos de interrogación a su actuación histórica.

P. O.: Pero te gusta más Yrigoyen...

F. P.: Digamos que sí. Una curiosidad es que Yrigoyen es protagonista involuntario de dos hechos de nuestra historia cultural: nuestro primer film de dibujos animados y uno de los primeros del mundo, *El Apóstol*, un film con sentido satírico, que como decía José Ignacio usaba el término apóstol de la democracia para burlarse un poco de Yrigoyen; y también de uno de los primeros tangos canción, llamado "4 de Febrero", que hacía mención a la revolución radical de 1905. Se recuerda "Mi noche triste", de Pascual Contursi, como primer tango canción, pero hay un antecedente que es este tango dedicado a don Hipólito.

P. O.: Recordando hechos, no podemos dejar de hacer alguna referencia al golpe del '30. A mí siempre me han conmovido las palabras de ese poeta enorme y equivocado que fue Leopoldo Lugones cuando habla en Lima, en 1924, durante la celebración del centenario de Ayacucho, a la que asiste como enviado del gobierno de Alvear. Dice aquella terrible frase: "Ha sonado, otra vez, para bien del mundo, la hora de la espada". Era la época del fascismo, del nazismo. Lugones, para oprobio de nuestra literatura, fue el mentor ideológico del golpe del '30.

F. P.: Está prefigurando el golpe del '30 seis años antes, se está adelantando a los tiempos, de alguna manera en consonancia con la insistencia de José Ignacio sobre esa educación patriótica de inculcar que la nación lo es todo, esa manera de pensar tan autoritaria.

J. G. H.: Que el modelo de la nacionalidad es el militar, que el patriotismo está identificado con lo castrense y lo católico, y que la libertad consiste en ser esclavo de la patria. La "hora de la espada" a la que convoca Lugones no va a terminar con el golpe del '30 sino que inaugura una etapa regresiva en la que se consolidan las ideologías totalitarias, se profundiza el despilfarro que conduce a la declinación económica y se niegan los derechos humanos hasta los límites de la ignominia política.

F. P.: En el comienzo de la biografía de Juan Manuel de Rosas, Ibarguren narra cómo el padre de Rosas, el día que nace el pequeño Juan Manuel, se viste de militar y va al regimiento en busca de un capellán, y no cesa en su intento hasta encontrarlo, porque quería que en un mismo momento, en un mismo acto, su hijo fuera ungido católico y militar. Para el nacionalismo las cosas son muy claras, ellos son los dueños del país, confunden a la patria con la estancia y esa clase de señores es la que debe gobernar; más allá o más acá, pero siempre al margen de las formas democráticas. El nacionalista siente que él es el dueño de la patria, no solamente del presente sino de la tradición de la patria, del pasado de la patria.

P. O.: Pueden distinguirse en el nacionalismo argentino de entonces tres corrientes principales: el nacionalismo fascista, con Mussolini como faro orientador; el nacionalismo maurrasiano, que abreva en el teórico francés Maurras; y el más moderado nacionalismo conservador, al que perteneció Lugones. Los tres eran fervorosamente antiyrigoyenistas pero los primeros dos eran acérrimos enemigos del sistema de partidos, de la Constitución vigente y del liberalismo político, social y cultural. Los integrantes de las fuerzas armadas se repartían, en su mayoría, en estas tres orientaciones, José Félix Uriburu en el maurrasiano y su rival Agustín P. Justo en el conservador. Es dable agregar que la irritación y posterior intervención de las Fuerzas Armadas golpistas se debió también, y quizá principalmente, a que don Hipólito trasladó a ese ámbito sus prácticas civiles de favorecer con ascensos y designaciones a los uniformados obedientes, y con castigos y postergaciones a los desobedientes, lo que generaba mucha irritación. El presidente del muy influyente Círculo Militar, general Francisco Vélez, en 1930, y el historiador Potash lo resalta, dirá que las relaciones entre el Ejército y el gobierno, de ahí en más, no estarían signadas "por la obsecuencia y el servilismo".

J. G. H.: El final de Yrigoyen, su decadencia personal y política, es muy triste. En 1930 pierde las elecciones en la Capital, ganan los socialistas independientes; la UCR es derrotada también en Córdoba; es un presidente que está viejo, solo y ajeno a la realidad, aislado por una camarilla que lo engaña sobre la verdadera situación del país; atribuye las críticas a socialistas y comunistas; su popularidad se ha desvanecido; muchos radicales quieren que deje el gobierno en manos del vice, pero no se atreven a decírselo...

P. O.: Tiene setenta y ocho años y está muy enfermo. Cuando le dan el golpe había delegado el mando en su vicepresidente, Martínez, por problemas de salud.

J. G. H.: Está decrépito; su escaso sentido práctico ha desaparecido por completo; la administración está paralizada.

F. P.: Además, la crisis del '29, que afecta al mundo, castiga duramente a una economía agroexportadora como la argentina.

P. O.: Parece cierta la pérdida de facultades del presidente. En una carta que Alvear escribe desde París, en febrero de 1930, dice "nunca creíamos que Yrigoyen fuera a realizar un buen gobierno, pero ni los más pesimistas supusieron que llegaría a tanto". Y después agrega: "No puedo comprender cómo un hombre como Yrigoyen, al que usted sabe, tanto le preocupa el éxito inmediato y el aplauso efímero, ha encontrado manera de perder prestigio y autoridad y ha desarrollado una acción de gobierno con la que sólo ha conseguido perjudicar gravemente nuestro progreso material, institucional e intelectual".

J. G. H.: El pueblo no lo defiende, muchos radicales están deseando su caída. Sin embargo, el golpe de Estado que lo derroca y su próxima muerte lo elevan al nivel de mito. Los argentinos somos muy inclinados a mitificar. Así como en la política hay quienes dicen "queremos promesas, no realidades", en el campo cultural parece que decimos "queremos mitos, no historia".

F. P.: Cuando muere don Hipólito, el 3 de julio de 1933, el gobierno del general Agustín P. Justo quiere brindarle honores de presidente y la familia Yrigoyen rechaza estos honores porque provienen de un gobierno antidemocrático.

P. O.: Los gobiernos autoritarios que a partir de entonces se encaraman al gobierno pierden la aureola casi mística del "gobierno perfecto" centrado en la guía de la Iglesia y el patriotismo de las Fuerzas Armadas y se desbarrancan en conductas represivas y corruptas que desilusionan a muchos de quienes sinceramente descreyeron en las formas democráticas y republicanas. Entre ellos Lugones, quien deja una nota sobre la mesa de ese humilde recreo del Tigre donde se suicida: "No hay sino lodo, lodo, y más lodo". Y en una conversación con el padre Furlong, aquel distinguido intelectual jesuita, dirá: "Es terrible caer en la evidencia de haber trabajado en vano, desligado de los intereses trascendentales y de haber conspirado contra la verdad".

José Félix Uriburu

LA CRISIS NORTEAMERICANA DEL '29. EL IMPERIO DE LAS IDEOLOGÍAS. LA LIGA PATRIÓTICA. LA LEY DE RESIDENCIA. EL ÚLTIMO GOBIERNO DE YRIGOYEN. EL GOLPE DE URIBURU. LA DÉCADA INFAME. EL TANGO TESTIMONIAL. LA CRISIS DEL '30. EL NEW DEAL. CONGRESO EUCARÍSTICO MUNDIAL. PERÓN Y EL GOLPE DEL '30. LA NEUTRALIDAD ARGENTINA EN LA SEGUNDA GUERRA MUNDIAL. LA CORRUPCIÓN Y LOS NEGOCIADOS.

FELIPE PIGNA: Vamos a hablar sobre Uriburu y la crisis del '30. Para comprender cómo repercutió en la Argentina me parece imprescindible comenzar aclarando que es una crisis importada, que nos llega desde los Estados Unidos, de la famosa crisis del '29, de aquel jueves negro de octubre de 1929 cuando la Bolsa de Nueva York se desplomó. Esta crisis tiene sus antecedentes en la década del 20, durante la cual Estados Unidos se convirtió en el gran vencedor de la Primera Guerra Mundial porque el resto de los países sufrieron consecuencias muy graves en sus territorios: miseria, desocupación y mortandad. Estados Unidos acumuló tanto poder y dinero que a su economía se le hizo imposible reinvertir este capital productivamente y comenzó a volcarlo especulativamente en la Bolsa. Hacia el mes de octubre del '29 era tal el capital virtual, que aumentó el riesgo de las inversiones y la economía se volvió muy frágil. Gran parte del capital estaba invertido en Wall Street; los grandes capitalistas comenzaron a retirar estos bienes de la Bolsa de Nueva York, por lo que se produjo el famoso efecto "bola de nieve" o "cascada" y todos comenzaron a vender. Por supuesto, los últimos en vender fueron los pequeños ahorristas, como ocurre siempre. Entonces se produjo algo inesperado: la quiebra de la principal potencia capitalista del mundo.

PACHO O'DONNELL: Habitualmente los "perejiles" ni siquiera pueden vender. Se enteran cuando ya es tarde porque en esos casos la información, no sólo los autos lujosos o las quintas de fin de semana, también es "propiedad" de los poderosos.

F. P.: ¿"Corralito", no? Se produjo el colapso del sistema financiero norteamericano y, por lo tanto, internacional, porque ya para entonces el sistema económico mundial estaba muy vinculado a los Estados Unidos. Aquella nación del progreso indefinido, como se la llamaba, se transformó en un país con una crisis muy profunda que transfirió al resto del mundo. A la Argentina la crisis llegó de la mano de nuestra metrópolis económica: Gran Bretaña. Comenzamos a sufrir las consecuencias en el ámbito local, que repercutieron, incluso, en el ámbito político al producirse el primer golpe de Estado del siglo XX, con el desplazamiento de Yrigoyen.

P. O.: Aquélla fue una época muy marcada por las ideologías, a diferencia de este pensamiento actual único, de esta victoria hegemónica del neoliberalismo o capitalismo de mercado, como se quiera llamar, que aparentemente no acepta o no da espacio a otras ideas. En los años 30 aparecen el fascismo, el nazismo, el anarquismo, el comunismo, el conservadurismo... Existe el nacionalismo autoritario, el conservador, está el marxismo con todas sus derivaciones: Bakunin, Marx, Trotsky, Lenin. Es una época extraordinariamente signada por las ideologías.

F. P.: Un símbolo claro es la Guerra Civil Española.

P. O.: Todo sucede en los años 30. En el '33 sube Hitler al gobierno; en ese año aparecen Franklin Roosevelt y el New Deal, que es un intento de Estados Unidos de ordenar la economía que hasta ese momento ha sido caótica en su crecimiento. La Guerra Civil Española se produce en el '36. Antes, el comunismo ha tomado el poder en Rusia. Japón invade China. Son años de mucha ebullición.

José Ignacio García Hamilton: En la Argentina, la crisis de la Bolsa de Nueva York repercutió intensamente por nuestra vinculación con los mercados extranjeros, particularmente con Inglaterra, que nos compraba una gran parte de los cereales y carnes que exportábamos. La disminución del comercio internacional y la baja de los precios agrícolas afectaron los ingresos aduaneros de la administración, que en algún momento tuvo que atrasar los sueldos de los empleados públicos. En ese momento teníamos en nuestra población una gran cantidad de inmigrantes e incluso llegó a pensarse que los extranjeros podían superar en cantidad a los nativos.

P. O.: Creo que eso fue en el gobierno de Juárez Celman. Es que una vez completada la institucionalización del país, con la capitalización de la ciudad de Buenos Aires, se cierra un ciclo, y comienza otro guiado por la consigna de Roca, "orden y administración". Es en ese marco donde se da la gran afluencia inmigratoria, junto con la inserción de la Argentina en el mundo a través de las grandes exportaciones que nos colocan como uno de los primeros productores de trigo.

J. G. H.: Entre 1857 y 1930 el país recibió una cantidad neta de 3.385.000 inmigrantes, descontando los trabajadores temporarios que regresaban a sus naciones de origen. El primer censo realizado durante la presidencia de Sarmiento, en 1869, registró una población de 1.737.000 habitantes y, en 1914, ya éramos 7.885.000, de los cuales más del 30 por ciento había nacido en el extranjero. En 1895, el 58 por ciento de la propiedad urbana de la ciudad de Buenos Aires estaba en manos de extranjeros y, en 1925, el porcentaje llegaba casi al 80 por ciento. Aunque la generación del '37 había impuesto en la Constitución de 1853 la consigna de fomentar la inmigración extranjera y este fenómeno había posibilitado el crecimiento económico del país, a principios del siglo XX las clases dirigentes se asustaron ante el aluvión inmigratorio y en 1908 se impuso, desde el Consejo Nacional de Educación, una campaña tendiente a homogeneizar a los hijos de inmigrantes. Desde la escuela pública se empezó a exaltar lo nacional; a poner el acento en lo militar y en el catolicismo tratando de identificar la patria con estos valores; a difundir una historia legendaria que mitificó a los próceres y los convirtió en personajes casi sobrenaturales; a privilegiar a los héroes militares (San Martín y Belgrano) sobre los civiles (Mariano Moreno y Rivadavia). Se comienzan a rechazar ciertas características de los extranjeros...

P. O.: No se había producido la inmigración que quería Alberdi, de franceses, ingleses...

F. P.: Como decía Sarmiento: "¡Qué chasco nos llevamos con la inmigración!".

J. G. H.: Un escritor nacionalista, Dardo Corvalán Mendilaharzu, afirmaba que debía "formarse un tipo nacional para detener esta avalancha cosmopolita que suprime recuerdos y jerarquías y produce un vacío moral". Se empieza a considerar al inmigrante como una amenaza, como una invasión, y no como alguien que trabaja, produce, crea riqueza.

P. O.: Se le teme sobre todo por lo ideológico, porque traen ideas que hasta entonces no existían en estas tierras: el anarquismo y el socialismo, con sus reivindicaciones obreras.

F. P.: Ahí está Manuel Carlés, por ejemplo, que en 1919 fundaba esa organización terrorista de derecha llamada Liga Patriótica Argentina.

P. O.: También aparece la Ley de Residencia, que se crea para expulsar a aquellos extranjeros fastidiosos, de ideas levantiscas, que venían a organizar sindicatos, cosa que hasta entonces no existía.

F. P.: Y se producen hechos inesperados, como la reivindicación del gaucho. Por supuesto, del gaucho bueno, que más adelante va a ser don Segundo Sombra en contraposición a Martín Fierro, que es el gaucho rebelde. La clase dirigente está buscando las raíces nacionales para oponerlas al fenómeno de la inmigración, de los gringos a los que acusaban de maximalistas, de revolucionarios, porque todavía en el '30 continúan los ecos del temor producido entre las clases dirigentes por la Revolución Rusa.

P. O.: La imagen de la Revolución Rusa es muy atractiva. Esa idea de justicia y de igualdad es ideológicamente cautivante, en especial en lugares donde hay mucha pobreza y miseria como había en la Argentina.

F. P.: Además en nuestro país existía un movimiento obrero muy radicalizado y movilizado, vinculado a las luchas de los trabajadores de otros países. En Buenos Aires, por ejemplo, se produce una gran movilización para pedir la liberación de Sacco y Vanzetti.

J. G. H.: Eso se va a utilizar mucho en la escuela primaria con motivo del empréstito patriótico que toma el gobierno militar del general Uriburu. Se piensa que a través de los niños se puede llegar a influenciar a los padres; así se les explica que el patriotismo de los hombres de 1810 se expresa en la época comprando los bonos del empréstito que había emitido la administración para paliar sus déficit de tesorería, provenientes de la baja en los ingresos aduaneros.

F. P.: Una de las primeras medidas del general Uriburu —hablando del empréstito patriótico— después del golpe del 6 de septiembre de 1930 es perdonar las deudas a todos los oficiales de una manera muy corrupta, porque bastaba con que pasaran un papelito detallando cuánto dinero debían para que el Estado cancelara el préstamo. Era una especie de soborno al Ejército. Me parece interesante destacarlo por esta imagen tan difundida de que los militares cuando toman el poder no son corruptos. Ahí tenemos al primer golpe de Estado del siglo XX con Uriburu y el primer acto de corrupción que le costó al país millones de pesos de aquel entonces.

P. O.: Hay que tener en cuenta, además, que la única fuerza que pudo movilizar Uriburu para dar el golpe fue la del Colegio Militar, porque Campo de Mayo se opuso a sus planes. Llegó a la Casa de Gobierno al frente de los cadetes. ¿Influye en la crisis del '30, además, el hecho de que Yrigoyen estaba ya en el segundo gobierno, viejo y cansado? Porque se había generado una gran corriente crítica, una oposición muy grande. Es una crisis, como describía recién muy bien Felipe, que toma al gobierno argentino muy mal parado.

F. P.: Débil y con amenazas muy fuertes. El ministro de Guerra que Yrigoyen hereda de Alvear, el general Agustín P. Justo, comienza a conspirar a los pocos días de la asunción de don Hipólito. El contexto económico mundial repercute seriamente en la situación económica argentina y va minando la popularidad de Yrigoyen, comienza a crecer la desocupación. A esto se le suma la derrota electoral del radicalismo en la Capital, donde ganan los socialistas.

P. O.: El radicalismo está muy dividido.

F. P.: Sí, entre el alvearismo y el yrigoyenismo.

P. O.: Antipersonalismo e yrigoyenismo, ¿verdad? Los antipersonalistas le hacen la vida imposible al "Peludo" en el Congreso y en las provincias. En San Juan se produce el enfrentamiento con los Cantoni. En Mendoza asesinan a Lencinas, opositor a Yrigoyen, y lo acusan a él de esa muerte que nunca fue esclarecida porque el presidente entorpeció las investigaciones que realizaba el Senado. Meses antes del golpe atentan en contra de su vida y la custodia mató al agresor, que resultó ser un ácrata, como entonces les decían a los anarquistas, un tal Gualterio Marinelli, que dispara cinco tiros al coche presidencial.

J. G. H.: Es interesante la pregunta de Pacho sobre si, en el caso de que hubiera habido un Yrigoyen más joven y eficaz, se habría evitado el golpe. Si bien la historia se hace con hechos (más que con conjeturas o hipótesis), existen elementos que hacen pensar que, durante el primer gobierno de Yrigoyen y el de Marcelo T. de Alvear, la perspectiva de un quiebre en el sistema constitucional no parecía muy posible ni cercana.

F. P.: El radicalismo, en su conjunto, durante los períodos de Yrigoyen, Alvear e Yrigoyen, aumentó notablemente el empleo público.

J. G. H.: Yrigoyen lo triplica según algunos informes.

F. P.: Lo hace como una garantía del voto, comprando el de los agentes del Estado. Fijate lo que decía al respecto el diario socialista *La Vanguardia*: "La inscripción en los registros del partido radical viene a ser una especie de pasaporte o salvoconducto para llegar a cualquier puesto, sistema que, generalizado con el fin de dar ubicación en las oficinas públicas a las hordas famélicas de 'la causa', ha convertido a todas las reparticiones nacionales municipales en otros tantos asilos de incapaces".

P. O.: Seguimos pagando, el peronismo también lo hizo, ¿verdad?

F. P.: Para ser justos debemos decir que la práctica de ampliar el empleo público como una forma de clientelismo la inauguró Roca en 1880. Los comités del Partido Autonomista Nacional, el PAN de Roca, eran verdaderas oficinas de empleo.

J. G. H.: Lamentablemente, cuando el general Uriburu da el golpe de Estado tiene el apoyo, o al menos la condescendencia, de la mayoría de la población. Por eso puede tomar el gobierno al frente de los cadetes del Colegio Militar. Muchos radicales pensaban que Yrigoyen estaba decrépito, que había perdido el sentido de la realidad; se decía que su entorno le imprimía un diario falso especialmente para él, mostrándole una situación ficticia. Incluso el diario *Crítica*, el más popular y de mayor tiraje de la época, le había restado su apoyo y lo combatía ferozmente. Cuando el presidente inauguró la exposición rural de Palermo y el público lo silbó, el titular de *Crítica* señaló: "¿Se convence el señor Yrigoyen de que todo el pueblo lo repudia? La silbatina de la Sociedad Rural no tiene precedentes".

F. P.: Otro titular famoso de *Crítica* decía: "Yrigoyen está loco".

J. G. H.: Por eso Uriburu pudo afirmar que el fracaso de Yrigoyen era el fracaso del sufragio universal y que había que sustituir la parasitaria clase política por un sistema corporativo. Sostenía que si los representantes del pueblo provenían de las corporaciones laborales iban a ser más honestos y eficaces. Incluso Carlos Gardel grabó el tango "Viva la Patria", que celebraba la llegada del salvador, el general José Félix Uriburu.

F. P.: José Félix Uriburu había nacido en Salta en 1868. Se dedicó de joven a la carrera militar y un dato curioso es que se conoció con Yrigoyen, presidente a quien derrocaría cuarenta años más tarde, en la Revolución del Parque, en 1890. Él fue uno de los tantos oficiales que participaron del alzamiento cívico-militar contra el gobierno corrupto de Juárez Celman. Pero ya en 1905 cambiará de bando: colabora con las tropas del presidente Manuel Quintana para sofocar la revolución radical conducida por Hipólito Yrigoyen. Como premio a sus servicios es nombrado director de la Escuela Superior de Guerra y en 1908 fue enviado a Europa para observar los programas de entrenamiento y comprar armamento. De regreso a la Argentina, en 1914 fue electo diputado por Salta sin abandonar su carrera militar. En 1921 asciende a general de división y en 1926 Alvear lo nombra miembro del Consejo Supremo de Guerra. Desde allí irá armando la conspiración junto al general Agustín P. Justo, que había sido el ministro de Guerra de Alvear. Uriburu hablaba de una aristocracia, del gobierno de los mejores. Está en contra del número, de la representación democrática.

P. O.: En realidad, Uriburu odia la política. Y lo dice en un discurso que pronuncia en la Escuela Superior de Guerra en diciembre de 1930. Allí habla de la política, vocablo que para los soldados "debía" ser entendido como una mala palabra, y dice que la formación militar debía apartarse de ella "como de un elemento disolvente". Se produce una gran devaluación del concepto de democracia y de república.

F. P.: Porque asocian la democracia con el caos.

P. O.: Ése es el peligro que tenemos actualmente; la anarquía, la crisis, la miseria, la desocupación provocan una fuerte tendencia al llamado a las figuras providenciales, sobre todo para que vengan a poner orden.

F. P.: Uno de los elementos que utiliza siempre el grupo autoritario, como decía José Ignacio, y que se repite en el caso de Yrigoyen, es asociar el fracaso de un gobierno con el fracaso de la democracia. Fíjense qué interesante el texto de uno de los primeros manifiestos de los golpistas que inaugura un estilo lamentablemente repetido por otros golpistas a lo largo del siglo: "La Junta Militar quiere el cambio, no de los hombres, sino del sistema que arrastra el país a su ruina, y que representan en su falta de ideales, y en su complicidad pasiva con todos los delitos cometidos, lo mismo quienes detentan hoy el poder, como los que estarían llamados a sustituirlos". Cuando dicen sistema hablan de la democracia.

J. G. H.: El tiempo vino a demostrar que el supuesto salvador, el general Uriburu, fue mucho peor que los gobiernos democráticos anteriores. Y el golpe militar del '30 inició un ciclo nefasto de desconocimiento de la soberanía del pueblo, que culminó en el desastre del gobierno militar de 1976 al 1983 que llevó la deuda externa del país de 7800 millones de dólares a 45.000 millones, sin hablar del horror que significaron los miles de desaparecidos cuyos familiares todavía no saben dónde ponerles una flor, mientras que la mayoría de los responsables fueron amnistiados o indultados.

F. P.: Alvear, en declaraciones a un diario porteño, dos días después del derrocamiento de Yrigoyen, dice textualmente: "El que dirigió varias revoluciones de las que nosotros participamos y no logró hacer triunfar ninguna, en cambio, ve triunfar la primera que le hacen a él. Más le valiera haber muerto al dejar su primer gobierno, al menos hubiera salvado al partido, la única fuerza electoral del país rota y desmoralizada por la acción de su personalismo".

P. O.: Recordemos que Alvear era el otro gran dirigente del radicalismo, que había sido el presidente anterior y que en el momento del golpe estaba fuera del país. En febrero de 1930 escribe en una carta que no podía comprender cómo Yrigoyen había permitido que el caos se instalara en su gobierno. Y dice: "La Argentina tiene reservado por sus múltiples dones un gran porvenir y éste no puede ser destruido, aun cuando sea retardado por la ignorancia, la maldad o la falta de patriotismo de los hombres que tiene la fatalidad de tener en el Gobierno". Durísimo.

J. G. H.: Cuando cayó Yrigoyen, Alvear estaba en París y, al enterarse de la noticia, hizo un comentario muy ilustrativo: "Gobernar no es payar".

P. O.: Payaba, usaba palabras raras, mesiánicas.

J. G. H.: Pero no sabía administrar. En este sentido, la figura de Alvear cada vez se realza más como un presidente que fue buen administrador.

F. P.: Hay que recordar también que el régimen de Uriburu inaugura esta década infame, como se la llamó. Es una década en el sentido histórico, no cronológico, porque va a durar trece años. La década infame va desde el golpe del '30 al del '43. Durante este nefasto período reinan el fraude y los negociados. Comienza con un clima represivo muy fuerte, con la policía de orden social, dirigida por el comisario *Polito* Lugones, hijo del poeta Leopoldo Lugones, que empieza a aplicar un invento argentino: la picana eléctrica. La historia de la familia Lugones es impresionante, por un lado el padre poeta que se inicia en el anarquismo y deriva en el fascismo.

P. O.: Leopoldo Lugones es un poeta absolutamente genial, extraordinario, el intelectual que necesita siempre un movimiento fascista autoritario. Mucho antes del golpe, en 1927, expuso sus ideas en un artículo en la sección literaria de *La Nación* en la que sorprende su idealización del ejército. Ahí dice que, y cito textual, "debido a su preparación científica y administrativa, su espíritu de sacrificio, su vida ordenada, su punto del honor y su disciplina, la oficialidad moderna forma de suyo el mejor cuerpo gubernativo que puede concebirse, resumiéndose en ella el doble concepto de gobierno y de mando".

F. P.: Es orgánico.

P. O.: Es funcional, produce la justificación intelectual de un hecho absolutamente antihumano, como fue el golpe. Porque digamos que Lugones, como el resto de los nacionalistas, era seguidor del escritor francés Maurras, al que consideraban su ideólogo. Maurras calificaba como "funesta" a la Declaración de los Derechos del Hombre de la Revolución Francesa y le adjudicaba haber creado en ese país el espíritu democrático, "fuente de gruesos errores".

F. P.: El discurso de "La hora de la espada" Lugones lo pronuncia en 1924, durante el gobierno de Alvear.

J. G. H.: En Perú.

F. P.: Luego su hijo es nombrado jefe de Policía. Es el inventor de la picana. La hija de este jefe de policía, *Pirí* Lugones...

P. O.: Una excelente persona y periodista.

F. P.: En algún momento fue compañera de Rodolfo Walsh...

P. O.: En *La Opinión*.

F. P.: Y muere en la ESMA, víctima del invento de su padre, la picana eléctrica. Una historia que atraviesa a la Argentina con una crueldad terrible. Los dos Lugones suicidas, el padre y el abuelo de *Pirí*, y *Pirí* muerta, una militante montonera muerta en la ESMA con el invento de su padre, el comisario *Polito* Lugones.

P. O.: Es preciso recordar que en aquella época tanto militares como intelectuales recibían también una gran influencia de José Antonio Primo de Rivera, hijo del dictador español Primo de Rivera.

J. G. H.: De Miguel Primo de Rivera.

P. O.: Él creó una doctrina que estaba a mitad de camino entre el fascismo y el nazismo, imbuido de un catolicismo hispánico, que resultó muy atractivo para muchos sectores de nuestra juventud y de nuestras Fuerzas Armadas. Eran épocas influidas por los movimientos autoritarios.

F. P.: El falangismo era más plebeyo que el nacionalismo católico de Uriburu porque se le daba una participación importante a los sindicatos, a la movilización popular, cosa que a nuestros nacionalistas católicos los aterraba.

P. O.: La Argentina, quizá por su estructura inmigratoria, era muy europeizada, no sólo por la tendencia cultural de su intelectualidad sino por el hecho real de estar habitada por muchos europeos.

J. G. H.: Lugones, que en su juventud había sido un hombre de izquierda, escribió una magnífica biografía de Domingo Faustino Sarmiento. Luego se hizo fascista y compartió la idea de que había que utilizar la escuela pública (creada por el "cuyano alborotador" para fomentar el libre pensamiento y laicizada por Roca para terminar con el dogmatismo religioso) para introducir un nuevo credo, un nuevo dogma, que fue el "patriotismo". Inclusive el perito Moreno se sumó a este criterio y manifestó que "el amor a la patria" debía ser una religión nacional, mientras Enrique de Vedia, director del Colegio Nacional, postulaba que había que "formar en cada niño un idólatra frenético por la República Argentina, enseñándole que ningún país tiene timbres más altos ni porvenir más esplendoroso".

P. O.: Vuelvo a decirte que cada vez que tocás críticamente el tema de lo que vos llamás la "educación patriótica", y lo hacés muy obstinadamente, provocás en mí un sentimiento ambivalente. Por un lado estoy de acuerdo en que alguna relación tiene esa exaltación militarista con la tendencia autoritaria de nuestro pueblo, pero por otro lado estoy convencido de que si algo nos falta a los argentinos y a las argentinas es un sentimiento de patria, ese orgullo nacional que caracteriza a otros pueblos, la convicción de que un compatriota, que quiere decir "hijo del mismo padre", merece nuestra mayor solidaridad y respeto. Cuando se habla de nuestra disgregación nacional es claro que se debe primordialmente a que nos falta el cemento del colectivo y compartido sentimiento patriótico.

J. G. H.: El dogma del "patriotismo" se dio fuertemente en los dos países que tuvieron mayor inmigración en el siglo XIX y principios del XX, la Argentina y los Estados Unidos. También ocurrió en Francia, Alemania, Japón y otros países no inmigratorios, en estos dos últimos con resultados calamitosos. En Estados Unidos tuvo un sentido bélico lamentable e, incluso, produjo la persecución ideológica del "macarthismo" en la década del 50 (fenómeno iniciado por el senador Joseph Mac Carthy al advenimiento de la "guerra fría"), pero algunos anticuerpos pluralistas y un sistema educativo que tradicionalmente promovió la disidencia y la discusión evitaron que llegara a los niveles que alcanzó en la Argentina.

F. P.: Durante la dictadura de Uriburu se llega al absurdo de prohibir el lunfardo en las letras de tango y se hacía un chiste, decían que a la calle "Guardia Vieja" le iban a cambiar el nombre por "Cuidado Madre".

P. O.: Eso lo hizo también el Proceso... Ahora, qué notable, Jorge Luis Borges, al que siempre se lo tachó de elitista y extranjerizante, sostenía que el tango verdadero era el orillero.

F. P.: El Proceso prohibió "Cambalache".

P. O.: Mataba gente pero se ocupaba mucho de estas cosas.

F. P.: Es interesante cómo el tango reflejó la crisis social del '30. Una de las consecuencias de la crisis fue la miseria más absoluta para amplios sectores de la población. También aumentan notablemente los suicidios. El tango se ocupó de reflejar la época, los tangos de Discépolo, de Celedonio Flores y de Dante Linyera hablan de esos dramas sociales.

P. O.: A diferencia de las letras actuales. Tal vez lo que digo es un poco arbitrario, pero yo escucho las letras de las canciones de hoy y salvo excepciones que pueden ser Ignacio Copani, León Gieco y algún otro, en general hablan de cualquier cosa menos de lo que sucede en la sociedad. Hablan de un amor absolutamente estupidizante o de un romanticismo edulcoradamente irreal. No hay como aquellas letras.

F. P.: Testimoniales.

J. G. H.: Había una letra muy testimonial que decía "Sólo le pido a Dios que la guerra no. me sea indiferente", pero si mal no recuerdo su autor participó después en festivales relacionados con la guerra de las Malvinas.

P. O.: No, León Gieco queda excluido de mi crítica.

F. P.: De campañas bélicas no participó.

J. G. II.: Creo recordar...

P. O.: León Gieco ha mantenido siempre una remarcable coherencia.

F. P.: Además, la canción la hizo cuando las dictaduras de Chile y la Argentina estuvieron a punto de entrar en guerra por el tema del Beagle en 1978.

P. O.: Les pregunto, muchachos, ¿en qué se parece la crisis del '30 a la nuestra actual?

F. P.: Yo creo que hay una gran diferencia y es que aquella crisis todavía no era terminal sino coyuntural. Se la veía como una crisis que iba a tener solución. Incluso se le busca una salida rápidamente con el fomento de la industria, se produce la sustitución de importaciones, cambia el perfil económico de la Argentina. En la actualidad, en la gente predominan la decepción y la desazón. No se ve solución.

P. O.: En el mundo actual la globalización hace que las crisis se contagien a otros países porque las fronteras económicas, financieras y políticas han sido abolidas por el expansionismo virtual ya no sólo de países sino también de los grandes holdings financieros y de los organismos internacionales que gerencian los intereses de los poderosos.

J. G. H.: La crisis del '30 fue una crisis mundial que repercutió en nuestro país. Al disminuir el comercio internacional y los precios de nuestros productos exportables, cayeron los ingresos que habíamos venido acumulando desde 1860. En cambio, la actual crisis económica ha sido creada por nosotros mismos, por los despilfarros de la mayoría de los gobiernos desde 1946 en adelante. Cuando termina la Segunda Guerra Mundial nuestro país no tiene deuda externa. Por el contrario, los países europeos, y particularmente Inglaterra, nos debían. Teníamos crédito externo. Desde entonces la dilapidación de los dineros públicos, el clientelismo político, la dádiva, la limosna en sus distintos signos fueron provocando primero inflación y luego endeudamiento externo. En lo ideológico o cultural, el retroceso fue paralelo y también debido a nosotros mismos.

P. O.: Eso debe coincidir con el hecho de que la crisis del '30 determina una gran vigorización de los Estados. Hasta ese momento había predominado un concepto liberal de la economía que es lo que provoca la crisis, porque se descontrola. A partir de ahí empiezan los sistemas de control.

J. G. H.: Incluso en Estados Unidos.

P. O.: Primordialmente en los Estados Unidos. Comienzan las regulaciones, los subsidios, los impuestos aduaneros.

F. P.: Aparece el Estado interventor. Las llamadas juntas reguladoras como la Junta Nacional de Carnes, la Junta Nacional de Granos, etc., que van a tener como objetivo garantizar en época de crisis la tasa de ganancia de la burguesía terrateniente argentina. Es notable observar cómo este Estado que interviene decididamente en la economía sigue siendo prescindente en los temas sociales. No existen prácticamente programas sociales. Esto distingue al Estado interventor argentino del norteamericano, que proponía un New Deal o nuevo trato y que intervenía con el mismo ímpetu en lo social y en lo económico, porque entendía que en la recuperación de los puestos de trabajo y del nivel de consumo se jugaba la suerte de la nación.

P. O.: El Estado asume un papel preponderante. En la actualidad, en nuestro país tenemos el ejemplo contrario, el de un Estado tan debilitado que ni siquiera puede soportar lobbies, tenemos un Estado que un día recibe un lobby de un lado, al día siguiente recibe un lobby del otro, y se mueve a su compás porque ha llegado a tal nivel de debilitamiento que ya ni puede atender las necesidades fundamentales.

F. P.: Por el contrario, en el '30 el Estado se fortalece, se convierte en un Estado interventor. Es un Estado que empieza interviniendo primero en la economía y la sociedad y termina interviniendo en todos los aspectos de la sociedad, se torna controlador, se va imponiendo en la sociedad civil. Las soluciones a la crisis de los años 30 son estatales: algunas autoritarias, otras más liberales, pero todas pasan por el Estado.

P. O.: Los sistemas son muy proteccionistas.

F. P.: El Estado benefactor como se lo llamaba, el *Welfare State* como el de Roosevelt, que va a ser copiado en algunos países.

P. O.: Benefactor para Estados Unidos...

F. P.: ...y financiado por nosotros, porque gran parte del New Deal va a ser financiado por los países periféricos que van a ver rebajados sus productos exportables. Hay cambios demográficos, se producen las migraciones internas, la llegada a Buenos Aires de los que, en ese momento, llamaban despectivamente "cabecitas negras".

P. O.: Se vende menos carne al exterior, por lo que el campo se empobrece, deja de ser el negocio que era y empiezan a surgir, como ya dije, las industrias.

J. G. H.: En los Estados Unidos la crisis tuvo graves repercusiones sociales, por ejemplo, una desocupación extendida. En 1933, cuatro años después del "crack", se consideraba que los pequeños ahorristas, los tenedores de acciones de la Bolsa, habían perdido el 80 por ciento de su capital. No creo que la Argentina, que en ese momento no era periférica sino importante, aunque nuestro comercio era básicamente con Inglaterra, hubiera podido solucionar la crisis de los norteamericanos. Recordemos que el pacto Roca-Runciman nos hizo conservar las preferencias comerciales británicas y, además, que la incidencia del intercambio de los Estados Unidos con América latina era, y lo es todavía hoy para ellos, muy escasa. En años recientes no superaba el 2 por ciento de su intercambio mundial. En cuanto a nuestro retroceso cultural, tampoco creo que nos haya venido desde afuera: el gobierno de Uriburu ordenó que el Ejército controlara la edición de los mapas y que las radios hicieran adoctrinamiento nacionalista. En 1943 se restableció la educación católica en las escuelas públicas, pagadas por los impuestos de protestantes, judíos, musulmanes y agnósticos, y se prohibió la lectura del libro *El crimen de la guerra*, de Juan Bautista Alberdi. Nada de esto fue impuesto por los yanquis o los rusos. El golpe del '30 fue un hito importante dentro de ese proceso autóctono de retorno a los valores coloniales, al absolutismo político, al...

P. O.: Clericalismo.

J. G. H.: ...al clericalismo, a la religión única, al rechazo al extranjero que nos viene de España, porque es fruto de los tres siglos de colonia durante los cuales no se dejaba entrar a judíos, a moros ni a los herejes, que eran los protestantes.

P. O.: Podían entrar delincuentes, pero no judíos de "sangre impura" que tenían que comprar certificados de bautismo "truchos". Los que lo hacían fueron llamados "marranos".

F. P.: En 1934 el Congreso Eucarístico Mundial es una demostración impresionante de la convocatoria de la Iglesia, en un momento de una gran desmovilización política que, en eso, se parece al momento actual. La única corporación convocante es la Iglesia, que logra reunir en el Monumento de los Españoles, en Palermo, a más de un millón de personas, que en aquel momento era una cifra aun más impresionante que ahora. Allí se juntan para oír la misa que celebra el cardenal Pacelli, el futuro papa Pío XII. Queda claro que lo único que convoca es la religión, como una reserva moral. Incluso en los tangos, tan críticos, casi nihilistas del '30, se rescata la figura de Cristo como lo último que va quedando, dicen "la barba hasta a Cristo se la han afeitado" o "se te cuelgan de la cruz", como dice el tango "Desencuentro" de Troilo y Manzi. Una de las cuestiones interesantes del '30 es que algunos lo llaman el período del *stand by* del peronismo; es el momento en que se va preparando la base social del peronismo a partir de la llegada de los migrantes internos, que van a tener peculiaridades como la no coincidencia ideológica con la vieja clase obrera porteña o de los centros urbanos, que era más bien atea, anarquista, socialista. Ellos, los recién llegados, son más bien nacionalistas.

P. O.: Perón participó del golpe de Uriburu.

F. P.: Estaba más cercano a Justo que a Uriburu.

P. O.: Pero al principio estuvo con Uriburu. Acaba de graduarse en la Escuela Superior de Guerra y por eso tenía un destino en el Estado Mayor General del Ejército. Perón contó después que fue el coronel Descalzo, que había sido su primer capitán, el que le habló del golpe, y que su parecer lo convenció de participar. Y dice también que, después que triunfó, Uriburu disolvió el Estado Mayor al que él pertenecía y quedó afuera.

J. G. H.: Perón era un oficial del Ejército, creo que capitán en esa época, que siguió las instrucciones de sus superiores. Él solía contar una anécdota que había protagonizado durante la toma de la Casa Rosada, el 6 de septiembre de 1930. Decía que allí se vivía un clima de gran fervor patriótico. Al salir de la Casa de Gobierno, vio que había un civil que gritaba "Viva la Patria" y que tenía el saco muy abultado, como si ocultara algo. Cuando se acercó pudo comprobar que se llevaba una máquina de escribir. Era muy patriota, muy antiyrigoyenista, pero no dejaba de robar algo en su provecho. Esto recuerda lo que pasó cuatro décadas después en la dictadura del Proceso, cuando los grupos de tareas iban a buscar a la gente a su casa, a los futuros desaparecidos...

F. P.: Y se llevaban hasta los perros.

J. G. H.: Se los llevaban presos pero también les robaban el televisor.

F. P.: En Rosario, Galtieri ordenó el allanamiento de la casa de una pareja de ciegos a los que secuestraron y les robaron todo, incluyendo el perro lazarillo. Todo esto en nombre de la patria y de la civilización occidental y cristiana.

P. O.: La crisis del '30 nuevamente la resuelve la guerra. ¿Por qué la Argentina se mantiene neutral? Eso lo pagamos después. Nos hicieron pagar, y durante muchos años, la neutralidad de la Argentina en la Segunda Guerra Mundial.

F. P.: Yo creo que se mantiene neutral por indicación de Gran Bretaña. Los británicos son los grandes beneficiarios de la neutralidad argentina, económicamente hablando, porque los barcos argentinos, grandes proveedores de cereales y carnes, no podían ser atacados, lo que sí hubiese sucedido si se declaraban beligerantes. Lo mismo sucedió en la Primera Guerra.

P. O.: Estoy de acuerdo con vos, la elite argentina necesitaba seguir comerciando, aprovechar económicamente la guerra, que fue lo que hizo que Perón encontrara el Banco Central lleno de lingotes de oro. Además, muchos dirigentes, entre ellos el presidente Castillo y altos jefes de las Fuerzas Armadas, se inclinaban ideológicamente hacia el Eje más que hacia los aliados.

J. G. H.: Los sectores nacionalistas argentinos estaban muy próximos al fascismo y al nazismo. Pero cuando Hitler se pelea con la Iglesia Católica, los nacionalistas criollos no pueden asimilar ese paganismo alemán. Uki Goñi ha estudiado el tema y ha cronicado el viaje que hace entonces a Alemania el dirigente *Bebe* Goyeneche para pedir a los jerarcas nazis que no rompan con la Iglesia Católica, porque a ellos los descoloca localmente. Como obviamente no lo consigue (Hitler ni siquiera lo recibe), los sectores nazis argentinos se terminan inclinando hacia el franquismo español, que tenía una impronta más tradicionalista y clerical.

P. O.: El nazismo es demasiado para el gusto de las derechas argentinas.

J. G. H.: El gobierno militar del '43 y el propio Perón, que era vicepresidente, ministro de Guerra y secretario de Trabajo y Previsión, estaban más ligados al fascismo italiano. Él había estado en la Italia de Mussolini como agregado militar. Los países aliados (Inglaterra, Estados Unidos, etc.) presionaban para que declaráramos la guerra contra el Eje Roma-Berlín-Tokio.

P. O.: Perón había estado también en España y en Francia. Había llegado a España seis meses después de finalizada la Guerra Civil. Estuvo en Alemania, en el campo de batalla de Tannenberg sobre el que había escrito un libro, *El frente oriental de la guerra mundial 1914-1918*. Ahí conversó con oficiales alemanes y también con los soviéticos, que en ese tiempo eran aliados. Regresó a la Argentina en 1940, y contó lo que había visto. Dijo después que lo acusaron de comunista y que lo mandaron como director del Centro de Montaña de Mendoza para sacarlo de circulación. Así que su fascismo no es tan puro. En América, Brasil declara la guerra y México también.

J. G. H.: Pero en nuestro país las fuerzas cívicas y militares pro fascistas y pro nazis eran muy fuertes. Habían tenido ya protagonismo e influencias en el gobierno de Ramón S. Castillo y, después del golpe del 4 de junio de 1943, eran todavía más intensas, manifiestas y dominantes.

F. P.: Lo curioso es que Estados Unidos es uno de los países que más demoran en declarar la guerra al Eje. Presionan a la Argentina desde el año '39 para que lo haga, pero ellos la declaran recién a fines de 1941, cuando se produce el incidente de Pearl Harbour. Esto tiene que ver también con una competencia comercial, porque Estados Unidos era proveedor, como nosotros, de materias primas para los países aliados. Esto no hay que dejarlo de lado, no es un detalle. La presión fuerte y el boicot norteamericano contra la Argentina no comienza, como se cree folclóricamente, con Perón, sino que arranca con Ortiz, un presidente absolutamente liberal, perteneciente al sistema, al que no se lo puede calificar de antinorteamericano. Sin embargo, Estados Unidos lo va acorralando para que entre en la guerra por una cuestión de competencia.

J. G. H.: Hasta ese momento la influencia de Estados Unidos en la Argentina era mucho menor que la influencia británica. Recién al terminar la Segunda Guerra Mundial, en 1945, Inglaterra sale debilitada, mientras que los Estados Unidos triunfan.

P. O.: Allí cambia el protagonismo mundial.

F. P.: La presencia económica norteamericana en la Argentina a esa altura ya era importante. Muchas fábricas y bancos se habían instalado en la década del 20, como la General Motors, la Ford, Colgate-Palmolive, la Esso y la Remington y los frigoríficos Swift y Armour que estaban en el país desde principios del siglo XX.

P. O.: Respecto de nuestra crisis actual, creo que uno de los grandes problemas es que no somos un país estratégico, como lo fuimos en la Segunda Guerra Mundial, en la que teníamos la función de dar alimentos a los dos bandos, especialmente a los aliados. El gran problema actual es que en este proyecto mundial de la lucha contra el terrorismo no tenemos ni un mínimo papel.

F. P.: No somos importantes.

J. G. H.: Después de 1946 no advertimos que Europa se iba a reconstruir en algún momento y que iba a producir granos y carnes, que seguían siendo nuestras principales exportaciones. Hoy en día nos quejamos de que ellos subsidian, pero pueden hacerlo porque tienen economías fuertes. Tendríamos que haber buscado ser competitivos también en otras áreas. El que quiere vender tiene que ganar nuevos mercados.

P. O.: Con Perón hubo un proyecto de desarrollo industrial muy interesante que luego se fue degenerando con el proteccionismo y los subsidios, lo que fue aprovechado por el liberalismo autoritario para achicar el Estado y destruir nuestras industrias.

F. P.: Retomando el tema del '30, recordemos que fue una época de gran corrupción, con algunos hechos incluso pintorescos como el famoso episodio de los niños cantores de lotería que se produjo en julio de 1942. Un grupo de niños cantores, de alguna manera *fogoneados*, como se dice ahora, por gente de la Lotería Nacional, cambiaron el premio mayor. Uno de ellos cometió el error de contárselo a su novia y a sus amigos, de manera que el rumor de que iba a salir el 31.025 se difundió tanto que *Crítica* publicó en su tapa al día siguiente: "El 025, número anticipado desde ayer, salió en la Grande".

P. O.: Hubo negociados con la CHADE por la extensión del contrato de la compañía que daba energía a Buenos Aires, que tenía sede en Bruselas y que sobornó a casi todos los concejales.

F. P.: Se dice que con el dinero que los concejales cobraron de la CHADE se construyó la Casa Radical de la calle Tucumán.

P. O.: Uno se suicidó.

F. P.: Efectivamente.

P. O.: Está también el negociado de las tierras de El Palomar. Ésa sí que fue una "piolada" criolla. El tipo, sin poner un peso, compró las tierras a sus dueños por una cifra, y al mismo tiempo se las vendió al Estado por un precio muy superior, casi el doble. Pero hizo la transacción en forma simultánea, es decir, cuando el Estado le dio la plata, él transfirió la cantidad pactada a los dueños originales, y se quedó con la diferencia. Se hizo de una buena suma.

J. G. H.: El suicida fue un diputado implicado en el negociado de las tierras de El Palomar. Se decía que Alvear habría sido tolerante con el cobro de sobornos por parte de concejales radicales, porque con una parte de ellos, como vos decís, se habría construido la Casa Radical. Pero vaya uno a saber si esto último fue cierto... Alvear, que nació muy rico, gastó su fortuna en la política.

F. P: Alvear, justificando la aprobación del proyecto, decía: "Cuando la labor de los funcionarios está interrumpida por la opinión pública estamos entrando en la demagogia, los concejales deben actuar con toda libertad de acuerdo a su conciencia".

P. O.: Vayan y cobren, muchachos.

F. P.: Pinedo, de la bancada de los socialistas independientes, que eran los conservadores liberales de la época, decía: "Hay que arreglar el problema porque el gobierno necesita de la CHADE para resolver sus problemas financieros. En estos días nos han prestado siete millones de pesos y no es posible que el gobierno, que no ha podido colocar un empréstito, pueda ponerse a joder con una empresa que tanto le sirve".

P. O.: O sea, el soborno a los senadores...

F. P.: ...tiene su antecedente.

Eva Duarte de Perón

LA FUNDACIÓN EVA PERÓN. LA INFANCIA HUMILDE. LAS LE-
YES SOCIALES. EL VOTO FEMENINO. LA IMAGEN DE LA MUJER.
EVITA-PERÓN. EL DESPOTISMO. LA MUERTE. EL CADÁVER Y
SU DESTINO.

PACHO O'DONNELL: Vamos a referirnos a Eva Perón, por lo que estamos dispuestos a la polémica. Comenzá vos, José Ignacio, que te
gusta tanto Eva Perón, que la querés tanto.

JOSÉ IGNACIO GARCÍA HAMILTON: Fue una figura que marcó toda
una época, porque la ayuda social que hizo y el peculiar papel político que jugó le valieron la condición de mito. En la actualidad se
la conoce en todo el mundo a través del musical y por la película de
Alan Parker, con Madonna como protagonista. El papel que ella
cumplió durante el gobierno de su marido está muy presente. La
dádiva, la limosna, significó un mejoramiento para mucha gente
humilde, pero Evita actuó como un personaje propio de una monarquía. La democracia es la relación entre personas libres, iguales
en dignidad, aunque puedan tener diferencias económicas. Evita
repartió una enorme ayuda a través de su Fundación Eva Perón,
que inicialmente compraba bienes y los hacía pagar por la Secreta-
ría de Hacienda de la Nación.

FELIPE PIGNA: A cargo de Ramón Cereijo.

J. G. H.: Después, una ley le otorgó los fondos provenientes del des-
cuento obligatorio de los jornales del 1º de Mayo y del 12 de Octubre a todos los trabajadores argentinos (peronistas o antiperonistas)
y del sobrante de los fondos de los ministerios (el país era todavía ri-

quísimo). En pocos meses la Fundación tuvo dos mil millones de pesos para que los regalara la esposa del presidente. Si recordamos que el dólar estaba a poco más de cuatro pesos, resulta que disponía de casi quinientos millones de dólares de esa época. Esto consolidó una estructura de estilo feudal, de señor (o señora) que da y de siervo que recibe; pero, además, de señor que da lo ajeno, no lo propio. Este sistema se perpetuó: los políticos que se adjudican sueldos elevados y jubilaciones de privilegio, y reparten prebendas y subsidios en un país empobrecido por los despilfarros, es la supervivencia del estilo de Evita.

F. P.: Yo creo que existe una diferencia muy notable entre aquella acción social de Evita y la actual actitud prebendaria de algunos políticos. Es diferente, primero porque lo que hizo la Fundación Eva Perón fueron obras palpables. Estoy de acuerdo con vos en que es criticable el origen de los fondos, por las donaciones y descuentos compulsivos, pero los hospitales, los asilos, todo eso está. Lo que es bastante vergonzoso para los militares y políticos que sucedieron a Perón es que la mayoría de los hospitales que están construidos en la provincia de Buenos Aires y en el resto del país son de aquella época.

J. G. H.: Yo no hablaba de hospitales, sino del regalo, de la dádiva.

F. P.: Yo me refiero a los hospitales, a las escuelas, al uso del presupuesto en beneficio de los contribuyentes.

P. O.: No está mal destacar los hospitales, las escuelas y las acciones concretas en esta época de políticos que prometen y no hacen.

F. P.: Asilos, casas de madres solteras, todo eso lo hizo la Fundación. Lo que es vergonzoso, en todo caso, es que después del peronismo se hizo muy poco. Allí prácticamente terminó la redistribución social a partir de la obra pública con función social. La medicina, en aquel entonces, era modelo con el ministro de Salud, doctor Ramón Carrillo, uno de los más notables sanitaristas argentinos junto al radical Oñativia. La gente venía a operarse a la Argentina desde Europa. Esto es claramente diferente de la prebenda hueca de papelitos pintados que se reparten en la actualidad bajo el nombre de Lecops o

Planes Trabajar (un verdadero eufemismo, porque le quitan a la gente incluso la dignidad del trabajo).

J. G. H.: No es exactamente igual, porque entonces hubo una desnaturalización del sistema republicano en el sentido de que la esposa del presidente actuaba como autoridad máxima sin haber sido elegida. Recordemos que ella maltrataba a los ministros y a los legisladores los humillaba. Había un orden monárquico en el cual la esposa del presidente era una reina que ayudaba a los humildes, era despótica con los funcionarios y perseguía a los opositores. Evita tenía este triple carácter.

P. O.: De lo que has dicho, lo más cierto es que Evita no era republicana y ésa fue su elección; ella no creía en las formas republicanas, pues entendía que ésas eran las reglas que custodiaban los privilegios de las clases pudientes y que su pasión por ayudar a los pobres no podía estancarse ante cumplimientos formales. También se puede resaltar en ella el que no se haya contagiado de ese pecado de tantos que viniendo de sectores bajos cuando acceden al poder se mimetizan con el poder tradicional y tratan de copiar, generalmente de manera grotesca, las maneras y los rituales de la aristocracia. Evita nunca perdió la referencia de su origen humildísimo, hija de un padre que no la reconoció, con una infancia sumamente restringida económica y afectivamente. Su origen le creó una necesidad, sostenida con un costo muy alto durante toda su vida, de ayudar a quienes sufrían lo que ella había sufrido. Que lo haya hecho no tan bien como podría haberlo hecho, o que su acción no tuviera un sólido sostén ideológico, eso merece otro nivel de análisis. Además, como siempre, hay que analizarla dentro de su contexto histórico. Lo cierto es que Evita encarna, en la memoria de nuestros sectores desposeídos, un proceso de redistribución más equitativa de los bienes del Estado que hasta ese momento iban a los sectores privilegiados.

J. G. H.: No estoy de acuerdo.

P. O.: Lo que llamás dádiva o prebenda es una denominación que denosta esta redistribución de los dineros públicos. No sólo los paralíticos ricos tenían acceso a una silla de ruedas o el derecho a la asistencia médica. Tampoco son dádivas ni prebendas la jubilación, la vacación paga, el voto femenino...

J. G. H.: No es cierto que los ingresos del Estado, hasta el peronismo, hubieran ido a los sectores privilegiados o de buenos recursos. La educación pública, que se establece en 1884 con la ley 1420 de enseñanza gratuita, laica y obligatoria, fundó escuelas cuyos enormes edificios de principios del siglo XX todavía podemos ver y admirar en la actualidad. El país se alfabetizó con dinero público y, hasta 1940, la Argentina era el país del mundo que más gastaba en educación por habitante.

P. O.: La mayor cantidad de escuelas del país, como decía Felipe recién, las construyó el peronismo, los hospitales más importantes en la geografía nacional, no sé en la Capital Federal, son también de esa época.

F. P.: Yo creo que el peronismo hizo justicia social en el sentido estricto del término. Porque la gente paga impuestos y debe recibir servicios a cambio de eso. Antes del peronismo la redistribución de ingresos era absolutamente injusta y destinada a la minoría. El hecho de que el Estado se hiciera cargo en parte de la educación pública no significa que la mayoría de la torta no quedara en los sectores privilegiados. Particularmente en los años previos al peronismo, durante la década del 30, hay una apropiación del producto bruto por parte de sectores muy minoritarios y se produce una baja del salario notable.

J. G. H.: Ése es un tema opinable. Pero aun en el caso de obras concretas, no es lícito que un particular las haga con los fondos extraídos compulsivamente a los otros ciudadanos. El funcionario puede administrar el dinero de los impuestos, con el debido control y responsabilidad republicanos, pero no puede regalarlo. Menos puede dárselo a su esposa, para que ella lo done. Debe utilizar los fondos públicos en beneficio de todos, no de unos pocos o para satisfacer vanidades personales o aspiraciones políticas. Entre nosotros todavía se actúa así, pero no es republicano, ético ni eficaz. Cuando yo era chico oía que el peronismo había llegado porque las clases obreras estaban muy postergadas; puede haber habido algo de eso, pero el país que tenía los mejores ingresos, los mejores salarios y la mejor distribución de toda América latina era la Argentina. En 1913 teníamos un producto bruto por habitante superior al de Francia; y salarios superiores a los franceses e iguales a los de Estados Unidos...

P. O.: No había jubilación, no había aguinaldo, no había vacaciones pagas, a partir de ahí, los patrones aliados con los economistas de turno han hecho todo lo posible por desandar tantas ventajas obreras y lamentablemente han tenido bastante éxito. ¿Acaso en la actualidad se cumple la jornada de ocho horas?

J. G. H.: El radicalismo ya en tiempos de Yrigoyen y de Alvear creó jubilaciones para los ferroviarios.

P. O.: Antes, en 1877, se habían creado jubilaciones para los jueces; en 1884 para los maestros; en 1887 para los empleados de la administración nacional y en 1903 para la policía y los bomberos de la Capital Federal. Y eso era todo. Además, no había aguinaldos.

J. G. H.: No, aguinaldos no. Creo que el peronismo llegó al poder más bien por razones culturales...

P. O.: No había voto femenino y las mujeres no eran admitidas en la actividad política, salvo en el Partido Socialista, que era minoritario.

J. G. H.: Llegó por razones culturales. A principios del siglo XX, los ideales de paz y trabajo que habían predominado desde 1853 fueron reemplazados por otros modelos. Con el propósito de homogeneizar a los hijos de inmigrantes, se difundió desde la escuela el mito del militar que muere pobre (San Martín) o el del gaucho pobre que se hace violento (Martín Fierro). Como los mitos explican el pasado pero también crean arquetipos para el futuro, se fue imponiendo una ideología que postulaba un nacionalismo autoritario, el rechazo a las inversiones inglesas, el retorno al estatismo colonial y a la dádiva practicada por la Iglesia oficial. Fue ese clima cultural, muy cercano al fascismo, el que facilitó el advenimiento de un líder personalista que practicó un populismo con movilizaciones de masas, intolerancia política y demagogia. Durante la Colonia, en virtud del régimen del patronato, la corona cobraba el impuesto del diezmo y lo entregaba a los sacerdotes y monjas para que mantuvieran el culto forzoso y realizaran beneficencia, hasta que el laicismo republicano fue eliminando ese clericalismo prebendario. Evita recreó ese sistema católico de donación de los bienes ajenos o públicos, sin mencionar a los obtenidos mediante exacciones o extorsiones. Lo contrario de la tradición protestante, donde el rico que gana plata crea una fundación y él mismo reparte su propio dinero.

F. P.: La verdad es que no conozco muchos ricos argentinos que repartan su dinero entre los pobres. En el caso del Estado, no creo que sea una dádiva, es un derecho adquirido porque la gente paga impuestos, aun la más humilde cuando paga el IVA, cuando compra productos está pagando impuestos al consumo y merece que ese dinero le vuelva, no en forma de gases lacrimógenos o balas de goma, y últimamente de plomo, sino en hechos concretos: un hospital, una escuela, un elemento necesario para su vida, para su salud.

J. G. H.: Pero la Fundación Eva Perón...

P. O.: Podemos seguir adelante siempre y cuando dejemos asentados ciertos puntos de divergencia: para vos, José Ignacio, lo que el Estado da a los pobres es una dádiva.

J. G. H.: No, no.

P. O.: Y lo que les da a los ricos se llama subsidio o exención, que son términos más elegantes.

J. G. H.: Creo que el Estado tiene que devolver lo que cobra por impuestos dando servicios, educación, salud para todos. Pero no puede entregar esos fondos a la cónyuge del presidente para que los regale a sus elegidos, en un sistema que humilla al que recibe y corrompe al que da. En el caso del sistema clientelístico...

P. O.: No tenías eso antes de Perón ni tampoco después.

J. G. H.: Pero vos creés que antes de Perón no había...

P. O.: Perón organizó los gremios.

J. G. H.: Pero, Pacho, ¿vos creés que antes de Perón no había escuelas, no había hospitales, no había beneficencia? Sí, los había...

P. O.: La había pero alcanzaba sólo para lavar las culpas de los que se habían enriquecido a expensas de los demás.

J. G. H.: Yo pienso que había...

P. O.: Las organizaciones gremiales, con las cuales tampoco estás de acuerdo, nacen en la época de Perón y más allá de lo que hoy en día se pueda decir de ellas y de sus dirigentes, hay que reconocer, yo por lo menos lo reconozco, el importante trabajo asistencial que desde siempre han hecho estas organizaciones. Si hablamos de Eva Perón tampoco se puede soslayar su lucha por jerarquizar el papel de la mujer. Voy a leer un párrafo de uno de sus discursos: "Nosotras estamos ausentes de los gobiernos, estamos ausentes de los parlamentos, no estamos ni en el Vaticano ni en el Kremlin ni en los estados mayores de los imperialismos ni en los laboratorios de energía atómica ni en los grandes consorcios, la masonería ni en las sociedades secretas, no estamos en ninguno de los grandes centros del poder mundial y sin embargo estuvimos siempre en la hora de la agonía y todas las horas amargas de la humanidad; parecería como si nuestra vocación no fuese la de crear sino la del sacrificio". Lo está diciendo en el año 1948 y recordemos que a Evita, en gran medida, se le debe el voto femenino, una adquisición para América latina e incluso para el mundo.

F. P.: Ella retoma la lucha de las viejas luchadoras socialistas como Alicia Moreau de Justo, Julieta Lanteri y otras tantas que plantearon el voto a principios de siglo, por supuesto sin éxito, porque la bancada socialista era minoritaria y como otras leyes planteadas por el socialismo, van a ser llevadas adelante por el peronismo. Perón, sin ser socialista ni nada que se le parezca, va a tomar varios proyectos socialistas considerando que eran justos y aprobándolos. Entre éstos está la ley del voto femenino. Aunque yo no creo que Evita haya sido feminista sino que pienso que tenía una idea de la mujer muy cercana a la visión tradicional, de esposa y madre, lo que, para la época, no era nada extraño.

P. O.: Sin embargo, ésa no era la imagen que ella proyectaba.

F. P.: Ella no era eso.

P. O.: Eva no tenía hijos, trabajaba hasta las dos de la mañana, no estaba "detrás de" sino "junto" a su esposo, alternaba con militares, sindicalistas y políticos de igual a igual, a pesar de lo cual no dejaba de cultivar una bella imagen femenina usando vestidos de reconocidos modistos y maquillándose con cuidado.

F. P.: Absolutamente, pero el modelo que ella pretendía para la mujer argentina, en general, era el de esposa y madre. Fijate qué interesante cómo se define ella misma en este texto: "La verdad es que yo no quise seguir el antiguo modelo de esposa de presidente. Además, quien me conozca un poco, sabe que no hubiese podido jamás representar la fría comedia de los salones oligarcas. No nací para eso. Por el contrario, siempre hubo en mi alma un franco repudio para con 'esa clase de teatro'. En mí hay dos mujeres: una, Eva Perón, mujer del Presidente, cuyo trabajo es sencillo y agradable, trabajo de los días de fiesta, de recibir honores, de funciones de gala; y otra, Evita, mujer del Líder de un pueblo que ha depositado en él toda su fe, toda su esperanza y todo su amor. Unos pocos días soy Eva Perón; la inmensa mayoría de los días soy Evita, puente tendido entre las esperanzas del pueblo y las manos realizadoras de Perón, primera peronista argentina, y este sí que me resulta un papel difícil, y en el que nunca estoy totalmente contenta de mí".

P. O.: En cuanto a su relación con Perón...

F. P.: Una relación muy fría, muy rara.

P. O.: ...muy fría en lo erótico, aunque evidenció una lealtad y un compromiso político extraordinarios hasta el final.

F. P.: Sí, sí, pero...

P. O.: En su último discurso, el de despedida, arenga a la multitud. Les pide que sigan a Perón, que no lo dejen solo.

F. P.: ...yo me refería a la relación afectiva, según cuentan los que los conocieron.

P. O.: Es difícil imaginar sexualidad en esa relación, ¿verdad?

F. P.: Exactamente, así dicen.

P. O.: El vínculo pasional, muy pasional, se daba en la política, los dos sublimaban su eros en lo político, quizás no haya sido casual que Eva haya descuidado hasta el punto de lo irreversible su enfermedad uterina. No era eso lo que le llamaba la atención.

F. P.: Sino la pasión política.

P. O.: Los discursos de Eva y de Perón tienen momentos orgásmicos, como también los tuvieron los de Mussolini o los del Che, personalidades de sexualidad también serena, por no decir desvaída, ya que sus libidos estaban concentradas en la política.

F. P.: ¿Querés saber qué opinaba Evita de Marx? Fijate lo que dice en su *Historia del peronismo*: "Para nosotros Marx es un propulsor. Ya he dicho que vemos en él a un jefe de ruta que equivocó el camino, pero jefe al fin. Como conductor del movimiento obrero internacional, los pueblos del mundo le deben que les haya hecho entender que los trabajadores deben unirse. Es interesante destacar que Marx, como conductor de las primeras organizaciones obreras, interpretó el sentir de las masas, y por este hecho le debemos considerar como un precursor en el mundo. Su doctrina, en cambio, es totalmente contraria al sentimiento popular. Solamente por desesperación o desconocimiento de la doctrina marxista pudo el comunismo difundirse tanto en el mundo; se difundió más por lo que iba a construir que por lo que prometía construir".

J. G. H.: Evita escribió en *La razón de mi vida* que "ningún movimiento feminista alcanzará gloria y eternidad si no se entrega a la causa de un hombre", es decir, en su caso, a Perón. También expresó que "quien busque mi retrato encontrará la figura de Perón. He dejado de existir en mí misma y es él quien vive en mi alma, dueño de todas mis palabras y de mis sentimientos, señor absoluto de mi corazón y de mi vida". Éstas no son palabras de una feminista, ni siquiera de aquella época. Por algo Victoria Ocampo y Alicia Moreau de Justo, que estuvieron detenidas por el gobierno de Perón, al igual que la madre de Jorge Luis Borges, consideraban que el feminismo de Evita era más bien una sumisión al líder, un servilismo en lo político y en la relación de pareja. Aunque en la intimidad no haya sido así, posiblemente.

P. O.: Beatriz Sarlo, en un excelente artículo periodístico que titula "El cuerpo", habla de la consustanciación, casi de la expropiación del cuerpo de Evita en la figura de Perón. En realidad, Evita no se funde en Perón sino en lo que Perón significa, y a ello dedicará su vida hasta inmolarse. Evita no pudo ocuparse de su enfermedad, trabajaba hasta veinte horas por día y cuando pudieron acostarla sobre una camilla para que el doctor Ivanissevich la revisase, el cáncer ya era incurable.

F. P.: Al padre Hernán Benítez, su confesor, le hablaba de un fuego permanente que la quemaba, como una sensación de que le quedaba poco tiempo de vida y que debía hacer muchas cosas. Efectivamente ese fuego la consumió.

J. G. H.: Ése es un aspecto que no se puede negar de Evita. En lo humano, en lo personal, la respeto.

F. P.: Realiza la entrega total.

J. G. H.: Un trabajo cotidiano incesante, de alguien que no se entregó a los placeres. Eso es respetable como persona, pero en un análisis político o psicológico no me parece que fundirse con el otro sea el ideal de feminismo.

F. P.: En el discurso de marzo de 1951, ella decía: "La intuición no es para mí otra cosa que la inteligencia del corazón; por eso es también facultad y virtud de las mujeres, porque nosotras vivimos guiadas más bien por el corazón que por la inteligencia. Los hombres viven de acuerdo con lo que razonan; nosotras vivimos de acuerdo con lo que sentimos; el amor nos domina el corazón, y todo lo vemos en la vida con los ojos del amor". No suena muy feminista.

P. O.: Nunca se dijo feminista, estamos hablando de los años 50. En *La razón de mi vida* lo dijo sin vueltas: "Todo lo que yo conocía del feminismo me parecía ridículo. Es que no conducido por mujeres, sino por 'eso' que, aspirando a ser hombre, dejaba de ser mujer ¡y no era nada!, el feminismo había dado el paso que va de lo sublime a lo ridículo. ¡Y ése es el paso que trato de no dar jamás!".

J. G. H.: Era despótica con los funcionarios.

P. O.: En aquel mundo y aquella Argentina de los 50, Evita era una persona independiente, aguerrida, convencida de sus verdades, equivocada o no —dejo la alternativa de que pudiese estar equivocada— convencida de que el sentido de su vida era jugarse por los desposeídos. Fue una figura fascinante que por algo ha merecido libros de autores prestigiosos, películas en Hollywood con actores y directores de primera línea, obras de teatro exitosas; una imagen excepcional, a escala mundial.

J. G. H.: El aporte de Evita a la mujer fue el voto femenino. Eso fue muy positivo.

P. O.: Y su actitud.

J. G. H.: No. La actitud de ejercer un papel político muy importante por ser la esposa del presidente es un rasgo monárquico. Ese papel, después, lo va a tomar Isabel y en la actualidad lo tiene Chiche Duhalde. Si está aprobado por el voto es legítimo, pero, si no, es una desnaturalización del sistema republicano, del principio de igualdad ante la ley.

F. P.: Antes de ella estuvo Regina Paccini, la mujer de Alvear.

J. G. H.: Ese aporte, esa herencia, la dejó Evita en el peronismo y en algunos otros partidos también.

F. P.: También Eleanor Roosevelt tuvo un papel protagónico en los Estados Unidos. Era la mujer de un presidente que tenía una actividad destacada, no comparable con el nivel de exposición de Evita, pero con un cierto protagonismo en los Estados Unidos.

J. G. H.: No se puede comparar a Evita con Eleanor Roosevelt. Para nada. Por ejemplo, en los Estados Unidos no se permite que el presidente reciba regalos y menos su esposa. Eleanor Roosevelt jamás ejerció ese papel. En cambio Evita aceptaba los regalos para la Fundación y también para ella. Evita en 1946 no tenía ninguna propiedad (Perón sí tenía algunos bienes). Cuando muere, en 1952, tenía un equivalente a más de cinco millones y medio de dólares de la época, era propietaria de una cadena de diarios (*Democracia, La Época, Crítica* y muchos otros) y de dos edificios: uno de departamentos en la calle Callao 1944 (muy elegante, en uno de sus pisos se suicidó su hermano Juan Duarte) y otro en Gelly y Obes 2287. Entonces no fue parecido el papel de Evita al de Eleanor Roosevelt.

P. O.: Esos bienes eran de la Fundación, no de Evita. Además, cuando Eva se casó con Perón ya no era pobre. Tenía su propia compañía de teatro, y era una de las actrices radiofónicas mejor pagas de la época. Ya se había comprado el petit hotel de la calle Teodoro García. Mi familia era muy antiperonista y cuando cayó Perón me llevaron a su residencia de Libertador, la que después dinamitaron por odio, para ver las pruebas de la corrupción de Perón y de su esposa, una exposición de pieles, de regalos, de trofeos.

F. P.: Donde actualmente se encuentra la Biblioteca Nacional y se levanta el monumento a Evita.

P. O.: Yo tenía trece o catorce años y al ver las tres o cuatro motocicletas que allí se exhibían pensé que eran los regalos típicos que recibe un presidente que, además, había gobernado durante diez años. Como prueba de corrupción era bastante pobre. Ni hablar de los doscientos pares de zapatos que expusieron, lo que le permitió escribir a Perón desde el exilio: "Ni que yo fuera un ciempiés".

F. P.: La pregunta interesante es qué hicieron los llamados "libertadores" con esas cosas, adónde fueron a parar todas esas joyas, vestidos, autos. Resulta que las exponían para demostrar la corrupción del régimen depuesto y ellos se robaron todo.

P. O.: Otra pregunta interesante es ¿qué pasó con Perón que después de haberse casado con Evita se une con alguien tan lamentable como Isabel?

F. P.: El cambio es realmente impresionante.

P. O.: Lo único que ambas tienen en común es su origen muy humilde. Yo fui embajador en Panamá y conocí el tugurio en Colón donde Isabel trabajaba, "alternaba con los clientes". Es insólito que haya llegado a presidente constitucional de nuestro país.

F. P.: En Ciudad Colón, un lugar lleno de marines yanquis.

P. O.: De un lado del istmo está la ciudad de Panamá, sobre el Pacífico, y del otro, sobre el Atlántico, está Colón, la ciudad del pecado, de la prostitución y del contrabando.

J. G. H.: El peronismo impuso un estilo. Perón y Evita impusieron un modelo que debe haber tenido algunas cosas positivas, no se puede analizar la historia pensando que todo es negativo...

P. O.: Alguna cosa positiva...

J. G. H.: ...la debe haber tenido, pero fue un estilo despótico...

P. O.: El peronismo, después de tantos años, sigue ganando elecciones democráticas.

J. G. H.: ...un modelo de opresión, de persecución a los opositores. Afortunadamente el peronismo actual no es así, en algunos aspectos no es así. El peronismo hoy respeta las instituciones, se ha sumado al juego democrático, republicano. En cambio, en tiempos de Evita, el que caía en desgracia, aunque estuviera dentro del peronismo, la pasaba mal. Si era opositor tenía que irse al exilio, se perseguía, se encarcelaba. Y mientras tanto el Congreso dictaba una ley por la cual le daba el título a Evita de Jefa Espiritual de la Nación; esto es inconcebible en una nación republicana. Otra ley le concedió a Perón el título de Libertador, mientras en todas partes se ponía una foto de él montado en uniforme sobre un caballo blanco (aunque era oficial de Infantería), para identificarlo con San Martín.

P. O.: Tu insistencia en la crítica hace que uno no tenga más remedio que obcecarse y ponerse del otro lado; pero si, en la actualidad, analizamos el pedido de la gente de "que se vayan todos" nos damos cuenta de que refleja un escepticismo profundo respecto del republicanismo. Lo que la gente siente es que las formas tal como están habitadas por sus representantes en este momento no son válidas para el bienestar colectivo. Una forma de analizar el peronismo y, esencialmente, a Eva Perón es que ante una situación como ésta ella comprendería que lo mejor para los sectores populares no se lo puede hacer a través de las formas republicanas. Evita estaría decidida a hacer lo mejor para el pueblo fuera como fuese, comprendería que si en este momento se fueran todos, las formas republicanas a las que vos exigís respeto harían que volvieran los mismos, o las esposas o las amantes de los mismos, porque los que no se irían serían los factores de poder que determinan sus representaciones. ¿Vos creés, por ejemplo, que desde las formas republicanas se podría haber expropiado la estancia de los Pereyra Iraola en la boca de Buenos Aires para destinarla a lugar de paseo de los sectores populares? Las formas republicanas son como los buenos modales, a veces hay que ser grosero, dar una trompada o putear, para lograr objetivos nobles.

J. G. H.: Antes del peronismo, las escuelas se hicieron manteniendo las garantías republicanas. La educación pública de Sarmiento y las obras de todos los gobiernos posteriores se hicieron mediante expropiación, pagándoles a los dueños lo que les correspondía. En cambio, muchas de esas confiscaciones raras que hacía Perón enriquecían a los supuestamente perjudicados, como fue el caso de la flota naviera de Alberto Dodero, que luego se convirtió en amigo del matrimonio Perón, acompañó a Evita en su viaje a Europa y le regaló algunos inmuebles. También ocurrió con la compra de los ferrocarriles, que se celebró como un éxito y en realidad después vimos cómo terminaron los trenes...

P. O.: A Sarmiento también lo acusaron de autoritario y de no respetar las formas republicanas.

J. G. H.: No, el patrimonialismo del peronismo, la confusión entre bienes públicos y particulares, fue muy negativo.

P. O.: ¿Cómo podés explicar que tuviera tanta oposición oligárquica si no hubiese afectado intereses muy profundos? El odio que despertaba y sigue despertando Eva Perón...

F. P.: El odio sigue después de su muerte.

P. O.: Cuando Evita muere, uno de mis tíos, al que yo quería mucho, está escuchando la radio con volumen muy bajo en una habitación en penumbras. Yo era chico y no entendía casi nada de lo que sucedía. De pronto se pone de pie, restriega sus manos con una expresión de felicidad y murmura: "¡Se murió la yegua!". Después entendí que se refería a Eva Perón. Se parece a lo de "¡Viva el cáncer!", que fue un invento de Dalmiro Sáenz.

J. G. H.: Eso de que murió la yegua no lo viví ni lo vivo. Tengo respeto personal, como mujer, como ser humano, mucho más en el momento de la muerte. Pero como ciudadano hago un análisis político y debo ver ciertos elementos. El 14 de julio de 1950 Eva dijo en un discurso: "Todos los niños del país, antes de decir papá, deben aprender el nombre de Perón". Esto no es propio de una sociedad republicana, democrática ni tolerante. En la escuela se usaban los libros de lectura con figuras y elogios a Perón y Evita para adoctrinar a los niños y, de esa forma, llegar a los padres. A mí, en el colegio Sagrado Corazón de Tucumán, me hacían leer *La razón de mi vida* y luego comentarla por escrito. Se utilizaba la escuela como medio para el enfrentamiento de clases. El odio contra Evita se debía a que los procedimientos de Perón y de su esposa eran despóticos, dictatoriales...

F. P.: Yo creo que era un odio de clase y que superaba la simple actitud opositora.

J. G. H.: ...entonces en el sector que estaba perseguido se generó un odio que realmente existió, que no es justificable porque el odio siempre es negativo, pero que también se mitificó. La supuesta frase "Viva el cáncer" no es cierto que haya sido pintada en la residencia presidencial, sino que surge de un libreto cinematográfico de los años 70. Tampoco existió la frase "Volveré y seré millones", que al parecer surge de un verso de Castiñeira de Dios...

P. O.: ¿Quién los presenta a Perón y a Evita?

F. P.: Galán, Roberto Galán.

J. G. H.: Otros dicen que Nicolini, pero no parece un detalle importante.

P. O.: Otros sostienen que fue Mercante.

F. P.: A mí me contó Galán, personalmente, que él los presentó en el Luna Park.

P. O.: En lo que se coincide es en dónde fue.

F. P.: En el Luna Park.

P. O.: Durante una reunión benéfica por el terremoto de San Juan. Se dice que Evita lo busca y se le sienta al lado.

F. P.: Exacto, allí se conocen, porque Roberto Galán compartía el trabajo con Evita en Radio Belgrano. Parece ser que tuvo algo que ver en el acercamiento inicial, en el que aparentemente hubo un flechazo histórico. Allí comienza la relación. Lo notable y no muy frecuente para un oficial, es que Perón la lleva a Evita a todos lados con él. No la esconde. Para un oficial en actividad estar con una actriz de radio era una especie de...

P. O.: Transgresión.

J. G. H.: Él era viudo. En algún momento le dicen: "Vea, usted está saliendo con una actriz. Eso es impropio de un militar". En esa época se discriminaba a la gente de la farándula. Y Perón contesta: "Es preferible que salga con una actriz antes que andar con hombres".

F. P.: Me parece que fue una actitud interesante, que habla de que había efectivamente en la pareja aspectos amorosos. Inicialmente por lo menos, hubo un romance importante.

P. O.: Espero que a cada uno de nosotros, cuando estemos muertos, se nos juzgue por los aspectos positivos y se dé por sentado que también tenemos aspectos negativos, digo esto porque a mí me resulta intolerable e incomprensible que una provincia se haya llamado Presidente Perón y otra Eva Perón, que anduviéramos por avenidas Perón y calles Eva Perón, eso se desató en mayor medida después de la muerte de Evita. Esa obsecuencia tolerada o fomentada sin duda está en la lista de errores del peronismo que dieron flanco fácil a la oposición. Perón, cuando vuelve en el '72, corrige esos errores; regresa más democrático. Lamentablemente ya es viejo, el tiempo no le alcanza y nos deja esos monstruos que fueron Isabelita y López Rega, un final verdaderamente deplorable.

J. G. H.: Eso fue anterior y posterior a Evita; el culto a la personalidad, la propaganda, la falta de libertad de prensa, fue esencial al régimen peronista, no fue algo circunstancial. Es cierto que después de la muerte de Evita su marido entró en un proceso de deterioro personal. En la residencia de Olivos, que al principio era sólo para los fines de semana, se dice que vivía con una chica menor de edad, por lo cual después de su derrocamiento fue procesado. Hubo un Juan Domingo antes de Evita y uno posterior; como hubo una Evita anterior a su viaje a Europa en el '47 y otra posterior.

P. O.: Estaba seguro de que ibas a hablar de Nelly Rivas. No podía faltar.

F. P.: Ocurrió algo muy significativo y es que la muerte de Evita coincide con la crisis económica desatada en 1952, luego de dos grandes sequías. Por lo tanto, la gente asoció la muerte de Eva con el inicio de la crisis; ya nada será igual. Hubo un antes y un después de Evita. Algo así como una sensación de que "con Evita estábamos bien y después de Evita estamos mal". Comenzaron a verse las largas colas para comprar querosén, aparece el pan de mijo porque el trigo se destinaba casi exclusivamente a la exportación, etc. Todo lo que sucedió en la Argentina después del '52 se asoció, de una manera bastante fuerte, a la muerte de Evita y al comienzo de la decadencia del peronismo.

P. O.: Ahí empieza la aproximación de Perón a los Estados Unidos.

F. P.: El contrato con la Standard Oil de Rockefeller.

P. O.: No sé si es decadencia o es una pérdida de reflejos de un gobierno que se había ganado enemigos poderosos; vos dirías, José Ignacio, por las malas razones y yo diría por algunas malas pero, sobre todo, por las buenas razones; el peronismo era un movimiento que había tocado intereses intocables y eso inevitablemente se paga caro. Entonces Perón, muerta ya Evita, cometerá un error gravísimo que todavía no entiendo cabalmente: su conflicto con la Iglesia. Evita tiene siempre una actitud de alarma y de permanente picaneo sobre Perón, por ejemplo, cuando busca el apoyo de los obreros es porque anticipa el riesgo que representan los militares para el gobierno peronista y busca un balance de poderes. Debemos recordar el acto que se conoce como "Cabildo Abierto", organizado por la CGT, donde le piden a Evita que acepte ser vicepresidenta y Perón, exigido por los militares, no se lo permite.

F. P.: Aunque el renunciamiento será anunciado unos días después por radio, Evita dijo entonces: "Compañeros: se lanzó por el mundo la idea de que yo era una mujer egoísta y ambiciosa, y saben ustedes muy bien que no es así. Pero también saben que todo lo que hice no fue para ocupar ninguna posición política en mi país. Yo no quiero que mañana un trabajador de mi patria se quede sin argumento cuando los resentidos, los mediocres que no me comprendieron ni me comprenden, creyendo que todo lo que hago es por intereses mezquinos, se lo reproche".

P. O.: Evita obedece a pesar de que la posibilidad la tienta; además la presión popular para que acepte es grande; pero obedeció a Perón siempre, tuvo una relación de enorme respeto político, no sé si personal pero sí político, esa transmutación de la que hablábamos antes. Evita significaba una vivacidad de la doctrina peronista que se pierde o se debilita cuando muere.

F. P.: Hay un episodio interesante. Cuando en 1951 se produce la sublevación de Menéndez, aquel intento golpista en el que también estaba implicado Lanusse, Evita le exige a Perón que fusile a los responsables, que tenga una actitud más firme, más rígida con los golpistas. Perón, aparentemente por presiones militares, trata de apaciguar los ánimos y no actúa contra los golpistas sublevados más que con sanciones militares leves. Evita exigía un castigo más contundente porque decía que si no se iban a producir episodios similares, como efectivamente ocurrió en septiembre de 1955, no con Menéndez sino con figuras cercanas a él. Hablábamos del odio, yo creo que un ejemplo muy significativo al respecto es lo que cuenta Rodolfo Walsh sobre lo que ocurrió con el cadáver de Evita. Había sido embalsamada por el doctor Pedro Ara y su cadáver estaba depositado en el primer piso de la CGT. Cuando Lonardi, por sus vaivenes nacionalistas y su oposición a perseguir fuertemente al peronismo, es desplazado de la presidencia, asume el sector más gorila de la Revolución Libertadora encabezado por Aramburu y Rojas. En ese momento se produce el asalto a la CGT.

P. O.: No se trataba de sacarlo a Perón sino de sacar las conquistas obreras.

F. P.: Ése era el proyecto de Lonardi, pero los gorilas no se conformaban con terminar con Perón, querían destruir al peronismo y a todos sus símbolos. Ellos iban por todo, obviamente también por las conquistas y también por Evita. Entonces secuestraron su cadáver. El cadáver fue torturado durante cuarenta y ocho horas por un comando de la Marina; esto se constata cuando lo devuelven a Perón y el general hace constar ante un escribano los daños causados. El secuestro lleva al cadáver por un recorrido bastante escabroso, por distintos lugares, como la sede del Servicio de Inteligencia bajo el mando del coronel Carlos Eugenio de Moori Koenig. En julio de 1956, el mayor Eduardo Arandía, uno de los oficiales subordinados a Moori Koenig, mató a balazos a su esposa Elvira Herrero, embarazada de dos meses y con una hija de un año. El Ejército informó que el mayor guardaba documentos confidenciales en la buhardilla de su casa, de la que nadie tenía llave. Al oír ruidos, temió que hubiera un ladrón, subió temeroso, divisó un bulto que se movía y disparó a ciegas. En la buhardilla estaba el cadáver de Evita. Finalmente Aramburu, por pedido de la Iglesia, decidió sacar el cadáver del país. Lo entierran en Italia, en el cementerio mayor de Milán bajo el nombre falso de María Maggi de Magistris.

P. O.: ¿Cuál será la razón psicoanalítica de ese nombre?

F. P.: Muy sagrado para los que la odian. Finalmente, en el '71, luego de las primeras conversaciones entre Lanusse y Perón respecto de la salida electoral que buscaba aquella dictadura llamada Revolución Argentina, el cadáver de Evita va a ser entregado a su esposo, quien, al abrir el cajón, constata cuarenta y cuatro lastimaduras sobre el cadáver, lo que habla del maltrato recibido.

P. O.: Se rumorearon cosas bastante siniestras, como necrofilia sexual.

F. P.: Efectivamente. Cuando Perón vuelve a la Argentina el cadáver no lo acompaña, algunos dicen que por la influencia de Isabelita y López Rega.

J. G. H.: Estaba en el living de la casa de Perón en Madrid.

F. P.: En el primer piso de Puerta de Hierro. Se decía que López Rega hacía ceremonias tratando de infundir la energía de Evita a Isabelita; evidentemente estas ceremonias no dieron resultado.

P. O.: Fue muy enérgica para reclamar millones de dólares, eso sí.

F. P.: Para gritar "no me atosiguéis", también.

P. O.: Para litigar por herencias.

F. P.: La historia termina cuando, una vez muerto Perón, los Montoneros secuestran el cadáver del general Aramburu, que habían asesinado cuatro años antes, y reclaman, para devolverlo, que el cadáver de Evita regrese al país.

P. O.: También habían secuestrado el sable corvo de San Martín.

F. P.: Eso fue con anterioridad, en 1964.

P. O.: Con el mismo objetivo.

F. P.: Para concluir el relato, el gobierno de Isabel accede finalmente a traer el cadáver de Evita, que se coloca junto al de Perón en la quinta de Olivos. Cuando se produce el golpe militar Videla dice que si no le sacan las momias de Perón y Evita no se muda a Olivos, en estos términos. Es entonces cuando se van a separar los cadáveres e, increíblemente, Evita, la plebeya, va a parar al cementerio de la Recoleta y Perón a la Chacarita.

J. G. H.: Todo esto habla de un país enfermo. Lo que cuenta Felipe no sé hasta qué punto es cierto, porque cuando le entregan el cadáver de Evita a Perón, si mal no recuerdo, se labra un acta que afirma que el cuerpo tenía solamente unos daños en la nariz. Dicen que lo otro forma parte del mito...

F. P.: No, ningún mito, tiene quemaduras de cigarrillos.

J. G. H.: El mismo Tomás Eloy Martínez, autor de *La novela de Perón* y de *Santa Evita*, suele decir que él inventó para la ficción algunas cosas; y que después se las contaban a él como reales.

F. P.: No, yo me baso...

P. O.: Es preciso aceptar que hay gente que la odiaba y que la odia y que eran capaces de cualquier cosa; si fueron capaces de bombardear la Plaza de Mayo...

J. G. H.: Seguro.

F. P.: Yo me baso en lo que dice Rojas Silveira, el delegado de Lanusse, que estuvo presente en la ceremonia de entrega del cadáver a Perón. Él atestiguó lo que estoy diciendo.

J. G. H.: Repito, esto habla de un país enfermo. A la muerte de Evita se toma su cadáver, se lo embalsama y se lo exhibe en la CGT; cuando cae Perón los militares golpistas se roban el cuerpo; en la época de Lanusse se devuelve un cadáver que se pone en un living en Madrid; y luego en una sala en la residencia de Olivos. Esto muestra una nación con peronistas y antiperonistas morbosos, afectados de necrofilia.

P. O.: A vos, que te gusta el tema de los mitos, el cadáver de Evita fue importantísimo mientras no estuvo, pero cuando reaparece es un cuerpo más enterrado en la Recoleta que no provoca riadas de devotos.

F. P.: Sí, mucho turismo.

P. O.: Tomás Eloy Martínez me contó que cuando él visitaba a Perón, el nefasto López Rega...

F. P.: El "Brujo".

P. O.: ...le advierte de no nombrar a Evita ante la señora Isabel.

F. P.: Era muy irritable la señora Isabel, según parece.

J. G. H.: Bueno, eso es lógico en un matrimonio que ha tenido una pareja anterior.

P. O.: No sé por qué, me acuerdo de una anécdota que cuenta Lanata en su libro y es que Blas Parera, el de la música de nuestro Himno Nacional, se escapó de la Argentina cuando quisieron hacerle firmar la nacionalidad; me pareció precioso eso, el autor de nuestro Himno se escapa porque lo quieren nacionalizar.

F. P.: Era catalán.

J. G. H.: En la actualidad está pasando con los jóvenes que se van a Ezeiza. Como decía un español, el emigrante es alguien que vota con los pies. La cultura del despilfarro, de regalar lo ajeno, dio sus resultados.

F. P.: Es un voto claro de disconformidad y falta de esperanza. Volviendo a Isabelita, me estaba acordando de un canto de cuando era muy jovencito; cantábamos en "homenaje" a Isabelita: "Evita hay una sola, no rompan más las bolas".

P. O.: Vos, Felipe, sos de la generación que ha gritado que si Evita viviera sería montonera, y yo creo que sólo sería peronista.

Índice